Reçu le 22-02-90

P9-EDO-781

SÉGOU
LES MURAILLES DE TERRE

Tome I

Maryse Condé, guadeloupéenne, a longtemps vécu en Afrique. Professeur de littérature négro-africaine à l'Université de Paris IV (Sorbonne). Productrice à Radio-France International. Auteur de plusieurs récits et essais dont La Civilisation du Bossal *et* Heremakhonon.

Ségou, c'était, à la fin du XVIIIe siècle, entre Bamako et Tombouctou — dans l'actuel Mali — un royaume florissant qui tirait sa puissance de la guerre. A Ségou, on est animiste; or, dans le même temps, une religion conquérante se répand dans les pays du Niger : l'islam, qui séduit les esprits et se les attache.
De ce choc historique naîtront les malheurs de Ségou et les déchirements de la famille de Dousika Traoré, noble bambara proche du pouvoir royal. Ses quatre fils auront des destins opposés et souvent terribles, en ce temps où se développent, d'un côté, la guerre sainte, et, de l'autre, la traite des Noirs.
Ainsi, acteurs et victimes de l'histoire, il y a les hommes. Mais, plus profondément, il y a les femmes, libres ou esclaves, toujours fières et passionnées, qui mieux que leurs époux et maîtres connaissent les chemins de la vie.

MARYSE CONDÉ

Ségou

Les Murailles de terre

Tome I

ROMAN

ROBERT LAFFONT

© Éditions Robert Laffont, S. A., Paris, 1984.

A mon aïeule bambara

Je ne saurais citer tous ceux qui m'ont aidée de leurs indications bibliographiques ou m'ont donné accès à leur documentation.

Pourtant, je tiens à remercier tout particulièrement mes amis, historiens et chercheurs en sciences humaines Amouzouvi Akakpo, Adame Ba Konare, Ibrahima Baba Kake, Lilyan Kesteloot, Elikia M'Bokolo, Madina Ly Tall, Olabiyi Yai, Robert Pageard et Oliveira dos Santos.

Grâce à eux, cette fiction ne prend pas trop de liberté avec le réel.

Première partie

LA PAROLE QUI TOMBE DE NUIT

1

Ségou est un jardin où pousse la ruse. Ségou est bâtie sur la trahison. Parle de Ségou hors de Ségou, mais ne parle pas de Ségou dans Ségou.

Pourquoi ce chant des griots, qu'il avait entendu tant de fois sans y prêter grande attention, ne pouvait-il quitter l'esprit de Dousika? Pourquoi cette appréhension, tenace, comme la nausée d'une femme enceinte? Pourquoi cette crainte au seuil du jour? Dousika scruta ses rêves pour découvrir un signe, une indication de ce qui peut-être l'attendait. Rien. Il avait dormi d'un sommeil profond pendant lequel aucun ancêtre ne s'était adressé à lui. Assis sur une natte dans le vestibule de sa case, Dousika prit une bouchée de dègué, la bouillie de mil mêlée de lait caillé et de miel qu'il affectionnait le matin. Il la trouva trop liquide pour son goût et, avec irritation, il héla sa première femme, Nya, afin de la rabrouer. En l'attendant, il prit son frotte-dents de n'tomi, le ficha entre ses belles dents limées afin que, mélangée à sa salive, la sève alimente sa force physique et sa puissance sexuelle.

Comme Nya ne répondait pas, il se leva, sortit de sa case et entra dans la première cour de la concession où habitaient ses femmes.

Elle était déserte. Déserte?

Seuls quelques vans destinés au mil traînaient sur le sable immaculé à côté de petits escabeaux de bois.

Dousika était un noble, un yèrèwolo, membre du Conseil royal, ami personnel du Mansa[1], père d'une dizaine de fils légitimes, régnant en sa qualité de fa, c'est-à-dire de patriarche sur cinq familles, la sienne d'abord, ensuite celle de ses frères cadets qui vivaient autour de lui. La concession de Dousika était à l'image du rang qu'il occupait dans la société de Ségou. Sur la rue, sa haute façade de terre battue s'agrémentait de sculptures et de dessins triangulaires creusés à même la muraille et se terminait par des tourelles de hauteur inégale et du plus heureux effet. L'intérieur se composait d'une série de cases de terre également avec des toits en terrasse, communiquant les unes avec les autres par une succession de cours. La première était plantée d'un magnifique dubale dont le panache, véritable dôme de verdure, était soutenu par une cinquantaine de colonnes formées par les racines descendant du tronc primitif.

D'une certaine manière, le dubale était le témoin et le gardien de la vie des Traoré. C'était sous ses puissantes racines que le placenta de nombre d'ancêtres avait été enterré après l'heureuse délivrance. C'est à son ombre que les femmes et enfants s'asseyaient pour se conter des histoires et les hommes pour prendre des décisions touchant à la vie de la famille. En saison sèche, il protégeait du soleil. En saison d'hivernage, il donnait du bois de chauffage. La nuit venue, les esprits des ancêtres se dissimulaient dans son feuillage et veillaient sur le sommeil des vivants. Quand ils étaient mécontents, ils le faisaient savoir en exprimant une série de sons

1. Roi.

légers, à la fois mystérieux et transparents comme un code. Alors, ceux à qui l'expérience donnait le pouvoir de les déchiffrer, hochaient la tête :

« Attention, nos pères ont parlé ce soir! »

Tous ceux qui franchissaient le seuil de la concession des Traoré savaient à qui ils avaient affaire. Ils devinaient aussitôt que ses occupants possédaient des coudées de bonne terre, plantées de mil, de coton, de fonio, cultivées par des centaines d'esclaves de case et de captifs. Dans des resserres s'entassaient des sacs de cauris et de poudre d'or libéralement offerte par le Mansa, et dans un enclos, derrière les cases, s'ébrouaient des chevaux arabes achetés aux Maures. L'opulence se devinait à mille signes. Déserte, la première cour, alors que d'habitude elle grouillait de monde? Filles et garçons pareillement nus; les premières les reins ceints d'un collier de perles ou de cauris, les seconds d'un fil de coton. Femmes occupées à piler le mil ou à le vanner, à filer le coton en écoutant les bons mots de quelque bouffon, ou les chants épiques d'un griot en quête d'un plat de to[2]. Hommes bavardant tout en préparant des flèches de chasse ou en affûtant des instruments aratoires. De plus en plus irrité, Dousika entra dans la seconde cour sur laquelle donnaient les cases de ses trois femmes et de sa concubine, Sira.

Il trouva cette dernière prostrée sur une natte, une expression de souffrance déformant son beau visage luisant de sueur. Il l'apostropha :

« Mais où sont-ils tous? »

Elle s'efforça de se redresser et murmura dans son mauvais bambara :

« Au fleuve, kokè[3]. »

2. Pâte de farine de mil, plat très apprécié.
3. Appellation donnée par une épouse à son mari car elle ne doit pas prononcer son nom.

Il hurla presque :

« Au fleuve? Que sont-ils tous allés faire au fleuve? »

Elle parvint à articuler :

« Un homme blanc! Il y a un homme blanc sur la rive du Joliba[4]! »

Un homme blanc? Est-ce que cette femme délirait? Le regard de Dousika descendit jusqu'à son ventre, énorme sous le pagne lâchement noué, puis, effrayé, remonta sur les murs d'argile, mêlée de kaolin, des cases. Seul en face d'une femme sur le point d'accoucher!...

Il fit rudement pour cacher sa frayeur :

« Qu'est-ce qui t'arrive? »

Elle balbutia d'un ton d'excuse :

« Je crois que c'est le moment... »

Depuis plusieurs mois, Dousika n'approchait plus Sira, enceinte pour la deuxième fois, par égard pour la vie qu'elle portait en elle. De même, pendant tout le travail de l'accouchement, il devrait se tenir loin d'elle et n'apparaître qu'après sa délivrance, avec le prêtre-féticheur alors qu'elle tiendrait déjà son nouveau-né dans ses bras. Sa présence, tandis qu'elle souffrait, ne risquait-elle pas d'irriter les ancêtres? Il hésitait à battre en retraite, à la laisser seule, quand Nya parut, un enfant au dos, deux autres accrochés à ses pagnes de coton teint à l'indigo. Il explosa :

« Où étais-tu? Je comprends que tout le monde perde la tête ici. Mais toi! »

Sans un mot d'explication, encore moins d'excuse, Nya passa devant lui et se pencha sur Sira :

« Il y a longtemps que tu souffres? »

L'autre souffla :

« Non! Cela m'a pris tout à l'heure! »

4. Nom bambara du fleuve Niger.

D'une autre que Nya, Dousika n'aurait pas supporté pareille désinvolture, frisant l'impertinence. Mais elle était sa première épouse, sa bara muso, à laquelle il avait délégué une part de son autorité et de ce fait capable de lui parler d'égal à égal. Ensuite, elle était née Coulibali, apparentée à l'ancienne famille régnante de Ségou et tout noble qu'il était, Dousika ne pouvait se vanter d'une aussi prestigieuse origine. C'étaient les ancêtres de Nya qui avaient fondé cette ville sur la rive du Joliba, vite devenue le cœur d'un vaste empire. C'étaient les frères de ses ancêtres qui régnaient sur le Kaarta. Aussi dans l'amour que Dousika lui portait entrait une large part de respect, presque de crainte. Il se retira et dans la première cour, il se heurta à un messager du palais. L'homme se jeta dans la poussière en signe de respect et prostré par terre le salua :

« Toi et le jour! »

Puis il débita la devise des Traoré :

« Traoré, Traoré, Traoré, l'homme au long nom ne paie pas le prix de son passage du fleuve[5]. »

Enfin il livra son message :

« Traoré, le Mansa te demande d'urgence au palais!... »

Dousika fut surpris :

« Au palais? Mais ce n'est pas jour du Conseil!... »

L'homme releva la tête :

« Ce n'est pas pour le Conseil. Il y a un homme blanc sur le bord du fleuve qui demande à être reçu par le Mansa...

– Un homme blanc? »

Sira ne délirait donc pas? Dousika, il est vrai, avait déjà entendu parler de cet homme blanc. Des

5. Allusion à la puissance des Traoré.

cavaliers venant du Kaarta affirmaient l'avoir rencontré monté sur un cheval aussi épuisé que lui-même. Pourtant, il avait cru à un de ces récits dont les femmes divertissent les enfants le soir et n'y avait point prêté attention. Se coiffant de son chapeau conique, car le soleil commençait de monter dans le ciel, Dousika sortit de sa concession.

En 1797, Ségou, la ville aux 1444 balanzas, arbre sacré, avatar terrestre de Pemba, dieu de la création, capitale du royaume bambara du même nom, était une énorme agglomération composée de quatre quartiers, disposés le long du Joliba, qui, à cet endroit, avait bien trois cents mètres de large. Si Ségou-Koro abritait le tombeau de l'ancêtre fondateur, Biton Coulibali, à Ségou-Sikoro s'élevait le palais du Mansa Monzon Diarra. A des journées de marche à la ronde, on n'aurait pas pu trouver lieu plus animé. Le marché principal se tenait sur une grande place carrée, autour de laquelle étaient disposés des hangars aux cloisons de bois ou de nattes, aux toitures recouvertes de terre battue sous lesquels les femmes vendaient tout ce qui peut se vendre : mil, oignons, riz, patates douces, poisson fumé, poisson frais, piments, beurre de karité, poulets, tandis que des artisans suspendaient sur des cordes les objets de leur commerce, bandes de coton tissé, sandales, selles de chevaux, calebasses finement décorées. A gauche du marché se trouvait le bazar où l'on entassait les captifs de guerre, liés les uns aux autres par des branches arrachées aux jeunes arbres. Dousika ne prêtait aucune attention à ce spectacle trop familier. Au risque de nuire à sa dignité, il se hâtait, arrêtant d'un geste ferme les griots toujours à l'affût par les rues et prêts à chanter les louanges des hommes bien nés.

Ségou était à l'apogée de sa gloire. Sa puissance s'étendait jusqu'aux marches de Djenné, la grande cité marchande sur la rive du Bani. On la craignait jusqu'à Tombouctou, à la lisière du désert. Les Peuls du Macina étaient ses vassaux et lui payaient annuellement de lourds tributs de bétail et d'or. A vrai dire, il n'en avait pas toujours été ainsi. Cent, cent cinquante ans plus tôt, Ségou ne comptait nullement parmi les cités du Soudan. Ce n'était qu'un village où Niangolo Coulibali avait pris refuge tandis que son frère Barangolo s'installait plus au nord. Puis Biton, son fils, s'était fait l'ami du dieu Faro, le maître de l'eau, le maître de la connaissance et avec sa protection avait transformé un amas de cases de torchis en une orgueilleuse construction dont le nom seul faisait trembler Somonos, Bozos, Dogons, Touaregs, Peuls, Sarakolés... A tous ces peuples, Ségou faisait la guerre et ainsi obtenait des esclaves qu'elle revendait sur ses marchés ou qu'elle employait à cultiver ses champs. La guerre était le nerf de sa puissance et de sa gloire.

Si Dousika hâtait ainsi le pas, c'est que l'appel du Mansa le rassurait, le persuadait qu'il n'était pas tombé en défaveur comme il le craignait. A la cour, il ne manquait pas de gens qui jalousaient sa trop grande intimité avec Monzon Diarra et les relations particulières, ce pacte d'amitié, de plaisanterie et d'entraide qui existait entre eux. Alors, ils avaient pris pour prétexte son attitude vis-à-vis de la guerre. Ils chuchotaient à l'oreille de Monzon : « Dousika Traoré est le seul qui s'oppose à ta gloire. Il dit que les Bambaras en ont assez de guerroyer. C'est qu'en lui-même, il te jalouse et jalouse ta fortune. N'oublie pas que sa femme est une Coulibali! »

Et peu à peu, Dousika voyait naître la méfiance dans le regard de Monzon et poindre, à chaque fois qu'il se posait sur lui, une interrogation :

« Est-il mon ami ou mon ennemi? »

Dousika entra dans la cour du palais. C'était un magnifique édifice, bâti par des maçons venus de Djenné. Il était entouré d'un mur de brique de terre aussi épais que celui d'une ville, percé d'une unique porte devant laquelle se tenaient en permanence des gardes armés de fusils venus de la côte par le canal des traitants. Dousika traversa sept vestibules pleins de tondyons[6] jusqu'à la salle de réunion du Conseil, devant laquelle se tenaient des féticheurs occupés à déchiffrer l'avenir au moyen de noix de kolas et de cauris tandis que des courtisans attendaient le bon plaisir des griots pour être introduits auprès du Mansa.

Monzon Diarra était allongé sur une peau de bœuf posée sur une estrade, le coude gauche enfoncé dans un oreiller en cuir de chèvre orné d'arabesques. Il semblait soucieux. D'une main, il caressait l'une des deux grandes tresses qui lui partaient du milieu de la tête pour se croiser sous le menton. De l'autre, il roulait l'anneau qui ornait son oreille gauche. Trois esclaves l'éventaient. Deux autres, accroupis non loin, préparaient le tabac dans de petits mortiers avant de le lui présenter dans de lourdes tabatières en or.

Le Conseil était au complet et Dousika éprouva un sentiment de rage en constatant qu'il était le dernier à pénétrer dans la pièce. Selon la coutume, il s'inclina profondément en se frappant la poitrine et se traîna sur les genoux jusqu'à sa place, à côté de son mortel ennemi, Samaké.

Monzon Diarra avait hérité de la beauté de sa mère Makoro dont les griots chantaient encore la mémoire. Toute sa personne inspirait le respect et la terreur comme si la royauté usurpée par son père Ngolo aux descendants de Biton Coulibali

6. Corps de soldats, créé par l'ancêtre fondateur Biton Coulibali.

avait trouvé la légitimité en lui. Il portait une blouse de coton blanc, tissé sur les meilleurs métiers de Ségou, et un pantalon de même couleur serré à la taille par une large ceinture. Son front était ceint d'une bande de coton tandis que ses bras musclés étaient décorés de cornes et de dents d'animaux destinées à le protéger, mais aussi d'amulettes fabriquées par des marabouts : petits sachets de cuir finement ouvragés renfermant des versets du Coran. Il abaissa son regard sur Dousika et fit moqueusement :

« Hé! Dousika, laquelle de tes femmes t'a retenu jusqu'à maintenant? »

La vile assemblée des courtisans éclata de rire, tandis que Dousika, réprimant sa colère, faisait d'un ton d'excuse :

« Maître des énergies, il y a bien peu de temps que ton messager est venu me prévenir. Vois, j'ai marché si vite que je transpire encore... »

Après cette interruption, Tiétiguiba Danté, le chef des griots, qui transmettait à l'assemblée les paroles du Mansa, se leva :

« Le maître des dieux et des hommes, celui qui siège sur la peau royale, le grand Mansa Monzon vous a convoqués pour une raison. Un homme blanc, blanc avec deux oreilles rouges comme des tisons, se trouve de l'autre côté du fleuve et demande à être reçu devant lui. Que veut-il? »

Là-dessus, Tiétiguiba se rassit, et selon le cérémonial un autre griot se leva. Tiétiguiba était un personnage redouté de tous à cause de sa grande intimité avec le souverain. Il était vêtu de façon assez impressionnante d'une blouse de cotonnade bleu indigo et blanc et coiffé d'un cimier orné de poils de fauve et de cauris. Comme il avait également fonction d'espion, son regard parcourait successivement chaque membre du Conseil comme s'il entendait le jauger et faire son rapport. Quand le second griot se fut tu, il se leva de nouveau :

« Cet homme blanc dit qu'il n'est pas pareil à un Maure. Il ne veut rien vendre et rien acheter. Il dit qu'il est venu regarder le Joliba... »

Ce fut un éclat de rire. N'y avait-il donc pas de rivière au pays de l'homme blanc? Et une rivière ne ressemble-t-elle pas à une autre? Non, cela cachait quelque piège, et l'homme blanc ne voulait pas révéler le but réel de sa visite.

Dousika demanda la parole et dit :

« A-t-on interrogé les buguridala[7] et les mori[8]? »

Samaké se moqua tout bas :

« On ne t'a pas attendu pour le faire... »

Une fois de plus, Dousika maîtrisa sa colère et répéta sa question. Tiétiguiba lui répondit :

« Ils ne se prononcent pas! »

Ils ne se prononçaient pas? C'était bien le signe de l'extrême gravité de la situation! Tiétiguiba poursuivit :

« Ils disent que, quoi que nous fassions de cet homme blanc, d'autres pareils à lui viendront et se multiplieront parmi nous. »

Stupéfaits, les membres du Conseil se regardèrent. Des hommes blancs s'installer à Ségou et vivre parmi les Bambaras? Amis ou ennemis, cela semblait impossible! Dousika se pencha et murmura, cette fois à l'adresse de son ami Koné, assis à quelque distance de lui :

« Est-ce que tu l'as vu, cet homme blanc? »

Malheureusement, dans le silence qui régnait, cette remarque, assez puérile il est vrai, fut entendue de tous. Le Mansa se redressa et lui jeta avec ironie :

7. Géomanciens.
8. Marabouts musulmans.

« Si tu veux le voir, il est sur l'autre rive du Joliba. Tu y trouveras les femmes, les enfants et les nyamakala[9]... »

Cette fois encore, l'assemblée éclata d'un rire obséquieux. Et Dousika fut à nouveau au centre des railleries et des sarcasmes. A la vérité, que lui reprochait-on ? De tenir, d'une certaine manière, un double langage. De faire profession de haïr la guerre tout en profitant de sa part de butin et en s'enrichissant sans mal puisqu'il prenait rarement part aux expéditions, de se griser de sa familiarité avec le Mansa et des origines royales de sa femme au point de traiter tout le monde avec mépris, bref de devenir arrogant et vain. Certains disaient qu'il avait de qui tenir, son père, Falé, ayant été le plus orgueilleux des yèrèwolow qui ait jamais foulé le sol de la ville. Au point que les dieux l'avaient puni, lui faisant rencontrer une mort ignominieuse quand son cheval l'avait jeté au milieu d'un marais où il avait agonisé des heures durant.

On n'allait pas jusqu'à en souhaiter autant à Dousika. Pourtant tout le monde à la cour était d'avis qu'une bonne leçon ne lui ferait pas de mal.

Pendant ce temps, Nya se penchait sur Sira.

Les deux femmes n'étaient plus seules. Etant donné l'affluence de ceux qui voulaient voir l'homme blanc, les pirogues traversant le Joliba étaient prises d'assaut. Aussi, après des heures d'attente, nombre d'esclaves, la mort dans l'âme, avaient dû revenir accomplir leurs obligations dans la concession.

En hâte, Nya avait fait chercher Souka, la ma-

9. Hommes de caste.

trone, qui avait délivré toutes les épouses de Dousika et ranimé de ses mains habiles plus d'un nouveau-né hésitant à entrer dans le monde visible. En attendant, elle faisait déjà brûler des plantes destinées à chasser les mauvais esprits et à favoriser la montée du lait. Puis elle revint vers Sira accroupie afin de faciliter l'expulsion.

Sira occupait une position particulière dans la concession. Ce n'était pas une Bambara, mais une Peule. Le Mansa Monzon, au cours d'une expédition contre ses vassaux peuls du Macina dont les ardo[10] n'étaient jamais prêts à s'acquitter de l'impôt, avait capturé en guise de représailles une douzaine de garçons et de filles choisis parmi les meilleures familles de la capitale, Tenekou. Il avait l'intention de les restituer dès paiement des sommes dues. Mais un jour, Dousika traversant une des cours du palais pour se rendre à la séance du Conseil, avait aperçu Sira et l'avait souhaitée pour concubine. Vu les liens qui les unissaient, Monzon, malgré son déplaisir, n'avait pu la lui refuser. Par la suite, l'impôt avait été payé et la famille de Sira avait envoyé une délégation pour la reprendre. Mais Dousika avait refusé d'obéir. D'ailleurs, il était trop tard. Sira était déjà grosse. Etrangère et captive, Dousika n'avait pu l'épouser. Cependant, il était évident qu'il la préférait à ses compagnes légitimes, à celles qui partageaient sa langue et ses dieux.

D'abord, Nya avait haï Sira. Ce n'était certes pas la première fois que Dousika prenait une concubine. On ne comptait plus les esclaves qui, la nuit, se succédaient dans sa case. Pourtant, jamais à aucune d'entre elles, il n'avait accordé tant de prix. Elle ne s'y trompait pas, elle lisait sa passion à mille signes, invisibles pour les autres. Puis sans qu'elle

10. Chefs de guerre peuls, originaires du clan Diallo.

sache comment, sa haine et sa jalousie avaient fait place à des sentiments de pitié, de solidarité et d'affection. Le sort qui avait frappé Sira aurait pu la frapper également. La violence des hommes, le caprice de l'un d'entre eux auraient pu l'arracher à la maison de son père, aux bras de sa mère pour en faire un objet de troc, d'échange. Alors, à la surprise de tous, elle s'était mise à protéger son ancienne rivale.

Malgré son empire sur elle-même, Sira poussa un gémissement. Nya, qui ne voulait pas entendre dire que sa coépouse avait manqué de courage au moment de l'épreuve suprême, lui posa vivement la main sur la bouche. En même temps, elle songea qu'une fois Souka arrivée, elle irait déposer une nouvelle offrande dans la case aux autels dans la dernière cour de la concession. Elle n'y avait pas manqué peu après son réveil, mais sachant que, l'hivernage précédent, Sira avait accouché d'un enfant mort-né, il fallait redoubler de précautions. Elle tenait en réserve un coq blanc dont la couleur plairait au dieu Faro qui, nuit et jour, veille à la bonne marche de l'univers.

Souka entra. C'était une femme déjà âgée, l'épouse d'un forgeron-féticheur, elle-même en communication avec les puissances tutélaires et qui donnait une grande impression d'autorité. Elle portait autour du cou un collier de cornes d'animaux remplies de poudres et d'onguents bienfaisants. Un coup d'œil à Sira la persuada qu'elle avait encore de longues heures devant elle, et elle commença à piler des racines et des feuilles dans un mortier tout en murmurant des prières connues d'elle seule. Rassurée par sa venue, Nya sortit pour aller recueillir un peu de lait de chèvre qu'il serait bon de faire avaler au nouveau-né avant celui de sa mère.

Dans les cours, l'agitation avait repris. Tout le

monde semblait revenu du fleuve. Niéli, la deuxième épouse, assise devant sa porte, mangeait voracement des n'gomi, beignets de mil qu'une de ses esclaves lui avait préparés. Nya se reprochait les sentiments qu'elle éprouvait pour Niéli qui aurait dû être sa petite sœur. Pourtant comment s'accommoder de sa paresse, de ses caprices, de ses criailleries constantes? C'est que Niéli n'arrivait pas à oublier la manière dont elle était entrée dans la concession. Des années plus tôt, Falé, le père de Dousika, accompagnait le Mansa Ngolo Diarra à Niamina. Comme il passait la soirée chez un noble bambara de leurs relations, il s'aperçut que l'épouse de son hôte était enceinte. Selon la coutume, il demanda l'enfant pour son fils si c'était une fille.

Dousika était un fils respectueux. Il avait toujours traité avec justice cette épouse qu'il n'avait pas choisie, mais il ne l'avait jamais aimée. Depuis l'arrivée de Sira au foyer, cette différence de sentiments, perceptible à une infinité de détails, de menus gestes, torturait Niéli.

Niéli s'arrêta de mastiquer ses n'gomi et interrogea :

« L'étrangère a accouché? »

Elle n'appelait jamais Sira autrement. Nya ne releva pas l'expression et se borna à répondre :

« Non, le petit inconnu n'est pas encore parmi nous. Les ancêtres fassent que son voyage soit aisé... »

Niéli fut bien forcée de marmonner la prière d'usage. Nya se dirigea vers la petite case aux autels. C'était un lieu secret où ne pénétraient que les prêtres-féticheurs attachés à la famille, les chefs des différentes cellules familiales et quelques femmes investies comme elle-même d'une certaine autorité. Dans la deuxième cour, elle se heurta à Dousika de retour du palais et visiblement à sa recherche. Il commença :

« Monzon m'a encore humilié et... »

Elle l'interrompit :

« Défais la ceinture de ton pantalon. Sira est en travail... »

Ne pouvait-elle dominer sa rancœur? Ce qu'elle reprochait en réalité à Dousika, ce n'était plus la présence de Sira. C'était l'usure que le temps avait apportée à ses sentiments pour elle. La mort de son désir. La routine installée dans leurs relations. A présent, pendant les nuits qu'elle passait dans sa case, ils dormaient sans se toucher. Leurs seules conversations tournaient autour des enfants, de l'usage des biens, des soucis de la vie publique. Ah! qu'il est dur de vieillir!

Il fit d'un ton suppliant :

« Ecoute-moi! Je te dis que Monzon s'est raillé de moi par deux fois en plein Conseil... Fais venir Koumaré... »

Nya fixa le sol de sable blanc mêlé à des pierres finement pilées :

« Quand veux-tu le voir?

– Mais le plus vite possible!... »

Koumaré était le forgeron-féticheur, grand prêtre du Komo[11] qui, depuis des années, interprétait pour Dousika les signes de l'invisible et du visible et tentait de prévenir tous les événements défavorables. De toute façon, il faudrait bientôt l'appeler, dès que l'enfant de Sira serait né, afin qu'il l'entoure de protections. Nya reprit sa marche. Mais, comme elle allait entrer dans la troisième cour, elle eut pitié de Dousika qui restait debout, immobile, ne

11. Importante société secrète à la tête de laquelle se trouve un clergé dirigé par un grand prêtre.

sachant s'il devait la suivre ou retourner vers sa case. Se détournant, elle dit avec bienveillance :

« Attends-moi. Je reviens dans un instant. »

Il la regarda s'éloigner, partagé entre le chagrin que lui causait son indifférence et le désir de s'accrocher à son pagne comme un petit enfant. Quel âge avait-elle ? Il ne le savait pas, pas plus que son âge à lui-même. Ils étaient mariés depuis seize saisons sèches. Alors, elle devait en compter trente-deux ! Sa taille s'était alourdie. Ses seins s'étaient affaissés et déjà les rides de la responsabilité accusaient ses traits, altiers et fins, comme ceux de tous les Coulibali qu'on disait les plus beaux des Bambaras. Au repos, on la croyait sévère. Mais quand elle souriait, une lumière éclatait dans ses yeux allongés, obliques. Nya, il avait besoin de sa force ! Pourquoi la lui refusait-elle ?

La case aux autels dans laquelle Nya entra contenait un billot de bois nommé pembélé, représentation du dieu Pemba qui, en tourbillonnant, avait créé la terre tandis que le dieu Faro s'attribuait le ciel et les eaux. Autour du pembélé étaient disposées des pierres rouges représentant les ancêtres de la famille, et des boli, objets fétiches faits des matières les plus diverses, queues de hyènes, queues de scorpions, écorces, racines d'arbres, régulièrement arrosés de sang d'animaux, concentrés symboliques des forces de l'univers et destinés à assurer à la famille bonheur, prospérité, fécondité.

Nya se saisit d'un petit balai de fibre végétale et nettoya soigneusement le sol. Tout était en ordre. Pourtant le sang qui couvrait les boli était sec. Elle reviendrait bientôt les rafraîchir, car ils devaient avoir soif.

2

SIRA était seule avec sa peur et sa douleur.

Peur, car l'année précédente, elle avait accouché d'un enfant mort-né. Neuf mois d'anxiété pour mettre au monde une petite boule de chair à laquelle les dieux n'avaient pas voulu insuffler la vie. Pourquoi? S'irritaient-ils de cette alliance contre nature entre une Peule et un Bambara?

Toi Peul, garde ton troupeau.
Noir conserve ta bêche, celle-qui-fatigue.

Ainsi dit le poème pastoral. Aucun lien n'était possible entre ces deux races d'hommes. Pourtant ils savaient bien qu'elle ne l'avait pas voulue elle-même et qu'elle n'était qu'une victime... Alors pourquoi la punir? Et allaient-ils la punir à nouveau? La condamner à cette attente stérile? A un nouvel enterrement alors qu'elle souhaitait s'épanouir dans la gloire d'un baptême? Elle regarda le monticule dans sa case, là où avait été enfoui le petit être aussitôt enlevé à son affection, et ses yeux s'emplirent de larmes. Que les dieux accordent la vie à son enfant, même si c'était celui d'un Bambara, d'un homme qu'elle aurait dû haïr.

Malgré elle, elle gémit et Souka, s'approchant, rectifia sa position accroupie, l'aida à nouer ses mains derrière la nuque, puis lui massa doucement le ventre en chantonnant. L'odeur des fumigations de wolo, plante aimée du dieu Faro et qui favorise les naissances, lui emplit les narines. Elle eut un éternuement qui déclencha en elle une telle vague de souffrance qu'elle crut mourir. Elle se rappela les préceptes de sa mère, de Nya, de toutes les femmes qui étaient passées par là avant elle. Ne pas broncher. Etre maîtresse de sa douleur. Mais c'était impossible. Impossible! Elle serra les dents, se mordit les lèvres, sentit la fade saveur du sang, puis ouvrit les yeux sur la chevelure finement tressée et hérissée de gris-gris de Souka, penchée sur son bas-ventre.

Alors qu'elle était enfant, elle s'était aventurée avec un de ses frères dans le marigot de Dia où il menait paître les vaches en saison sèche. Comme c'était l'hivernage, les eaux étaient hautes. Ils avaient perdu pied et s'étaient trouvés emportés sans défense, parmi les plantes aquatiques qui couvraient la surface. Ils avaient cru qu'ils ne reverraient plus jamais leur mère et la case de leur père quand une rizière était apparue, leur offrant l'aide de ses tiges encore fragiles. C'était la même terreur qu'elle revivait à présent, le même désarroi et, soudain, la même paix. Inattendue.

Incrédule, Sira entendit un pleur ou plutôt un vagissement. Elle balbutia :

« Qu'est-ce que c'est? »

Souka se leva emportant vers la calebasse d'eau tiède un petit tas de chairs sanguinolentes qu'elle se mit à laver avec des gestes étonnamment doux et précautionneux :

« Un bilakoro[1] de plus... »

Puis, entourant Nya, les esclaves entrèrent en

1. Garçon non circoncis.

hâte, apportant, les unes un bouillon au poisson sec et au piment, les autres des lianes pilées afin de lui masser le ventre.

Elle murmura à l'adresse de Nya :

« Il est vivant, bien vivant? »

Nya feignit de ne pas entendre cette question malencontreuse qui pouvait irriter les dieux.

Souka, quant à elle, regardait le nouveau-né. Elle en avait reçu dans ses mains larges et puissantes! Elle en avait sectionné des cordons ombilicaux! Enterré des placentas! Aussi lui suffisait-il d'étudier le dessin d'une bouche, le modelé d'une paupière pour deviner l'enfant qui ferait l'orgueil de ses parents ou, au contraire, celui qui se traînerait longtemps sur des jambes trop grêles. Elle savait que le petit garçon qu'elle tenait sur ses genoux serait un aventureux, promis à un destin singulier. Il serait bon que Nya offre aux boli familiaux un œuf pondu par une poule noire, sans une seule plume blanche et des cœurs d'antilope. En outre, Dousika ne devrait pas être avare de coqs au plumage rouge dont il répandrait le sang afin d'en enduire le sexe du nouveau-né. Il fallait que ces précautions soient prises pour assurer la bonne vie. Souka massa de beurre de karité le petit corps informe et tiède, l'enveloppa d'un fin linge blanc, puis le remit à sa mère, répondant silencieusement à l'interrogation que contenait le regard de Nya :

« Mais oui, il est beau! Et les dieux lui prêteront vie... »

Sira prit enfin son fils contre elle. Selon la tradition, il ne recevrait son nom qu'au huitième jour. Pourtant, venu après un aîné mort-né, elle savait qu'on l'appellerait Malobali. Elle pressa contre la sienne sa petite bouche fragile, étonnée qu'une chair si légère pèse déjà d'un tel poids dans sa vie. Son fils était là, bien vivant. Quelles que soient les conditions de sa naissance, il la vengeait de son humiliation, de ses souffrances, de sa déchéance, fille d'un ardo peul, éleveur de centaines de têtes de bétail, devenue concubine d'un agriculteur.

Quand Sira pensait à sa vie d'autrefois, elle croyait rêver. Dans le Macina, la vie était rythmée par les saisons, les troupeaux allant et venant des pâturages de Dia à ceux de Mourdia. Les femmes trayaient les vaches, fabriquaient du beurre que les esclaves allaient troquer contre du mil sur les marchés des environs. Les hommes étaient amoureux de leurs bêtes plus que de leurs épouses et en chantaient la beauté le soir devant les feux de bois. Aussi les autres peuples se moquaient :

Ton père est mort, tu n'as pas pleuré.
Ta mère est morte, tu n'as pas pleuré.
Un menu bovin a crevé et tu as dit Yoo!
La maison est détruite!

Mais les autres peuples comptaient-ils? On ne s'en rapprochait qu'en saison sèche afin de négocier l'accès à la pâture et à l'eau pour le bétail.

Puis un jour, des tondyons bambaras avaient surgi coiffés de bonnets à deux pointes, vêtus de tuniques jaunes s'arrêtant au-dessus du genou, bardés de cornes et de dents d'animaux ou d'amulettes achetées aux musulmans. L'odeur de la poudre emplissant ses narines, Sira s'était retrouvée à Ségou dans le palais du Mansa. Malgré le chagrin que lui causait sa captivité, elle ne pouvait s'empêcher d'admirer le nouveau cadre de sa vie. Derrière des murs qui défiaient le ciel, des esclaves tissaient, assis sous des auvents devant leurs appareils faits de quatre bois verticaux enfoncés en terre et reliés par des tiges horizontales, et elle ne se lassait pas de regarder, fascinée, le long serpent blanc de la bande. Des maçons réparaient et recrépissaient les façades. Partout, des commerçants offraient des tapis de Barbarie, des parfums, des soieries tandis que des bouffons, le corps disparaissant littéralement dans des vêtements faits de petits losanges de peau de bêtes étoilés de cauris, caracolaient pour la plus grande joie des enfants royaux. Comme les Peuls, quant à eux, ne bâtissaient pas, se contentant de leurs cases rondes en paille tressée ou en branchages, tout cela la fascinait.

Etait-ce pour la punir de ces sentiments d'admiration involontaires, presque inconscients pour ses vainqueurs que les dieux l'avaient livrée à Dousika?

Non, il ne fallait pas penser à Dousika sinon la joie de l'instant serait gâchée. Pourtant peut-on abstraire un enfant de son père?

Justement il entrait, Dousika, flanqué de Koumaré qu'on était allé quérir en vitesse pour les premiers sacrifices. Elle détourna la tête pour ne pas rencontrer son regard et partager sa joie. En même temps, elle se reprochait son hypocrisie. Qu'est-ce qui la retenait de le quitter, de quitter Ségou? Elle se persuadait qu'elle attendait des dieux ou de son peuple une vengeance éclatante qui la dépasserait elle-même. Etait-ce la vérité?

Quelques semaines auparavant, un artisan labo[2] était entré dans la concession pour proposer des mortiers, des pilons et des manches d'outils. Ils s'étaient reconnus au parler, le doux parler foulfouldé[3]. L'homme lui avait donné des nouvelles du pays. Les Peuls en avaient assez de la domination de Ségou, des razzias et des exactions des Bambaras. Se détournant de l'ardo Ya Gallo du clan des

2. Caste peule qui travaille le bois.
3. Le foulfouldé est le nom de la langue des Peuls du Macina.

Dialloubé[4], ils plaçaient tous leurs espoirs dans un jeune homme, Amadou Hammadi Boubou du clan des Barri, musulman fervent, qui avait juré de les unir dans un Etat unique, souverain, qui ne reconnaîtrait d'autre maître qu'Allah! Du coup, on chuchotait une prédiction faite quelques siècles plus tôt à l'Askia[5] Mohammed du royaume songhaï de Gao. On lui avait annoncé qu'un Peul porterait un coup mortel au royaume bambara et fonderait un vaste empire. Amadou Hammadi Boubou serait ce Peul-là!

Etait-ce possible?

Caressant doucement la tête de son nouveau-né, Sira imagina le serpent du feu touchant de sa langue bifide le palais du Mansa, les concessions, les bouquets de cailcédrat et s'arrêtant en bordure du Joliba après avoir calciné les flottilles de pirogues des Somonos. Ah! il fallait au moins cela pour la venger! Elle ferma les yeux.

Pendant ce temps, Souka déclinait toutes les particularités corporelles qui permettraient à Koumaré de déterminer de quel ancêtre le nouveau-né était la réincarnation. Sira entendit ensuite le battement d'ailes et le cri bref du coq que le féticheur égorgeait. Enfin le silence se fit et elle se retrouva seule avec son fils.

Naba tira Tiékoro par la blouse et gémit :

« Rentrons à présent. J'ai faim. Je suis fatigué... »

Mais Tiékoro ne pouvait s'y décider : il voulait de toutes ses forces voir l'homme blanc. Il interrogea

4. Les Dialloubé, c.-à-d. « ceux qui portent le nom patronymique de Diallo », dynastie régnante peule.

5. Mot songhaï qui signifie « roi ».

un homme qui venait vers eux, la sueur ruisselante sur son torse nu :

« Tu l'as vu? Comment est-il? »

L'homme eut une moue :

« Il est pareil à un Maure. A part qu'il a deux oreilles rouges et les cheveux couleur d'herbe en saison sèche... »

Tiékoro eut une inspiration :

« Les arbres! Il faut grimper aux arbres! »

Levant la tête, il s'aperçut que cela aussi était impossible. Les branches des karités ou des fromagers étaient chargées de grappes humaines. Il fit avec dépit :

« Eh bien, allons-nous-en! »

A quinze ans, Tiékoro, fils aîné de Dousika, fils de Nya, sa première épouse, atteignait presque la taille d'un adulte. Les griots, qui venaient dans la concession chanter les louanges de la famille, le comparaient à un rônier qui s'élève dans le désert et lui prédisaient un avenir incomparable. C'était un adolescent silencieux, réfléchi, que l'on s'accordait à trouver arrogant. Quelques mois auparavant, il avait été circoncis, mais il n'avait pas encore été initié au Komo.

En réalité, Tiékoro avait un secret. Qui le rongeait.

Tout avait commencé un jour où, par curiosité, il était entré dans une mosquée. La veille, il avait entendu résonner l'appel du muezzin et quelque chose d'indicible s'était éveillé en lui. Il en était convaincu, c'était à lui que cette voix sublime s'adressait. Pourtant la timidité avait été la plus forte et il n'avait pas suivi les Somonos qui pénétraient à l'intérieur de l'édifice. Il n'en avait eu le courage que le lendemain après s'être armé de résolutions toute la nuit.

Dans une cour, un homme de l'âge de son père était assis sur une natte. Il portait un ample vêtement bleu foncé sur un pantalon de même teinte. Il était chaussé de babouches jaune clair. Sur son crâne rasé de près, un petit bonnet rouge sombre était posé. Jusque-là, rien d'extraordinaire. Ce n'était pas la première fois que Tiékoro voyait des hommes pareillement accoutrés, jusque dans l'enceinte du palais du Mansa où il accompagnait quelquefois son père. Ce qui l'intrigua, ce fut l'occupation à laquelle se livrait l'homme. Dans sa main droite, il tenait une tige de bois terminée par une pointe acérée. La trempant dans un récipient, il traçait ensuite de minuscules dessins sur une surface blanche. Tiékoro s'accroupit près de lui et interrogea :

« Qu'est-ce que tu fais là? »

L'homme sourit et dit :

« Tu vois bien, j'écris... »

Tiékoro tourna et retourna dans sa tête ce dernier mot qu'il ne comprenait pas. Puis un éclair illumina son esprit. Il se rappela les amulettes que certains portaient et il s'exclama :

« Ah! Tu fais de la magie... »

L'homme rit et demanda :

« Tu es un Bambara, n'est-ce pas? »

Sensible au mépris qui perçait dans la voix, Tiékoro répliqua avec orgueil :

« Oui, je suis le fils de Dousika Traoré, conseiller à la cour...

– Alors, cela ne m'étonne pas que tu ignores ce qu'écrire signifie... »

Tiékoro fut ulcéré. Il chercha une réponse cinglante et n'en trouva pas. Et puis, que peut un enfant devant un adulte? Pourtant, dès le lendemain, il prenait à nouveau le chemin de la mosquée. Désormais, ses visites devinrent quotidiennes.

A présent, Naba se plaignait :

« Tu vas trop vite... »

Tiékoro ralentit son allure :
« Qu'est-ce que tu ferais si je m'en allais? »
L'enfant le regarda avec surprise :
« A la guerre? Avec le Mansa? »
Tiékoro secoua vivement la tête :
« Ah! non, je ne ferai jamais ces guerres-là! »
Tuer, violer, piller! Sang, que de sang répandu! D'ailleurs, toute l'histoire de Ségou n'était-elle pas sanglante et violente?

De sa fondation à son expansion par Biton aux jours présents! Ce n'étaient que meurtres et massacres. Jeunes gens emmurés vifs, vierges immolées à l'entrée des portes, empereurs étranglés par leurs esclaves au moyen de bandelettes de coton. Avec, en leitmotiv, les sacrifices. Sacrifices aux boli de la ville, du royaume, des ancêtres, de la famille. Chaque fois que Tiékoro passait devant la case qui abritait ceux des Traoré, il frissonnait. Un jour, il avait osé pénétrer à l'intérieur et s'était demandé, terrifié, d'où venait le sang qui se coagulait sur ces formes immondes.

Ah! une autre religion qui parlerait d'amour! Qui interdirait ces funèbres sacrifices! Qui délivrerait l'homme de la peur. Peur de l'invisible. Et même peur du visible! Comme ils passaient devant la mosquée des Somonos, Tiékoro pressa le pas, craignant qu'on le reconnaisse et que Naba découvre son secret. Puis il eut honte de sa lâcheté. Un croyant ne doit-il pas être prêt à mourir pour sa foi?... Et il était un croyant, n'est-ce pas?
« Il n'y a de dieu que Dieu et Mahomet est l'envoyé d'Allah! »
Ces paroles l'enivraient. Il n'avait qu'un désir. Quitter Ségou. Partir pour Djenné ou, mieux, Tombouctou et s'inscrire à l'université de Sankoré[6].

6. Célèbre université soudanienne.

Les deux garçons se mirent à courir à fond de train par les rues tortueuses, sautant par-dessus le dos des moutons et des chèvres, évitant de justesse les femmes peules, qui, à cette heure, venaient offrir leurs calebasses de lait. Des cabarets, les tondyons, buveurs de dolo[7], leur lançaient de grasses plaisanteries.

Quand ils arrivèrent en nage dans la concession, tout le monde se précipita vers eux et ce fut un brouhaha :

« Vous l'avez vu? Vous l'avez vu?...

– Le Blanc? »

Force fut d'avouer qu'il n'en était rien. Flacoro, la troisième épouse de Dousika, guère plus âgée que Tiékoro, eut une moue :

« C'était bien la peine de passer la journée au bord de l'eau... »

Puis elle ajouta :

« Sira a eu un garçon... »

Un garçon? Et bien en vie? Le cœur de Tiékoro s'emplit de joie.

Son intimité avec Sira avait commencé avec son intérêt pour l'islam. Il avait entendu dire que de nombreux Peuls pratiquaient cette religion. Pourtant quand il avait eu le courage d'interroger Sira, elle n'avait pas pu le renseigner. Un de ses oncles s'était converti, mais elle ne savait rien de lui. L'islam était tout nouveau venu dans la région, apporté par les caravanes des Arabes comme une marchandise exotique!

Tiékoro alla rôder près de la case de Sira dont l'accès, il le savait, serait interdit à tous pendant huit jours. Il vit en sortir son père avec Koumaré, le féticheur. Cachant la frayeur que lui inspirait ce dernier, il salua poliment les deux hommes et se

7. Bière de mil.

préparait à s'éloigner prestement, quand son père lui fit signe de le suivre. Tremblant, il obéit.

Quelques années auparavant, Tiékoro admirait son père comme un dieu. Bien plus que le Mansa. Quand avait-il commencé de le considérer comme un barbare doublé d'un ignorant buveur d'alcool? Quand l'œuvre des musulmans avait grandi dans sa vie. Mais ne plus admirer son père ne signifiait pas cesser de le chérir. Aussi Tiékoro souffrait-il de ce divorce entre cœur et esprit, entre sentiments instinctifs et réflexions de l'intelligence. Il s'assit en silence dans un coin du vestibule et, conscient de l'honneur qui lui était fait, prit une pincée de tabac dans la tabatière qu'on lui tendait. Il n'osait regarder dans la direction de Koumaré, car il croyait que celui-ci saurait déchiffrer ses pensées, découvrir ce qu'il cachait à tous. Et en effet, le féticheur le fixait de ses prunelles piquetées de rouge. Dès que ce fut possible sans trop d'irrespect, il se leva et sortit au-dehors. Sous l'effet de la peur et de l'effort qu'il avait dû faire, son estomac se contracta et il vomit douloureusement contre le mur d'une des cases, un jus brunâtre mêlé de glaires. Ensuite, il demeura immobile, la tête en feu. Combien de temps encore pourrait-il cacher son secret?

Cependant, demeuré seul avec Dousika, Koumaré était pensif. Son regard ne quittait pas la porte basse par laquelle Tiékoro s'était retiré. Quelque chose travaillait l'esprit de ce garçon. Quoi?

D'un petit sac il sortit un jeu de douze cauris divinatoires et les répandit sur le sol. Ce qu'il vit lui parut si surprenant qu'il les ramassa, remettant l'opération à plus tard. Dousika s'aperçut de son étonnement et dit d'une voix pressante :

« Qu'est-ce que tu vois, Koumaré? Qu'est-ce que tu vois? »

En fait, il ne pensait qu'à lui-même et aux railleries du Conseil, Koumaré décida de ne point le détromper :

« Je ne peux rien te dire. L'affaire n'est pas claire. Toute la nuit, je vais travailler. Ensuite, je pourrai te parler... »

Ah! non, l'affaire n'était pas claire! Un fils arrivait, un autre s'en allait! Le père s'élevait, puis s'abaissait! Un véritable chaos s'installait dans une concession jusque-là bien ordonnée. Pourquoi?

Koumaré appartenait à l'une des trois grandes familles de forgerons « de race » dont les ancêtres, originaires du village souterrain de Gwonna, avaient découvert le secret des métaux. Un jour qu'ils se chauffaient à un grand feu, ils avaient vu fondre l'un des cailloux du foyer. Ils l'avaient ramassé et avaient alors constaté qu'il s'agissait d'un corps dur qu'ils n'arrivèrent pas à briser. Ce fut le premier morceau de cuivre. Ensuite, ils découvrirent les secrets de l'or et du fer. Ils fabriquèrent alors des armes, des couteaux, des flèches, des pointes, et grâce à eux, les Bambaras purent remplacer leurs anciens outils faits de silex. Comme les forgerons étaient sous la protection du dieu Faro et de ses auxiliaires, les génies maîtres de l'air et du vent, ils étaient aussi les maîtres de la divination.

Pour Koumaré, l'invisible n'avait pas de secrets.

3

« Ce qui est de nuit est parole d'inconnu tombant dans le sein du hasard. La mauvaise parole est une puanteur. Elle agit sur la force de l'homme. Elle va du nez à la gorge, au foie et au sexe. »

C'est ce que pensait Monzon Diarra en fixant Samaké. Aussi l'interrompit-il brutalement :

« Qu'est-ce qui me prouve que ta parole est bonne? Comment sais-tu tout cela? »

Samaké parvint à soutenir ce regard que les griots comparaient à celui du chacal et répondit :

« Maître, je le sais par ma première femme, Sanaba qui, tu le sais, est du même groupe d'âge que Nya, la première femme de Dousika. Et puis, elles appartiennent à la même confrérie. Tu connais les femmes, elles parlent. Avant-hier, Dousika a reçu une délégation de Déssékoro que tu as battu à Guémou et qui s'est replié à Dioka avec sa cour. Il a pour mission de réconcilier les deux clans Coulibali, celui du Kaarta et celui de Ségou. Dans un but : te renverser et faire l'unité des deux royaumes sous la même famille... »

Monzon secoua la tête :

« Je ne te crois pas... »

Les Coulibali du Kaarta et ceux de Ségou se haïssaient. Une réconciliation entre eux était invraisemblable! Tiétiguiba Danté, qui avait aménagé entrevue secrète et avait partie liée avec aké et ceux qui voulaient perdre Dousika, inter- ι :

« Maître des énergies, ne t'y trompe pas. Les Coulibali n'ont jamais accepté que ton père les écarte du trône de Ségou. Ils ne reculeront devant rien pour revenir au pouvoir. Dousika, tu le sais, est avide de richesses. Sans avoir cependant l'énergie de se battre pour les gagner. On lui aura promis de l'or... »

Monzon semblait souffrir et murmura :

« Dousika est mon frère de sang. Nous avons été circoncis le même jour. Pourquoi? Pourquoi? Qu'est-ce qu'il peut obtenir en me trahissant que je ne peux lui donner? »

Samaké et Tiétiguiba échangèrent un regard, surpris de la sincérité de cette douleur. Puis Monzon se leva d'un bond et se mit à arpenter la pièce. Effrayés, les esclaves s'écartèrent, craignant que la colère royale ne se retourne contre eux. Monzon revint s'asseoir sur sa peau de bœuf, retrouvant son empire sur lui-même :

« Demain, au Conseil, je l'interrogerai et, la lame sur la gorge, il faudra bien qu'il avoue... »

Tiétiguiba Danté secoua la tête :

« Impétueux, emporté comme ton père! Non, maître, ce n'est pas ainsi que tu dois agir. Prends-le par la ruse... »

Il s'approcha du roi, demeurant cependant à distance respectueuse afin que son souffle ne puisse pas l'effleurer :

« Déshonore-le. Reproche-lui d'avoir triché sur ses impôts. Pour cette raison, bannis-le de la cour. Qu'il ne siège plus ni au Conseil, ni au Tribunal. Et alors, mets-le sous surveillance. Tu verras bien comment il réagit. »

Monzon ne dit rien et demeura plongé dans ses

réflexions. Il n'avait pas la cruauté de certains suzerains avant lui. De Dékoro, par exemple, fils de Biton qui, furieux des revers de ses troupes devant Kirango et Doroni, villes qu'il entendait soumettre, avait placé quatre fois soixante hommes de chaque côté d'un carré que son forgeron-féticheur avait tracé en terre et les avait fait incorporer tout vifs dans une muraille en s'écriant : « Ainsi j'habiterai au milieu de mes esclaves qui me serviront de gré ou de force. »

Au contraire, Monzon exerçait son métier de roi avec justice et tolérance. La trahison de Dousika lui faisait mal. Que gagnerait ce dernier à changer de maître? Un nouveau Mansa le comblerait-il davantage? Est-ce vrai qu'il était sous l'influence de sa première épouse Nya? Alors dans ce cas, tout était possible. Qui sait jusqu'où une femme peut conduire un homme si elle se rend maîtresse de son esprit ou de son corps?

A ce moment, un esclave vint l'informer que Mori Zoumana demandait à le voir. Mori Zoumana était un des plus puissants devins de Ségou. Il travaillait avec les quatre grands boli, mais avait aussi appris la magie des Arabes dont il parlait parfaitement la langue. Il était vêtu à la musulmane d'un séroual, d'un caftan blanc, la tête recouverte d'un haïk. Pour marquer son indépendance d'esprit, il ne se prosterna pas sur terre devant le Mansa, mais s'accroupit sur ses talons :

« Maître des énergies, c'est l'esprit de ton père lui-même qui est venu m'indiquer la conduite à suivre. Dès demain matin, dépêche un messager à l'homme blanc. Dis-lui que, voulant l'aider, lui qui se trouve si loin de son pays, tu lui envoies un sac de cinq mille cauris afin d'acheter des vivres. Dis-lui aussi qu'il peut utiliser les services de ton messager comme guide jusqu'à Djenné, s'il a l'intention de s'y rendre. Mais ne lui permets pas d'entrer dans Ségou. »

Monzon eut un geste d'assentiment, puis interrogea :

« Où se trouve l'homme blanc à présent?

– Une femme lui a donné refuge... »

Les quatre hommes se regardèrent, se mirent à rire et Monzon, malgré l'humeur où l'avait mis l'annonce de la trahison de Dousika, se permit une plaisanterie :

« Eh bien, il connaîtra à la fois et l'eau de la femme et l'eau du fleuve de Ségou. »

Samaké, Tiétiguiba Danté et Mori Zoumana se retirèrent. Pour se changer les idées, Monzon fit appeler Macalou, un de ses griots favoris, qui entra, son tamani[1] sous le bras. S'apercevant de l'état d'esprit de son maître, Macalou demanda doucement :

« Qu'est-ce que tu veux que je te chante? L'histoire de la fondation de Ségou? Ou l'histoire de ton père? »

Monzon eut un geste signifiant qu'il lui en laissait le choix et Macalou, qui connaissait ses préférences, se mit à chanter l'histoire de Ngolo Diarra :

« Le père de Ngolo étant mort, un de ses oncles, Menkoro, dut se rendre auprès du roi biton pour s'acquitter de la redevance et emmena l'enfant avec lui à Ségou. Menkoro comme d'habitude prit l'hospitalité chez Danté Balo, la femme d'un des forgerons de la cour. Comme d'habitude, il courut les cabarets et se gonfla le ventre de dolo tant et si bien que le lendemain il s'aperçut qu'il avait gaspillé la totalité des charges de mil destinées à payer la redevance. Alors, il vint trouver son hôtesse et lui expliqua que pendant la nuit, des tondyons l'avaient

1. Tam-tam d'aisselle.

volé et se lamenta sur le sort que Biton allait lui faire connaître. La brave femme se laissa abuser par cet apparent désespoir et accepta d'intervenir auprès de Biton afin qu'il accepte l'enfant à titre de gage... »

Monzon écoutait le récit tellement familier. Biton, séduit par l'intelligence de Ngolo, lui confiant tous ses secrets, puis alerté, cherchant à s'en défaire... En vain. Après la mort de Biton et des années d'anarchie, Ngolo prit le pouvoir. Alors il revint à son village et fit mettre à mort tous ses parents pour se venger d'avoir été réduit en esclavage.

En même temps, par-dessus ces paroles familières et ces accords harmonieux, sa pensée suivait Dousika et aussi cet homme blanc aux portes de son royaume. Les deux faits étaient-ils liés, la trahison de son ami et la présence de cet inconnu, peut-être vomi par un monde effrayant? Etaient-ce deux signes trompeusement distincts que lui envoyaient les dieux? Contre quoi voulaient-ils le mettre en garde?

Il se croyait invincible. Il croyait que son royaume l'était aussi. Et voilà que, dans l'ombre, des dangers peut-être les menaçaient. Il frissonna.

Autour de lui, la salle s'assombrissait, les mèches des lampes ayant bu le beurre de karité. Comme il était très tard, les esclaves d'ailleurs à moitié endormis n'osaient les remplacer.

Macalou terminait son récit :

« Ngolo Diarra régna seize ans. Avant de mourir, il consulta ses féticheurs sur les moyens de rendre son nom inoubliable. Alors, ils lui conseillèrent de donner une de ses filles à Allah, ce qu'il fit aussitôt, la confiant au marabout Markaké Darbo, du village de Kalabougou. Puis ils lui conseillèrent aussi de mettre des boucles d'or aux ouïes de cent vingt caïmans : « De cette façon, ton nom ne périra pas tant qu'il y aura des caïmans dans le fleuve... »

Tant qu'il y aura des caïmans dans le fleuve! Les dieux ont une façon de se moquer par ces phrases énigmatiques, ouvertes à toutes les interprétations! Cela signifiait-il que dans mille ans, dix mille ans, la postérité garderait le souvenir de Ngolo? Et lui, que resterait-il de lui? Le souvenir d'un Mansa puissant et juste? Puissant? Ne voilà-t-il pas que les Peuls, qu'il n'avait jamais entièrement soumis, recommençaient de s'agiter?... Cette fois ils avaient trouvé un nouveau prétexte, la religion. L'islam. Monzon, même s'il utilisait les services de marabouts musulmans, avait la plus grande répugnance pour l'islam, qui châtre les hommes, réduit le nombre de leurs femmes, interdit l'alcool. Sans alcool, l'homme peut-il vivre? Où, sans lui, trouver la force d'affronter jour après jour?

Comme pour lui donner raison, dans une autre salle du palais, Tiétiguiba Danté et Samaké vidaient des calebasses de dolo avec Fatoma, le maître de la guerre, lui aussi partie prenante du complot contre Dousika et des tondyons.

Le maître de la guerre braillait :

« Bientôt, je revêtirai mon habit jaune, mon habit de guerre et je partirai au combat. Ségou n'est pas faite pour la paix. Ségou aime l'odeur de la poudre et le goût du sang... »

C'était bien l'avis de tous.

Mais Samaké avait à faire et laissa les buveurs s'enivrer. Chaque fois qu'il traversait le palais royal de nuit avec cette enfilade de vestibules chichement éclairés ou carrément obscurs, Samaké ressentait une frayeur qu'il n'éprouvait jamais au combat. C'est que les hommes ne sont pas redoutables. Seuls les esprits le sont et Samaké s'attendait toujours à les voir surgir des jarres de terre ventrues qui contenaient les offrandes destinées à les apaiser et qui n'y étaient pas parvenues.

Fané, son féticheur qui le guettait, se détacha de l'ombre du troisième vestibule. Samaké l'interrogea :

« Alors ?

– Elle a eu un fils...

– L'enfant vit ?

– Oui... »

Samaké eut un geste de colère :

« Est-ce pour cela que je te paie ? »

Fané se mit à marcher au même pas, expliquant :

« Dousika Traoré est un homme très riche et qui ne lésine pas. Il a donné à Koumaré le double de ce que tu m'as offert. Aussi, je n'ai pu défaire son travail. L'enfant vit. Mais crois-moi, il n'aura pas une bonne vie. Ses parents ne verront pas tous les fruits de sa semence et il ne sera pas à leur chevet lors du grand départ. Il sera une flèche empoisonnée dans le cœur de sa mère. Il connaîtra une mauvaise mort. »

Samaké était l'âme du complot ourdi contre Dousika. Il était lui aussi un noble, un yèrèwolo. Mais ses parents qui venaient de la région de Pogo, s'étaient longtemps opposés à Ségou. Il était le premier de sa famille à être bien en cour, et Monzon le traitait subtilement comme un vassal soumis. Après les expéditions militaires où il se distinguait régulièrement par sa folle bavoure, sa part de butin était toujours plus réduite que celle de Dousika qui prenait le moins de part possible aux combats. Ensuite, par deux fois, celui-ci l'avait humilié, lui enlevant des femmes par des présents supérieurs à ceux qu'il pouvait offrir. C'est pour toutes ces raisons qu'il avait décidé de le perdre.

La nuit à Ségou, quand la lune ne brillait pas,

refusant de se lever au-dessus du Joliba, on se croyait enveloppé dans un voile épais, plus sombre que le plus sombre indigo. Seules brillaient quelques lumières, celles des cabarets où se consommait le dolo. Le dolo n'était pas une boisson quelconque, tout juste bonne à chauffer le ventre. Du temps de Biton Coulibali l'ancêtre, son commerce avait fait l'objet d'un véritable monopole royal. Si ce monopole n'existait plus, Monzon Diarra exerçait une étroite surveillance sur les cabarets où il se consommait. Ses espions avaient partie liée avec les tenancières et se mêlaient aux groupes de buveurs affalés des heures durant devant les marmites bouillantes. Dans ces lieux-là, on trafiquait de tout. Des commerçants venus de Kangaba ou du Bouré proposaient de l'or à un taux inférieur à celui fixé par le Mansa et qui était de cinq cents cauris pour un moutoukou[2]. Du kola doux venu de Goutougou. Des amulettes achetées aux Maures musulmans. Et aussi, on complotait. Fané et Samaké pressèrent le pas, car ils avaient tous deux peur d'être mangés par la nuit. Le premier rentrait chez lui dans le quartier des forgerons adossé au fleuve. Le second allait retrouver au cabaret de Batanemba ses amis qui attendaient l'issue de son entrevue avec le Mansa.

« Elle s'est jetée dans le puits! Elle s'est jetée dans le puits! »

Vingt têtes se pressaient au-dessus du boyau béant d'où montaient des bouffées de fraîcheur et au fond duquel miroitait l'eau. Par un jeu compliqué de cordes, de lianes on avait remonté le corps frêle, aux seins aigus comme ceux d'une fille à peine

2. Mithkal en bambara, unité de mesure, monnaie.

nubile, au ventre bombé comme un doux monticule. On l'avait posée sur la terre qu'elle avait si grandement offensée en osant prendre sa vie, et une femme, apitoyée, enlevant un de ses pagnes, avait recouvert sa nudité.

A présent, qui allait toucher à ce corps? Ce corps de suicidée? Ce corps de suppliciée?

A cet instant de son rêve, Siga s'éveilla.

La nuit. La nuit, présence pesante. Il avait peur. De la nuit ou de son rêve? Il ignorait si les choses s'étaient passées ainsi. Il était trop jeune, deux ou trois ans et par la suite, personne ne lui avait plus jamais parlé de sa mère. Il savait seulement cela : elle-s'était-jetée-dans-le-puits.

Siga était le fils de Dousika, né le même jour que Tiékoro, à quelques heures d'invervalle. Mais voilà, sa mère était une captive que Dousika avait dû renverser un jour où la vue de son pagne trop serré sur ses fesses l'avait excité. Aussi au huitième jour, alors qu'en l'honneur de Tiékoro on faisait ruisseler le sang des béliers blancs dans le vacarme des buru[3], des bala[4] et des tam-tams de toutes dimensions, deux coqs seulement avaient été dépêchés auprès des dieux et des ancêtres afin qu'ils ne prennent pas totalement Siga en grippe. De même lors de la circoncision. Siga et Tiékoro avaient été aussi braves l'un que l'autre sous le couteau du forgeron-féticheur. Enfin hommes, bientôt admis à porter le pantalon, ils avaient dansé, côte à côte, sous les exclamations des femmes tandis qu'éclataient les coups de feu et que les griots annonçaient à pleine voie la nouvelle et sanglante naissance. Pourtant, Dousika et la famille n'avaient d'yeux que pour Tiékoro vêtu de sa blouse ocre, coiffé du haut

3. Trompes.
4. Xylophones.

bonnet à oreilles, prolongé par des brides. Aussi cette cérémonie qui aurait dû remplir Siga de fierté lui avait-elle laissé un goût de frustration et de cendre.

Ah! les hasards d'un vagin! Aurait-il germé dans celui-ci et non dans cet autre que toute sa vie aurait été changée. Il était aussi beau que Tiékoro, aussi grand. Souvent on les prenait l'un pour l'autre, le teint très noir comme leur père, les yeux brillants et bien fendus, la bouche charnue et pourpre, avec sur les joues les scarifications rituelles des fils de nobles. Et pourtant, tout était différent.

Etait-ce surprenant si toute l'existence de Siga s'était résumée à un combat non pas pour rivaliser avec le favori, ce qui était impensable, mais pour le forcer à le regarder en face, non pas comme un égal, au moins comme un autre être humain. Or Tiékoro ne voyait pas Siga. Il adorait son jeune frère Naba qui le suivait partout fidèlement. Il ignorait Siga. Il ne le méprisait pas, il l'ignorait.

Depuis quelque temps, Siga lui aussi avait un secret. Qui le rongeait.

C'était celui de Tiékoro.

Siga n'ignorait pas la présence de musulmans dans Ségou. C'étaient des Maures, des Somonos, des Sarakolés, en tout cas des étrangers et des gens étranges qui portaient de longs vêtements flottants et dont les filles n'allaient pas les seins nus. On les voyait se presser tels des moutons vers leurs mosquées, bizarrement coiffés d'un croissant de lune, ou tout bonnement se prosterner dans la poussière dans les rues, sur les places et les marchés. Il éprouvait pour eux le mépris de tout bon Bambara.

Or ne voilà-t-il pas qu'il avait vu, de ses yeux vu, Tiékoro entrer dans l'enceinte d'une mosquée! Se plaquant contre le mur d'enceinte, il l'avait vu ôter ses sandales de peau de bœuf et s'incliner parmi les autres. Un autre jour, il l'avait vu tracer des signes cabalistiques sur une planchette sous la direction d'un vieillard. Etait-il devenu fou? Le premier geste de Siga avait été de courir vers Nya pour lui conter toute l'affaire. Puis il avait pris peur. La faute était si grave. Ne risquait-il pas de connaître le sort du messager porteur des mauvaises nouvelles? Frappé, puni, disgrâcié à jamais? Alors il s'était tu et ce silence qui faisait de lui un complice le torturait. Il en dépérissait, perdant le sommeil et le goût du manger au point qu'on chuchotait autour de lui que sa mère, lasse de rôder seule de branche en branche, comme un esprit malfaisant, privé de la possibilité de se réincarner, sollicitait sa compagnie et lui buvait le sang. Nya avait fini par s'émouvoir et l'avait emmené voir Koumaré qui ne s'était pas donné de mal pour un fils d'esclave et avait prescrit des bains d'une eau mêlée de racines et de poudre de palmier rônier.

Comme Tiékoro, comme Naba, comme tous les enfants de la famille, Siga adorait et respectait Nya. C'est elle qui l'avait élevé. Après le suicide de sa mère, elle l'avait ramassé près de la fosse à banco[5] où il se traînait et l'avait emmené dans sa case. Elle l'avait nourri de son trop-plein de lait, de lait destiné à Tiékoro. Elle lui avait donné le dèguè ou le to dont Tiékoro, rassasié, ne voulait plus, les n'gomi qu'il avait refusé de grignoter. Elle avait été juste. Elle avait été bonne. Chacun à sa place : le fils d'une captive n'est pas le fils d'une princesse.

Siga se leva, enjamba deux ou trois corps nus autour de lui. Car il n'était pas encore d'âge à avoir une case et dormait parmi une dizaine de garçons

5. Argile mêlée d'eau, de sable, de crottin et de paille dont on fait les constructions.

de son âge, fils de Dousika ou de ses quatre cadets Diémogo, Bo, Da et Mama, qu'indistinctement ils appelaient père, grandissant sous leur commune autorité. Puis il alla s'accroupir près de la porte et fixa le rectangle d'ébène plaqué contre elle.

La nuit sur Ségou.

Pas une étoile dans le ciel. Au-dessus des toits en terrasse des maisons serrées les unes contre les autres comme des bêtes craintives s'élevaient les bouquets des cailcédrats, des baobabs et, plus élancés, des rôniers. L'odeur d'huîtres et de vase du fleuve était rabattue par la brise nocturne, fraîche, même si le jour avait été une fournaise. Et c'était un des charmes de cette ville que cette clémence dispensée par l'ombre aux corps fatigués. Siga entendait un concert de ronflements qui irritait encore son insomnie. Quelque part, un coq chanta. Mais c'était une erreur de ce stupide volatile. La nuit était encore jeune, pleine de vigueur, peuplée d'esprits qui se vengeaient enfin d'avoir été tenus à l'écart des vivants et tentaient de communiquer avec eux par le rêve.

Existe-t-il des pays où la nuit n'existe pas?

Le pays des hommes blancs peut-être? Comme tous les habitants de Ségou, Siga avait couru sur la rive du Joliba pour apercevoir l'étrange visiteur. Il n'avait rien vu. Qu'une grande bousculade. Pirogues prises d'assaut. Imprudents se débattant au milieu du courant. Où était-il à présent, l'homme blanc? Avait-il trouvé un toit pour s'abriter? Une terreur superstitieuse envahit Siga. Peut-être n'était-ce pas un homme après tout, mais un esprit malin. Alors le Mansa avait eu raison de ne pas le laisser entrer dans la ville. Fugitivement, Siga éprouva un sentiment de gratitude pour celui qui gouvernait. Puis il revint vers sa natte sur laquelle il se roula en boule...

« Elle s'est jetée dans le puits. Elle s'est jetée dans le puits! »

Le cercle se resserre. Le corps frêle. Les seins aigus. Le doux monticule du ventre. Le geste apitoyé de la femme.

Siga s'aperçut qu'il avait dormi quelques instants, c'est-à-dire qu'il avait retrouvé l'obsession de ses nuits. Laquelle était préférable? Celle de ses veilles! Siga prit une décision. Il savait que Nya se réveillait la première; après avoir aspergé et fumigé sa case pour en chasser les derniers esprits traînant après le lever du jour, elle gagnait la case de bain des femmes et se lavait interminablement avec un savon de séné. Ensuite, négligeant l'aide de ses esclaves, car elle aimait tout faire par elle-même, elle mettait à cuire des takoula[6] dans le four en banco et préparait le dèguè des plus jeunes enfants.

Pas question de l'approcher à ces moments-là. Il s'accroupirait à gauche de sa porte et attendrait le moment où, ayant reçu les salutations de tous, elle consentirait à s'asseoir pour prendre cette infusion de casse qui soignait ses migraines. Il se prit la tête entre les mains, priant les dieux de lui pardonner la douleur qu'il allait causer.

6. Pain de farine de mil.

4

Les crieurs royaux s'arrêtant aux carrefours annoncèrent à tous la destitution de Dousika Traoré, conseiller à la cour, membre du Tribunal royal. De mémoire de Segoukaw[1], on n'avait jamais vu cela! Un noble traité publiquement de voleur! La nouvelle quitta la capitale, gagna les villages de guerriers où Dousika ne manquait pas d'amis. Tout le monde renifla l'odeur de charogne du coup monté. Quel était cet impôt somptuaire, égal au quarantième de la fortune en or et en cauris dont Dousika ne se serait pas acquitté? Cette fortune en or et en cauris, ne la tenait-il pas précisément du Mansa? Comment donc pouvait-elle être imposable? Certains affirmèrent au contraire que le Mansa qui paraissait vouloir dégrader Dousika l'épargnait encore. Il s'était rendu coupable de connivence avec l'ennemi héréditaire du Kaarta, et à ce titre méritait la mort.

Cette dernière explication ne parvint pas à convaincre.

Les causes de la querelle avec les Bambaras du Kaarta se perdaient dans la nuit des temps puisqu'elle remontait aux démêlés des deux frères Niangolo et Barangolo. Elle s'épaississait d'année en

1. Habitants de Ségou.

année, surtout depuis le renversement du clan des Coulibali de Ségou par les Diarra. Qu'aurait gagné Dousika à s'y mêler? Ceux qui rappelaient que sa femme était une Coulibali oubliaient la haine qui existait entre les Coulibali de Ségou et ceux du Kaarta... Dans cette confusion, on aurait souhaité que Dousika se défende comme un homme. Or il n'en faisait rien.

Sitôt rendu public l'arrêt qui le bannissait de la cour, on ne le vit plus dans les rues de Ségou, écoutant un diély[2] rencontré au hasard d'un carrefour, commandant des sandales à son cordonnier favori, vidant une calebasse de dolo avec les hommes de sa classe d'âge ou les rejoignant sous un balanza pour bavarder, rire, jouer au wori[3]. De même, une atmosphère de deuil s'était abattue sur sa concession. Les curieux qui venaient rôder sous ses murs affirmaient qu'ils n'entendaient rien. Pas un pleur d'enfant, pas une querelle de femmes.

Pour Dousika, en effet, la nuit avait pris possession du monde. A jamais. Les yeux clos dans l'ombre de sa case, il demeurait prostré sur sa natte, cependant que des interrogations, toujours les mêmes, se pressaient dans son esprit. Quand avait-il négligé les dieux et les ancêtres? Quand avait-il négligé de leur offrir une part de ses récoltes? Quand avait-il négligé d'arroser les boli de sang? Quand avait-il porté un aliment à sa bouche sans d'abord rassasier la terre, notre mère à tous? La rage le prenait. Il n'avait aucun reproche à se faire. Tout cela venait de son fils aîné, de Tiékoro, celui-là même qui aurait dû faire son orgueil. Il se rappelait la tranquille audace de l'enfant debout devant lui :

« Fa, je te l'assure. Il n'y a d'autre dieu qu'Allah et Mahomet est son prophète! »

2. Griot en bambara.
3. Sorte de jeu de damiers.

Paroles dangereuses qui avaient déchaîné sur lui la fureur des dieux et des ancêtres, déchaînant à leur tour celle du Mansa! Un Traoré musulman! Un Traoré qui tournait le dos aux protecteurs du clan!

Ah! ce n'était pas Samaké et ses acolytes qui étaient les artisans de sa déchéance. Ils n'étaient que l'instrument d'une colère plus haute que son propre fils avait suscitée. Dousika gémit et se tourna fiévreusement de droite et de gauche. Puis il entendit dans le vestibule le pas de Nya. Il aurait souhaité qu'elle s'attendrisse, qu'elle le console comme un enfant. Or si elle le veillait et le soignait à tout moment, il entrait dans ses regards, dans sa voix des nuances de froideur et de mépris comme si elle lui reprochait de se laisser aller si entièrement au découragement. Elle resta là, debout dans un angle de la pièce, puis fit :

« Koumaré est là qui veut te voir... »

Koumaré était, avec Nya, la seule personne à franchir le seuil de sa case depuis l'annonce de sa destitution. Il entra et Dousika tenta de deviner sur ce visage sombre, indéchiffrable, les signes de son avenir. Koumaré commença par lancer des pincées de poudre aux quatre coins de la pièce. Ensuite, il s'accroupit et demeura un long instant immobile comme s'il se tenait à l'écoute. Enfin, il s'approcha de la natte d'où Dousika guettait fiévreusement ses gestes :

« Traoré, c'était dur, mais enfin ton père et ton grand-père sont venus me parler. Voici ce qu'ils ont dit : « Dousika, laisse Tiékoro aller là où il veut aller. »

Stupéfié, incrédule, Dousika parvint à se redresser :

« C'est tout ce qu'ils t'ont dit? »

Koumaré inclina la tête :

« Rien d'autre. Laisse-le donc aller à Tombouctou. Frotter son front dans la poussière. Mais moi, je voudrais savoir pourquoi les ancêtres ont parlé comme cela. Je vais continuer à les interroger. Aussi je vais me retirer sept jours. Ne laisse pas ton garçon quitter Ségou avant mon retour. »

Là-dessus, Koumaré se leva. La noix de kola et les plantes divinatoires qu'il mâchait continuellement coloriaient de rouge l'intérieur de ses lèvres lui faisant une lippe sanglante, comme le blanc de ses yeux qui semblaient habités du feu de sa forge. Il cracha soigneusement un jus noirâtre aux extrémités de la natte et sortit. Près du dubale, il se heurta à Nya qui s'était retirée par discrétion pendant son entretien avec Dousika. Celle-ci l'interrogea humblement, s'excusant presque de son audace :

« Qu'arrivera-t-il à mon fils ? »

Koumaré consentit à marmonner :

« Rassure-toi, il va partir ! Nos dieux ne lui reprennent pas la vie... »

Dans son saisissement de bonheur, Nya ne put rien dire.

Dousika aussi était heureux, ou du moins apaisé puisque son père et son grand-père avaient consenti à quitter l'invisible pour exprimer leurs volontés à Koumaré. Si le dialogue se nouait, c'est que le pardon était possible. Pour la première fois depuis quinze jours, il eut la force de se lever et de quitter sa case.

On n'était pas loin du milieu du jour. Le ciel de saison sèche pareil à un pagne d'indigo tout neuf. En son centre les ramages d'or du soleil. La vie continuait.

Dousika pensa à son dernier-né, Malobali. Vu sa maladie, c'était l'aîné de ses frères cadets, Diémogo, qui avait présidé la cérémonie du nom, effectué les sacrifices aux côtés de Koumaré, reçu parents et visiteurs. Aussi se sentit-il un peu coupable envers l'enfant et il se dirigea vers la case de Sira.

Son temps de retraite rituel terminé, elle se tenait au seuil de sa porte, son nourrisson dans les bras. A la vue de ses formes redevenues sveltes, de ses épaules rondes, de sa peau claire et brillante de Peule, une bouffée de désir l'envahit. Il s'efforça de n'en rien laisser paraître, fixant son fils. On avait rasé les cheveux soyeux de l'enfant, à l'exception d'une bande médiane allant du front à la nuque. Ses yeux obliques aux paupières noircies à l'antimoine avaient l'éclat de ceux de sa mère et il y avait dans le modelé de ses pommettes hautes quelque chose qui rappelait indiscutablement son origine peule.

Dousika pensa : « Trop beau! Seule une femme a droit à tant de beauté... »

Il prit le petit corps contre lui, puis l'écartant, le tint par les pieds, la tête en bas, pour vérifier la flexibilité de ses muscles. Sira protesta doucement :

« Il vient de téter, kokè... »

Pourtant Malobali ne vomissait pas, ne pleurait pas, et son regard étincelant virevoltait de droite et de gauche, comme s'il cherchait à comprendre ce qui brusquement avait bouleversé l'ordre de l'univers autour de lui. Ce serait un fier gaillard, curieux des êtres et des choses. Dousika le remit à sa mère.

Un fils s'en vient, un fils s'en va. La vie, c'est la bande de coton du métier à tisser, tombe de la résurrection, chambre des époux et matrice prolifique.

Dousika n'avait pas revu Sira depuis son accouchement. Aussi aurait-il aimé qu'elle commente les terribles événements qui s'étaient abattus sur lui. Or elle se taisait, le visage un peu détourné pour ne pas rencontrer son regard. Il l'interrogea :

« Qu'est-ce que tu penses de ce qui arrive à notre famille? »

Elle le regarda en face :

« Ce n'est pas ma famille.

– C'est celle de ton fils... »

Elle lui tint tête :

« Ce n'est pas la mienne... »

Elle disait vrai. Dousika eut honte de lui-même, debout, là, à mendier l'amour d'une captive. Qui se souciait de lui dans cette concession? Personne. Ni Nya ni Sira, car ses autres compagnes ne comptaient pas, ne lui accordaient de prix. Il reprit tristement le chemin de sa case.

Nya, quant à elle, s'était rendue directement dans la cour où habitaient les jeunes garçons de la famille. Tiékoro qui, loin de tenter de se faire oublier, affichait à présent ses convictions religieuses, était assis sur le seuil d'une des cases et traçait des signes sur une tablette, entouré d'un cercle de curieux.

Nya frissonna : son fils était devenu un magicien d'une espèce particulière! Comment cette métamorphose s'était-elle produite? Et à son insu? Une sorte de terreur sacré renforçait l'amour aveugle qu'elle lui avait toujours porté, comme à un premier-né.

Tiékoro lui désigna les signes qui couvraient sa tablette :

« Tu sais ce que j'ai écrit là? »

Nya ne répondit pas et pour cause. Alors, il reprit :

« J'ai écrit le divin nom d'Allah... »

Nya baissa la tête, pénétrée de son ignorance et de son indignité. Pourtant Tiékoro n'agissait point ainsi pour humilier sa mère. Il ne faisait qu'exprimer l'excès de bonheur qu'il éprouvait à ne plus cacher sa foi. Voir s'épanouir comme une gerbe d'étoiles les quatre lettres sacrées. *Alif. Lam. Lam. Hâ*[4].

Tiékoro se rappelait les tâtonnements de sa main et les railleries de son maître. El-Hadj Ibrahima ne le battait pas comme les petits Maures ou les petits Somonos de son école dont il brûlait aussi le corps avec des tisons quand leurs erreurs en récitant les versets du Coran l'irritaient par trop. Non, lui, il le raillait.

« Bambara! Tu ne seras jamais qu'un vil adorateur de fétiches! Un buveur de dolo!

– Va-t'en sacrifier tes poulets! »

Alors Tiékoro serrait les dents, maudissant ses doigts gourds, malhabiles et sa misérable mémoire. « Parole venue de Dieu, tu couleras en moi. Tu feras un temple de mon corps. » A la fin d'une récitation parfaite, El-Hadj Ibrahima lui adressait un sourire et ce sourire, il l'emportait avec lui à la concession. Il illuminait ses soirées, ses nuits, lui donnant la force de poursuivre son enseignement.

Nya posa la main sur celle de son fils et murmura :

« Tiékoro, Koumaré vient de me le dire. Tu partiras pour Tombouctou. Les ancêtres te donnent la route. »

La mère et le fils se regardèrent. Tiékoro aimait sa mère. A vrai dire, il avait toujours pensé à elle comme à une partie intégrante de lui-même. Elle était la charpente de son être et de son existence. Il savait que son adhésion à l'islam risquait de les séparer l'un de l'autre. Il en souffrait. Il s'y refusait. Et pourtant la réalité était là. Voilà qu'il allait la quitter. Vivre loin d'elle. Pour combien d'années? Aussi en apprenant cette nouvelle qui aurait dû le remplir de joie, ses yeux s'emplirent de larmes. Des

4. Les quatre lettres qui forment le nom d'Allah en arabe.

paroles de pardon lui montèrent aux lèvres. En même temps, une profonde exaltation l'envahit.

Il se leva d'un bond pour aller prévenir son maître.

Koumaré prit place dans une barque de paille et rama vers une petite île située au milieu du fleuve.

C'était la tombée de la nuit, car le travail qu'il allait faire exigeait l'ombre et le secret. Le voyant s'embarquer, les derniers pêcheurs somonos, ramenant leurs poissons, détournaient prudemment la tête, car, connaissant ce redoutable forgeron-féticheur, ils savaient que ce qui allait se passer n'était pas du ressort du commun des mortels. Au fur et à mesure que Koumaré ramait, les murailles de Ségou s'enfonçaient dans la nuit. Des hordes de vautours, immobiles, serraient les ailes à leur faîte et se confondaient avec les énormes pieux qui les hérissaient. Sur la plage rocheuse à leur pied, quelques formes confuses se dessinaient. Koumaré resserra autour de ses épaules la peau de bouc qu'il portait pour se protéger des variations de température, car l'air fraîchissait, et tira d'une corne d'antilope un peu de tabac à priser qu'il se plaça dans la narine. Puis il se remit à ramer.

Il fut vite arrivé. Dissimulant sa barque dans les roseaux, il gagna le monticule sur lequel s'élevait un abri de paille, pareil à celui d'un berger peul, et pourtant personne ne s'y serait trompé. On savait que c'était le temple de redoutables dialogues avec l'invisible.

Depuis trois jours, Koumaré s'abstenait de toutes relations sexuelles avec ses femmes, car il craignait de disperser sa force en versant sa semence. De même, il mâchait du daga qui rend clairvoyant. Très vite, il se mit à chercher parmi les plantes qui poussaient autour de la case celles qui seraient nécessaires à ses travaux.

La tâche qui l'attendait était dure. Une masse informe de troubles et de deuils semblait en réserve pour la famille de Dousika. Quelle en était la cause? La conversion du fils aîné à l'islam? Dans ce cas, pourquoi les dieux et les ancêtres acceptaient-ils son départ pour Tombouctou? Etait-ce une ruse? Un moyen encore plus redoutable de perdre Dousika? Quels orages envisageaient-ils de déchaîner sur sa tête?

Koumaré posa dans une petite calebasse des écorces fraîches de cailcédrat, des poils de phacochère et versa là-dessus quelques gouttes de sang menstruel d'une femme ayant avorté sept fois. Puis il ajouta de la poudre de cœur de lion séché, tout en murmurant les paroles rituelles :

Ke korte, père, ancêtre,
qui es dans la région d'en bas
tu me vois, complètement aveugle
ke korte, prête-moi tes yeux...

Il posa délicatement la pâte qu'il avait obtenue sur une feuille de baobab qu'il plia en quatre et qu'il mastiqua. Puis il s'étendit sur la terre nue et parut s'endormir.

En réalité, il était tombé en transe. Laissant là son corps d'homme, son esprit voyageait dans la région d'en bas.

Ce voyage dura sept jours et sept nuits. Mais le temps des humains et celui de la région d'en bas ne se mesurent pas de la même manière. En temps des humains, le voyage de Koumaré ne dura que trois jours et trois nuits.

Et pendant ces trois jours et trois nuits, Ségou vivait sa vie de métropole. Les flottilles de pirogues civiles et militaires qui montaient et descendaient le Joliba chargées de passagers, de marchandises et de chevaux rivalisaient de vitesse avec les bancs de poissons migrateurs. Les ânes, sur lesquels l'on transbordait les marchandises, trottaient docilement jusqu'aux différents marchés. L'on ne parlait plus de l'homme blanc, car on avait d'autres soucis et d'autres sujets de conversations. L'islam!

Voilà qu'il frappait une des meilleures familles du royaume! Il paraissait que le fils aîné de Dousika Traoré avait été converti par l'imam de la mosquée de la Pointe des Somonos. Jusqu'alors par une sorte d'accord tacite, ces gens-là ne faisaient pas de prosélytisme parmi les Bambaras. Puisqu'ils rompaient cette règle, le Mansa devait intervenir et frapper un grand coup. Fermer toutes les mosquées, pourchasser tous ceux qui osaient clamer l'obscène profession de foi : « Il n'y a d'autre dieu qu'Allah et Mahomet est son prophète! »

Au lieu de cela, Monzon tergiversait,

Monzon tergiversait car, il en avait conscience, le royaume de Ségou devenait chaque jour davantage pareil à un îlot, cerné de pays gagnés à l'islam. Or la nouvelle foi ne comportait pas que des désavantages. D'abord ses signes cabalistiques avaient autant d'effet que bien des sacrifices. Parmi les familles somonos, Kane, Dyire, Tyéro, les Mansa de Ségou comptaient depuis des générations des mori qui étaient capables de résoudre leurs problèmes aussi excellemment que les prêtres-féticheurs. D'autre part, ces signes permettaient d'entretenir, de consolider des alliances avec des peuples très lointains et créaient une communauté morale à laquelle il faisait bon d'appartenir. En même temps, l'islam était dangereux puisqu'il sapait le pouvoir des rois, plaçant la suprématie entre les mains d'un dieu unique et suprême, parfaitement étranger à l'univers bambara. Comment ne pas se méfier de cet Allah dont la cité était quelque part à l'est?

A la fin de son voyage dans la région d'en bas, Koumaré se réveilla, les oreilles encore bruissantes du tumulte qui y régnait. Gémissements des esprits négligés par leur descendance, oublieuse des sacrifices et des libations nécessaires. Plaintes des esprits cherchant à se réincarner dans des corps d'enfants mâles et n'y parvenant pas. Cris de colère des esprits irrités par ces crimes odieux que les humains ne cessent de commettre. Il alla prendre les racines qu'il avait laissées dans une calebasse. Pilées et mâchées, elles le réintégreraient dans le monde des humains.

Enfin, il voyait clair dans l'avenir des Traoré. La mansuétude des dieux et des ancêtres vis-à-vis de Tiékoro n'était qu'apparente. Les efforts conjugués des nombreux ennemis de Dousika les avaient rendus sourds à toutes les prières, insensibles à tous les sacrifices. Tout allait très mal pour Dousika et le travail acharné de Koumaré n'avait pu que limiter les dégâts.

Quatre fils, Tiékoro, Siga, Naba et le dernier-né, Malobali, devaient être considérés comme des otages, des boucs émissaires, malmenés à plaisir par le destin afin que la famille tout entière ne périsse pas. Quatre fils : Tiékoro, Siga, Naba, Malobali sur une vingtaine d'enfants. Après tout, Dousika s'en tirait à bon compte.

Pourtant, Koumaré était troublé. Les esprits des dieux et des ancêtres ne le lui avaient pas caché. Contre le nouveau dieu, cet Allah qu'avait adopté le petit Tiékoro, on ne pouvait rien. Il serait pareil à un glaive. En son nom, le sang inonderait la terre. Le feu crépiterait dans les enclos. Des peuples pacifiques prendraient les armes. Le fils se détournerait du père. Le frère du frère. Une autre aristocratie naîtrait tandis que se dessineraient de nouveaux rapports entre les humains.

Le jour se levait. Des volutes de voile grisâtre se dispersaient aux quatre coins du ciel contre lequel se détachait l'arrogante silhouette des palmiers rôniers. Les hommes, les bêtes s'éveillaient, secouant les peurs nocturnes. Les premiers scrutaient leurs rêves. Les autres passeraient des heures dans leur terreur. Pensivement, Koumaré se dirigea vers le fleuve. Il descendit dans l'eau froide dont le toucher le fit frissonner, il s'y plongea. L'eau de Joliba, siège favori du dieu Faro. L'eau essentielle. L'enfant prend forme et vie dans l'eau du ventre de sa mère. L'homme se régénère chaque fois qu'il retrouve son contact. Koumaré nagea longuement en suivant le courant. Les crocodiles et les bêtes aquatiques, sentant son pouvoir, s'écartaient. Puis il revint vers la rive et reprit sa barque pour retourner vers Ségou.

Peut-être Allah et les dieux des Bambaras parviendraient-ils à un accord? Ces derniers laisseraient le nouveau venu, orgueilleux, occuper le devant de la scène. Ils travailleraient dans l'ombre, car il n'était pas possible qu'ils soient entièrement défaits. Makungoba, Nangoloko, Kontara, Bagala..., grands fétiches du royaume honorés tous les ans par d'éclatantes cérémonies, ils ne pouvaient être méprisés, oubliés ou alors Ségou ne serait plus Ségou. Ce ne serait qu'une courtisane, soumise à un vainqueur, une captive...

Sur la berge grise du Joliba, parsemée de coquillages d'huîtres géantes, des femmes puisaient de l'eau dans des calebasses. Des esclaves s'en allaient en file et en ordre sous la conduite d'un chef. Tout ce monde évita soigneusement de regarder le féticheur, car il n'est jamais prudent de croiser un maître du Komo. Qui sait si, irrité, il ne mettrait pas en branle ces forces qui frappent de stérilité, de mort violente ou d'épidémies. Aussi le féticheur ne voyait-il que paupières baissées, yeux clos, attitudes furtives et craintives. Il arriva bientôt en vue de la concession de Dousika. Il avait hâte de lui transmettre les ordres de l'au-delà :

« Oui, ton fils Tiékoro doit partir. Mais il doit être accompagné de son frère Siga. Siga et Tiékoro sont les deux souffles contrastés d'un même esprit, des doubles, en vérité. L'un n'a pas d'identité sans l'autre. Leurs destins sont complémentaires. Les fils de leur vie sont aussi mêlés les uns aux autres que ceux de la bande de coton sortant du métier. »

Comme Koumaré entrait dans la première cour, encore déserte, vu l'heure matinale, Tiékoro surgit entre les cases. Sans doute se rendait-il à la première prière, car on entendait la voix lointaine du muezzin quelque part par-dessus les toits en terrasse. Il s'immobilisa, visiblement effrayé. Koumaré n'avait jamais prêté une attention particulière à ce garçon, qui pour lui ne se distinguait pas des autres fils de la concession. C'est sous son couteau que son prépuce était tombé, mais alors, il ne lui avait pas semblé plus brave que les autres, serrant les dents pour ne pas hurler. Brusquement, il décelait sur ses traits encore enfantins une audace, une intelligence jointe aux signes d'une surprenante exigence intérieure. Quelle force avait jeté cet adolescent sur le chemin de l'islam? Où avait-il trouvé le courage de se détourner de pratiques honorées par sa famille et son peuple? Impossible d'imaginer ce combat solitaire.

Tiékoro fixait Koumaré. Peu à peu, sa frayeur s'apaisait. Au lieu d'une forme redoutable, il n'avait plus sous les yeux qu'un homme d'âge mûr, presque un vieillard, la barbe raide et hirsute, portant autour de son corps des têtes d'oiseaux, des cornes de biche enveloppées de drap rouge, des queues de vache et une peau de bouc grisâtre, véritable épouvantail. Avec une paisible hauteur, il le salua :

« *As salam aleykum*[5]... »

5. Salutation musulmane : « La paix sur vous tous. »

5

Au sortir de Ségou, ce sont les marches du désert. La terre est ocre et brûlante. L'herbe, quand elle parvient à pousser, est jaunâtre. Plus souvent, elle cède la place à une croûte désolée et pierreuse dont se nourrissent seulement les baobabs, les acacias et l'arbre à karité, symbole de toute la région.

Parfois jaillit du sol, comme un rempart barrant l'horizon, une falaise tombant à pic sur le plan nu de la plaine environnante, à la fois montagne et citadelle dans laquelle s'accrochent les Dogons. Tout se courbe devant l'harmattan quand il souffle avec force, chassant les Peuls et leurs troupeaux toujours plus loin vers les points d'eau. Puis la pierre disparaît, vaincue par le sable, çà et là piqué de graminées aux graines acérées comme des aiguilles. A perte de vue s'étendent de grandes plaines d'un blanc tirant sur le jaune sous un ciel rouge pâle. Pas un chant d'oiseau. Pas un feulement de fauve. On croit que rien ne vit hors le fleuve aperçu par endroits comme un mirage né de la solitude et de l'effroi.

Et pourtant, à leur propre surprise, Siga et Tiékoro s'éprirent de ces paysages arides qui ne se soucient pas de l'humain. Quand Tiékoro se prosternait parmi les Maures de la caravane en direction de La Mecque, il se sentait empli de Dieu, envahi de sa présence brûlante comme le vent. Siga, quant à lui, éprouvait un sentiment de paix qu'il n'avait jamais goûté comme si le fantôme de sa mère consentait à rester dans son suaire. Et les deux frères se trouvaient brusquement proches, unis comme des voyageurs sur un radeau.

Tombouctou quand ils y entrèrent n'était plus qu'une captive se souvenant d'un passé de splendeur. Des siècles auparavant, elle avait été avec Gao le fleuron de l'Empire songhaï, encore appelé empire de l'or et du sel. L'Empire songhaï avait détruit l'empire du Mali en l'amputant de ses provinces du Nord afin de contrôler l'or du Bambouk et du Galam. C'est le commerce qui assurait sa prospérité. Comme Ségou, le commerce des esclaves, en direction du Maghreb, mais aussi celui du kola, de l'or, des ivoires et du sel. Des caravanes armées contre le pillage des Maures et des Touaregs partaient vers la « mer saharienne ». La mer saharienne d'où devait venir en fin de compte le danger, puis la ruine. Au XVIe siècle, les Marocains du sultan Moulaye Ahmed désireux de s'emparer des salines et des mines d'or avaient détruit l'Empire songhaï de fond en comble, avant de le livrer à leurs descendants, aux fils qu'ils avaient eus des femmes de l'aristocratie locale, les Armas. Depuis cette conquête, Tombouctou que tant de lettrés et de voyageurs avaient chantée comme une femme, ou un Peul son troupeau de vaches, n'était plus qu'un corps sans âme. Cependant, Siga et Tiékoro ne trouvèrent pas le lieu entièrement dénué de charme.

Les deux garçons et leurs mentors entrèrent par le faubourg d'Albaradiou qui servait de caravansérail aux voyageurs, surtout à ceux qui venaient du Maghreb. Puis ils se séparèrent de ces derniers, les Maures ne songeant qu'à se reposer avant de disposer de leurs marchandises, d'en charger d'autres et d'entamer le voyage du retour. Bientôt, ils atteignirent le Madougou, c'est-à-dire le palais construit par le Mansa Moussa de retour de La Mecque. Ils ne connaissaient rien de l'histoire de la ville et n'osaient pas interroger les passants, principalement des Touaregs si effrayants dans leurs lourds boubous d'indigo avec leurs turbans et leurs lithams, leur sabre à double tranchant dont la garde était en croix et leur poignard retenu au poignet par un large bracelet de cuir. Ils tombèrent sur le marché aux viandes, sinistre spectacle avec ses quartiers entiers de bœufs ou de moutons tout couverts de mouches. Des musulmans reconnaissables à leurs vêtements et à leurs crânes rasés faisaient griller des gigots sur des traverses de bois.

Des deux garçons, Tiékoro était le plus déçu, car El-Hadj Ibrahima, son maître à Ségou, lui avait tant parlé de cette ville, « séjour habituel des saints et des hommes pieux dont le sol n'avait jamais été souillé par le culte des idoles », qu'il s'attendait à un site paradisiaque. A la vérité, Tombouctou n'était pas plus belle que Ségou. Mais surtout, Tiékoro souffrait de l'anonymat dans lequel il vivait depuis qu'avaient disparu les murailles de sa ville natale. Pour tous il n'était qu'un Bambara appartenant à un peuple puissant peut-être, mais qui ne jouissait pas d'une bonne réputation et passait pour sanguinaire et idolâtre. Quand on apprenait qu'il allait étudier la théologie à l'université de Sankoré, on s'esclaffait :

« Depuis quand les Bambaras se mettent-ils à l'étude et à l'islam? »

Ou bien on raillait sa mauvaise connaissance de l'arabe dont El-Hadj Ibrahima n'avait pu lui enseigner que des rudiments lors de ses leçons à Ségou.

Tiékoro se tourna vers Siga, planté dans le sable,

terrorisé par deux Touaregs qui ne lui prêtaient à vrai dire aucune attention. Que de peuples les deux frères avaient côtoyés pendant ce voyage! D'abord les Bozos et les Somonos qu'ils connaissaient déjà, pêcheurs vivant pratiquement dans le lit du fleuve et se nommant eux-mêmes les « maîtres de l'eau ». Ensuite des Sarakolés, « maîtres de la terre », quant à eux, grands cultivateurs hérissant leurs champs de coton, de tabac et d'indigo de petits épouvantails, fichés sur de gros piquets fourchus; des Dogons à la fois craintifs et farouches, sortant par groupes de leurs maisons creusées dans la paroi des rochers ou nichées dans leurs aspérités; des Malinkés, seigneurs commerçants, vivant dans le souvenir du grand empire du Mali qu'avaient fondé leurs ancêtres et refusant d'en admettre la décadence, puisqu'il n'était plus qu'un vassal de Ségou. Partout des Peuls musulmans ou encore fétichistes, mais toujours méprisant souverainement les autres peuples, et des Arabes guidant d'interminables caravanes de chameaux...

El-Hadj Ibrahima avait remis à Tiékoro une lettre pour son ami El-Hadj Baba Abou, grand lettré musulman de Tombouctou, en lui demandant d'aider ce garçon issu d'une famille fétichiste, qui avait trouvé tout seul le chemin du vrai Dieu.

Après avoir beaucoup erré, Tiékoro et Siga arrivèrent dans le quartier Kisimo-Banku, au sud de la ville. El-Hadj Baba Abou habitait une fort belle maison de terre bâtie comme celles de Ségou. Mais elle n'était pas recouverte comme à Ségou d'un enduit rougeâtre mêlé d'huile de karité. Elle était badigeonnée de kaolin. De même, elle ne présentait pas sur la rue une façade impénétrable, tout juste percée d'une porte. Elle était entourée d'un mur très bas, de sorte que du dehors on voyait ce qui se passait au-dedans. Le premier étage se terminait par une terrasse sur laquelle étaient allongées des jeunes filles qui pouffèrent de rire à l'approche des étrangers. Et il est certain qu'ils ne devaient pas payer de mine après ces nuits passées dans de rudimentaires gîtes d'étape, se lavant hâtivement la bouche avec l'eau d'une outre en peau de chèvre, bien heureux quand la proximité du fleuve leur permettait de prendre un bain! On ne devait pas s'imaginer qu'on avait affaire à des garçons bien nés dont les griots chantaient la généalogie!

Tiékoro frappa à la porte, utilisant le beau marteau de cuivre représentant une main fermée. Au bout d'un instant, elle fut ouverte par un mince jeune homme, vêtu d'un caftan blanc immaculé, l'air arrogant et qui fit froidement, son regard démentant le sens de ses paroles :

« *As salam aleykum!* »

Tiékoro s'expliqua de son mieux, puis tira des profondeurs de son vêtement la précieuse lettre qu'il avait gardée depuis des mois à même la peau. Le jeune homme s'en saisit avec une mine assez dégoûtée et fit :

« El-Hadj Baba dort. Veuillez l'attendre. »

Puis il referma la porte. Tiékoro et Siga s'assirent sur le large banc de terre battue devant la maison.

« L'hôte est un présent de Dieu. » Cette phrase d'El-Hadj Ibrahima de Ségou ne cessait de revenir à l'esprit de Tiékoro alors qu'il attendait là au soleil aux côtés de son frère, dévisagés tous deux par les passants. Il se rappelait aussi comment son père traitait les étrangers, comment Nya les conduisait jusqu'à la case de passage, leur faisait apporter de l'eau chaude pour leur bain avant un plantureux repas. S'ils devaient passer la nuit, on leur offrait une femme afin qu'ils puissent satisfaire leurs désirs. Qu'on était loin de cette courtoisie!

Au bout d'un temps interminable, El-Hadj Baba Abou termina sa sieste et apparut dans la rue. C'était un homme de haute taille, au teint très clair qui trahissait le sang arabe, au visage d'ascète, le crâne rasé de près et le cou entouré d'un haïk de fine soie blanche. Il portait une longue robe telle que Tiékoro et Siga n'en avaient jamais vue. Après un rapide échange de salutations, il fit remarquer :

« Vous êtes deux. Or cette lettre ne parle que d'un étudiant?... »

Tiékoro bafouilla :

« L'étudiant, c'est moi. Lui, c'est mon frère qui m'accompagne. »

El-Hadj eut un geste catégorique :

« S'il n'est pas étudiant et surtout s'il n'est pas musulman, je ne peux pas le recevoir. Vous, suivez-moi... »

Que faire? Comme il rouvrait la porte, Tiékoro, subjugué, ne put qu'obéir. Et Siga se retrouva seul dans la rue étroite de cette ville étrangère. Au-dessus de sa tête, il entendit à nouveau les rires des jeunes filles. De quoi se moquaient-elles? De ses tresses? Des grisgris qu'il portait attachés à ses bras et autour de son cou? De cet anneau à son oreille?

Tout au long du voyage, les Maures qui conduisaient les deux frères, quoique amicaux dans l'ensemble, avaient raillé leur façon de se vêtir, leurs dents limées et surtout la couleur de leur peau. Si Siga ne se rebellait pas aussi violemment que Tiékoro contre ces plaisanteries, il ne les comprenait pas. N'est-il pas beau d'être noir? Avec une peau fine et brillante, glissant sur les jointures, bien huilée au beurre de karité?

Les railleries de ces filles inconnues l'emplirent de fureur et se mêlèrent à son sentiment de solitude et de désespoir. Qu'allait-il devenir à présent, dans cette ville où il ne connaissait personne?

Qu'était-il venu y faire? Accompagner Tiékoro. Et pourquoi? Pourquoi avait-on fait de lui le serviteur, presque l'esclave de son frère? Comme celui-ci s'était peu soucié de lui, se précipitant sans un mot de protestation à la suite de son hôte! N'aurait-il pas pu s'écrier : « Impossible! C'est mon frère...? » Non, il l'avait laissé aller!

Que dirait-on dans la famille quand on saurait cela? Oui, mais comment la prévenir? Siga se vit égaré, mort peut-être à des journées de marche des siens. Puis, il se ressaisit et décida de retrouver les Maures qui les avaient conduits, c'est-à-dire de retourner au caravansérail.

Comme le quartier d'Albaradiou se trouvait à la pointe nord de la ville venant de Kisimo-Banku la distance était longue. Quand Siga l'eut franchie et atteint le caravansérail, la nuit allait tomber. La chaleur torride qui avait régné toute la journée, comme si quelque part un incendie enflammait le sable et les pierres, était tombée. Mais il eut beau parcourir les lieux en tous sens, il ne trouva pas trace des trois Maures. Il eut beau interroger d'autres caravaniers, couchés aux abords de leurs tentes, occupés à l'interminable cérémonie du thé vert, il ne put obtenir aucun renseignement à leur sujet. Personne ne les avait vus. Personne ne savait quelle direction ils avaient prise, ni ce qu'ils avaient fait de leurs chameaux. Volatilisés, ils semblaient s'être volatilisés! Siga tourna et retourna cette disparition dans sa tête. Ces trois Maures n'étaient-ils pas des esprits obéissant aux directives des ancêtres pour mener à bon port les fils de Dousika? La manière dont ce dernier les avait trouvés au marché de Ségou n'était-elle pas aussi mystérieuse? Siga essaya de se remémorer quelque détail qui aurait pu corroborer le caractère surnaturel de ces hommes, mais n'en trouva pas. Ils avaient bu, mangé, ri comme des humains. Mais n'est-ce pas précisément le privilège des esprits que d'abuser les hommes?

Que faire? Retourner à Ségou? Comment? Siga s'assit dans le sable. Comme il se tenait là, la tête entre les mains, un garçon de son âge s'approcha de lui et l'interrogea :

« Tu parles arabe? »

Siga eut un geste qui signifiait la minceur de ses capacités en ce domaine. L'autre reprit :

« Tu parles dioula[1]?

– Ça, c'est presque ma langue...

– Où est le garçon qui t'accompagnait ce matin? »

Siga haussa les épaules. Il n'avait aucune envie de parler de ses démêlés avec son frère. Le jeune inconnu s'assit à côté de lui et lui posa familièrement la main sur l'épaule :

« Je vois, je vois. Il t'a laissé tomber et tu te trouves seul ici. Laisse-moi te donner quelques tuyaux... »

Siga repoussa sauvagement sa main et interrogea :

« Comment t'appelles-tu d'abord? »

Le garçon sourit mystérieusement :

« Appelle-moi Ismaël... Ecoute, tu n'arriveras à rien ici si tu n'es pas musulman. Tu ne peux imaginer comment sont les gens ici. Si tu ne fais pas ta prière cinq fois par jour et si le vendredi tu n'apparais pas à la mosquée, tu es moins qu'un chien à leurs yeux. Ils te refuseraient même la nourriture si tu en manquais... »

1. Le dioula, le bambara, le malinké sont des langues mandé.

Siga grommela :

« Je ne veux pas devenir musulman... »

Ismaël rit :

« Qui te parle de devenir musulman? Il suffit seulement de le paraître. Fais-toi raser ces tresses. Débarrasse-toi de ces colifichets... »

Se débarrasser de ces protections dont certaines lui avaient été données dès la naissance, dont d'autres avaient été attachées à son corps après sa circoncision, sans parler de celles que lui avait remises Koumaré avant son départ de Ségou pour le garder dans ce pays étranger?

Ismaël rit :

« Alors cache-les. Fais comme tout le monde. Si tu savais ce que ces grands lettrés cachent sous leurs caftans! Fais-toi appeler Ahmed. Evite de boire en public et le tour est joué... »

Siga le regarda avec méfiance :

« Et à quoi cela me servira-t-il?

– Je peux dès demain matin, si tu suis mes conseils, te faire avoir un emploi. Je suis un ânier. Je vais te présenter à l'ara-koy[2]... C'est un bon métier. Au bout de deux mois, tu auras de quoi retourner chez toi. Ou aller ailleurs si le cœur t'en dit... »

Siga secoua fermement la tête. Il n'avait aucune envie d'être un ânier, de s'occuper de bêtes obtuses et malpropres. Il se leva et fit mine de s'éloigner quand la voix moqueuse d'Ismaël l'arrêta :

« Tu ne sais pas seulement où tu vas dormir cette nuit. Sais-tu que les hakim[3] ramassent tous ceux qui passent la nuit à la belle étoile, surtout quand ils ont l'accoutrement que tu as?... »

2. Chef des âniers en songhaï.
3. Gendarmes en songhaï.

El-Hadj Baba Abou appartenait à la famille du célèbre jurisconsulte Ahmed Baba, dont la réputation s'était étendue à travers le Maghreb jusqu'à Bougie et Alger. Il était lui-même un érudit qui avait rédigé un traité sur l'astrologie et un livre sur les différentes castes soudaniennes. Pour toutes ces raisons, on avait à plusieurs reprises tenté de l'entraîner dans des intrigues politiques. Mais il s'y refusait et vivait largement, il est vrai, du fruit de son école coranique de cent vingt élèves qu'il préparait à l'accès aux trois grandes universités de la ville. Durant ses études à Marrakech, il avait épousé en premières noces une Marocaine, puis de retour à Tombouctou, une Songhaï d'origine servile pour bien montrer que, comme son ancêtre Ahmed Baba, il condamnait cette « calamité de l'époque » qu'était l'esclavage. C'était un homme méprisant, impatient, que ses principes élevés et son souci constant de Dieu ne rendaient pas pour autant plus indulgent aux faiblesses des humains. Il confia Tiékoro à son secrétaire Ahmed Ali avec ces paroles peu charitables :

« Fais-lui prendre un bain, car il pue. »

En réalité, Tiékoro ne sentait que le beurre de karité dont il s'enduisait abondamment le corps comme tous les habitants de Ségou.

El-Hadj Baba Abou n'était guère satisfait de voir débarquer ce garçon si rustre et si ignorant. En même temps, il ne pouvait désobliger son ami El-Hadj Ibrahima qui insistait sur l'importance qu'il y a à recruter des élèves issus de familles fétichistes afin qu'à leur tour, ils convertissent leurs familles. Sur ce point, il était en contradiction avec lui, car l'islam de ces convertis demeurait si impur, tellement mêlé de pratiques magiques qu'il offensait Dieu.

Attendant dans un coin de la cour, Tiékoro pensait à Siga. Que devenait-il? Seul, sans parents, sans amis. Sans or ni cauris. Cependant, il était trop préoccupé par sa propre situation dans cette demeure où chaque objet, chaque visage lui signifiaient subtilement qu'il n'avait pas à s'apitoyer sur un autre que lui-même. A un moment, une demi-douzaine de jeunes gens firent irruption dans la cour, vêtus d'identiques caftans brun sombre et une demi-douzaine de paire d'yeux intrigués se posèrent sur Tiékoro. Avec une secrète ironie, Ahmed Ali fit les présentations :

« Votre nouveau condisciple, Tiékoro Traoré... »

L'un des jeunes gens arqua les sourcils :

« Tiékoro? »

Ahmed Ali sourit :

« Votre condisciple vient de Ségou... »

Heureusement, les domestiques apportaient de l'eau et un grand plat de couscous de mil avec de la viande de mouton. Tout le monde s'assit en rond et, pendant un moment, ce ne fut que le va-et-vient des mains à la nourriture. Malgré la faim qui le tenaillait, Tiékoro osait à peine se restaurer. Que lui reprochait-on? Son origine ethnique? Etait-ce là le visage de l'islam? Ne dit-il pas que tous les hommes sont égaux entre eux, comme les dents du peigne?... Sitôt le repas terminé, ses compagnons s'engagèrent dans une conversation pédante concernant un manuscrit d'Ahmed Baba datant de 1589, c'est-à-dire antérieur d'un an à la conquête de l'Empire songhaï par les Marocains. Tiékoro était convaincu que cet étalage de science ne visait qu'à l'impressionner et eut la confirmation de cette intuition quand un des jeunes gens se tourna vers lui :

« Que penses-tu de ce texte? N'es-tu pas d'avis qu'il n'a pas de rapport avec les questions politiques dont il est contemporain? »

Tiékoro eut le courage de se lever en disant avec simplicité :

« Permettez-moi d'aller me coucher. Hier encore, je dormais à la belle étoile... »

La chambre qu'on lui avait attribuée était petite, mais très haute de plafond, décorée d'un épais tapis de laine. Le lit se composait de quatre piquets fichés en terre sur lesquels était tendue une peau de bœuf, recouverte d'une grande couverture un peu rêche, en poil de chameau. Tiékoro trouva cela très confortable. Malgré son chagrin, malgré son humiliation, il s'endormit aussitôt.

Il est à parier que s'il avait entendu les plaisanteries fusant sitôt son dos tourné, il n'aurait pas connu ce sommeil tranquille. Les pensionnaires d'El-Hadj Baba Abou venaient des familles princières de Gao, et des grandes familles de Tombouctou. Depuis des générations, leurs pères, conseillers et compagnons des Askia, se rasaient le crâne et s'inclinaient devant Allah. Leurs bibliothèques abritaient des centaines de manuscrits en arabe que des lettrés de leur parenté avaient composés sur les sujets les plus divers : jurisprudence, exégèse coranique, source de la loi. En Tiékoro, ils ne méprisaient pas seulement le « fétichisme » ou le « polythéisme » comme ils disaient, mais une culture qui, non écrite, leur paraissait moins prestigieuse que la leur, et l'odeur de la terre que leurs pères n'avaient jamais cultivée. Un seul prit sa défense : Moulaye Abdallah dont le père occupait la fonction de cadi, c'est-à-dire de juge. C'était un garçon profondément croyant, un peu mystique que l'arrogance de ses compagnons désolait. Il décida de prendre Tiékoro sous sa protection, de l'aider dans ses études afin de lui éviter le découragement. N'était-ce pas le moyen de rejoindre Allah en Sa Maison Sacrée? Toute la nuit, la pensée de cette tâche l'exalta. Aussi le matin quand Tiékoro eut fini ses ablutions et sa première prière, il le trouva debout à l'attendre dans la cour. Moulaye Abdallah sourit gracieusement :

« Notre maître te demande. Ensuite, je n'ai pas de cours ce matin, je te ferai visiter la ville, si tu le veux bien. »

Tiékoro accepta avec empressement et entra à l'intérieur de la maison. Il fut stupéfié par son aménagement. A Ségou, les cases étaient vides à l'exception de nattes, de tabourets et de canaris[4] pour l'eau fraîche. Là, le sol était entièrement recouvert de tapis. Mais ce qui frappa Tiékoro, ce furent les tentures accrochées contre les murs. L'une d'entre elles était alternativement brochée de soie et d'or avec dans un losange un délicat motif floral. Une autre présentait un fond uni de soie bleu turquoise sur lequel se détachaient des étoiles fleuronnées. El-Hadj Baba Abou lui-même était assis sur un divan bas recouvert d'une épaisse couverture blanche comme son caftan, comme ses babouches. Il tenait un livre dans ses mains fines, couleur d'ivoire, un peu plus claires que son visage à la barbe soyeuse, partagée au menton. Il fit signe à Tiékoro de prendre place en face de lui :

« Il y a des choses dont nous n'avons pas parlé hier. Il est évident que ton niveau de connaissance et de la langue arabe et de la théologie ne te permettra pas d'être admis d'emblée à l'université. Aussi suivras-tu les cours de mon école coranique et un de tes condisciples, Moulaye Abdallah, a accepté de t'aider à titre privé. D'autre part, comment comptes-tu t'acquitter de ta scolarité? »

Tiékoro bafouilla :

« J'ai cinquante mithkal[5] d'or...

4. Jarres de terre contenant l'eau à boire.
5. Monnaie arabe équivalant au dinar ou au ducat.

El-Hadj Baba parut sidéré. Il articula :

« Où as-tu cet or? »

Tiékoro fouilla une fois de plus dans les profondeurs de son vêtement et en tira une petite outre de peau de chèvre, expliquant :

« Mon père m'a donné cela avant mon départ. Il craignait, car on raconte que ces choses-là arrivent, que des Maures nous emmènent en esclavage en Barbarie, mon frère et moi. Dans ce cas, nous aurions pu négocier notre liberté... »

Pour la première fois, un sourire éclaira le visage austère du maître. Il se saisit vivement de l'outre. A ce moment, une jeune fille, ou plutôt une adolescente, entra dans la pièce. Le teint encore plus clair que celui d'El-Hadj Baba, de longs cheveux noirs coiffés en deux tresses et à moitié dissimulés sous un foulard rouge, une profusion de colliers d'argent vieilli autour du cou, des boucles d'oreilles carrées, un petit anneau dans la narine gauche, elle sembla à Tiékoro une apparition surnaturelle. El-Hadj Baba parut mécontent de cette intrusion et surtout des regards de franche admiration que Tiékoro lui lançait. Il la renvoya brutalement, puis conscient d'être discourtois, il maugréa, comme elle se tenait sur le seuil de la porte :

« Ma fille Ayisha... Oumar un nouvel élève... »

Oumar? Tiékoro ne protesta pas. Comme l'entretien était terminé, il se leva. Décidément radouci, El-Hadj Baba lui enjoignit :

« Fais-toi conduire chez mon tailleur et aussi chez mon cordonnier. Tu es vêtu comme un païen. »

A quinze ans et demi, Tiékoro n'était pas loin de l'enfance. Une bonne nuit de sommeil, un nouvel ami, la perspective de vêtements neufs, il n'en fallait pas plus pour le mettre en joie. Une fois dans la rue, Moulaye Abdallah prit son bras et commença de l'entretenir avec cette légère affectation qui semblait propre au lieu :

« Je vais te parler de cette ville où tu vas passer des années. Les habitants de Tombouctou sont les plus chauvins qui soient. Ils détestent tout le monde. Les Touaregs d'abord, les abandonnés de Dieu comme ils les appellent, les Marocains, les Bambaras et les Peuls, surtout les Peuls. Sais-tu que l'ancêtre du clan Aq-it, Mohammed Aq-it, quitta le Macina parce qu'il craignait que ses enfants ne se mélangent aux Peuls et qu'il n'ait une descendance souillée de leur sang? »

Cette conversation enchantait Tiékoro. Un jour, lui aussi, il parlerait ainsi avec cette assurance et cette élégante désinvolture.

« Tu connais l'histoire de la ville n'est-ce pas? Un campement de Touaregs laissé à la garde d'une femme « Tomboutou », c'est-à-dire « la mère au gros nombril » qui devient peu à peu un point d'arrêt des caravanes et qui grandit, grandit dans sa ceinture de nattes en feuilles de palmiers du désert. Kankan Moussa de retour de pèlerinage à La Mecque la conquiert. Les Touaregs la reprennent. Sonni Ali Ber du Songhaï la prend à leur barbe. Et puis, les Marocains débarquent. Tu vois, cette ville, c'est comme une femme pour laquelle des mâles se sont battus, mais qui n'appartient à personne. Regarde comme elle est belle! »

Tiékoro obéissait. Mais force lui était de constater que Ségou l'emportait en beauté et surtout en animation. Ils arrivèrent devant la grande mosquée de Djinguereber, et ce fut le premier édifice qui l'impressionna. Construite en briques de banco, grisâtre comme la terre du désert, elle était composée d'une infinité de galeries qui donnaient d'abord une impression de fouillis, de désordre, mais en réalité s'agençaient rigoureusement. Toutes ces galeries étaient soutenues par des piliers et donnaient sur une cour carrée où quelques vieillards égrenaient leurs chapelets. Tiékoro admira beaucoup les pyramides tronquées des tours-minarets décorées de motifs triangulaires. Que de travail il avait fallu pour édifier cet ensemble à la gloire de Dieu! Tiékoro ne se lassait pas d'en faire le tour, puis de pénétrer sous les hautes voûtes jusqu'à la niche ou à l'estrade de bois d'où le marabout lisait des versets du Coran. Moulaye Abdallah dut l'entraîner.

Tombouctou n'était pas ceinturée de murs. Aussi le regard s'étendait librement jusqu'aux quartiers de paillotes, sorte de faubourgs où habitaient les esclaves et la population flottante. Quel contraste entre ces misérables demeures et celles des Armas, les maîtres de la ville à présent, et les résidences des commerçants! Ils entrèrent dans un marché où l'on vendait de tout : bandes de coton, peaux tannées rouges et jaunes, mortiers avec pilons, coussins, tapis, nattes et partout des bottes en fin cuir rouge décorées de broderies jaunes. Oui, la capitale bambara débordait de turbulence, de gaieté comme un enfant qui croit que ses plus belles années sont à venir. Mais Tombouctou possédait toute la séduction d'une femme qui a beaucoup vécu et pas honnêtement.

Chez le tailleur d'El-Hadj Baba Abou, neuf ouvriers faisaient courir l'aiguille sur les étoffes bleues et blanches des caftans cependant que des vieillards leur nasillaient des versets du Coran. Tiékoro fut fasciné par la finesse des broderies qu'ils exécutaient et qui étaient inconnues à Ségou. Cet art de vivre qu'il ne faisait que découvrir était d'un raffinement en partie emprunté à des peuples lointains que le sien ne connaissait pas. Maroc, Egypte, Espagne.

Une fois commandés un pantalon et deux caftans, ils reprirent leur flânerie en direction du port. C'est alors qu'un cortège d'ânes, lourdement chargés, leur coupa la route. Il était conduit par quatre garçons qui leur frappaient vigoureusement le train avec des gourdins et semblaient, en même temps, bien s'amuser. Tiékoro rencontra le regard de l'un d'entre eux et dans un silence de tout son être, tel qu'il semblait pouvoir compter chaque battement de son cœur, il reconnut Siga. Siga s'était rasé le crâne. Mais comme il avait gardé son anneau à l'oreille gauche, cela lui donnait une expression toute différente, un air un peu soudard. Sa blouse de coton bleu, largement échancrée, découvrait son cou lisse et droit comme le fût d'un jeune arbre. Pour la première fois peut-être, Tiékoro remarqua combien il ressemblait à leur père et il lui sembla que Dousika, rajeuni de vingt ans, le fixait de ses yeux, en posant silencieusement la question : « Qu'as-tu fait de ton frère? »

Siga demeurait immobile, sans prononcer une parole, comme s'il attendait un signe, un geste. Mais Moulaye Abdallah avait repris Tiékoro par le bras. Pouvait-il se dégager, courir vers un individu en si humiliante posture, décliner leur parenté? Pouvait-il s'exposer à des railleries, méritées cette fois? A ce moment, un des âniers hurla, sans sévérité, avec bonne humeur au contraire :

« Ahmed, qu'est-ce qui te prend? Tu as vu un djinn? »

Siga se détourna et le rejoignit en courant, agitant son gourdin au-dessus de sa tête comme s'il adressait un adieu à son frère. Oumar? Ahmed? Tiékoro en eut les larmes aux yeux. Des sanglots se nouèrent dans sa gorge, cependant que Moulaye Abdallah l'entraînait :

« Quand tu es entré ce matin chez notre maître, as-tu vu la belle Ayisha ? Je parie qu'elle n'est venue que pour te regarder sous le nez. Méfie-toi d'elle. Elle nous a tous rendus amoureux l'un après l'autre pour, en fin de compte, se moquer de nous. »

6

Le chagrin de Nya depuis le départ de son fils aîné faisait peine à voir. Pour le suivre par l'esprit et prévenir les dangers qu'il pourrait rencontrer dans cette terre inconnue et impie, Nya entretenait dans la concession d'innombrables féticheurs. Certains ne faisaient que sacrifier de la volaille pour apaiser les boli de la famille, en particulier le boli individuel de Tiékoro qu'elle abritait dans le vestibule de sa case, au milieu d'épis de maïs et de calebasses de lait. D'autres, du matin au soir, lançaient en l'air des cauris et des noix de kola dont ils observaient la position, une fois retombés sur le sol.

En eux-mêmes, les gens la blâmaient. Après tout, elle était mère de neuf enfants dont cinq fils. Pourquoi perdre la tête parce qu'un d'entre eux était au loin? Qu'aurait-elle fait si la mort le lui avait arraché? Si, comme un fruit vert qui tombe avant le fruit mûr, il était parti avant elle? Ne lui restait-il pas une case pleine de rires, de têtes rondes et d'affectueuses bagarres?

Nya avait parfaitement conscience de ce que son entourage pensait d'elle. Elle savait que sa conduite pouvait paraître déraisonnable. C'est que l'on ignorait la place de Tiékoro dans sa vie. Il n'était pas simplement un premier-né. Il était le signe, le rappel de l'amour qui l'avait liée à Dousika. Elle l'avait conçu la nuit même de ses noces.

Sa famille résidait à Farako, de l'autre côté du Joliba. Quand les Diarra avaient usurpé le trône, il n'avait plus été sain pour les Coulibali de demeurer dans les murs de Ségou. Alors son grand-père et ses frères, réunissant leurs femmes, leurs enfants, leurs esclaves et leurs captifs, étaient allés s'installer sur d'autres terres du clan laissées en jachère depuis des années et qui, à présent, se peuplaient de tiékala[1]. C'est là que Bouba Kalé, le diély du père de Dousika, s'était présenté chez son père. Ce dernier avait hésité, étant donné les liens particuliers qui unissaient les Diarra et les Traoré. Puis, pensant à tant de coudées de terre, tant d'or et tant d'esclaves, il s'était laissé fléchir. Selon la tradition, elle n'avait jamais vu Dousika avant leur mariage et même avant le moment où on l'avait conduite dans sa case. C'était la nuit. Sa mère l'avait rassurée : les féticheurs avaient été formels, ce serait un bon mariage, un mariage fécond. Néanmoins, elle avait peur. Peur de cet inconnu qui soudain aurait droit de vie et de mort sur elle, qui la posséderait comme ses champs de mil. Dousika était entré. Elle avait entendu son pas hésitant dans le vestibule. Puis, il était apparu près d'elle, s'éclairant d'une branche enflammée. Seul son visage se détachait de l'ombre. Il souriait d'un sourire embarrassé, timide, qui soulignait la douceur de sa physionomie. Instinctivement, elle avait remercié les dieux :

« Ah! il est beau et il n'est pas fanfaron... »

Il était assis à côté d'elle, qui détournait son regard. Ils n'avaient rien trouvé à se dire pendant quelques instants et, brusquement, la branche ache-

1. Plante dont la présence atteste que la terre peut être à nouveau ensemencée.

vant de se consumer en lui mordant les doigts, il avait eu un petit cri de douleur. Ensuite, elle avait vainement essayé de se rappeler les recommandations des sœurs de sa mère : pas de cris, de plaintes, de gémissements intempestifs. Le plaisir, comme la douleur, se souffre en silence. Les avait-elle respectées ?

Au matin, les griottes, chargées de veiller à la bonne consommation du mariage et à la virginité de l'épouse, avaient exhibé le pagne de coton rougi de sang neuf. Neuf mois plus tard, jour pour jour, Tiékoro était né. Aussi, à chaque fois qu'il se trouvait devant elle, c'était cette nuit-là qu'elle revivait. Ce torrent d'émotions, de sensations inconnues et incontrôlables, ce vertige, cette paix, cette douleur. Oui, elle avait conçu neuf fois, enfanté neuf fois. Pourtant seule comptait cette première expérience !

Oubliant que c'était Tiékoro lui-même qui avait demandé ce départ, elle en rendait Dousika responsable et cela ajoutait à son ressentiment. Non seulement il la bafouait en affichant son amour pour une concubine, mais encore il la séparait de son fils favori. Et elle se réjouissait de le voir vieilli, sombre, taciturne, comme frappé à mort par sa brouille avec le Mansa. Par moments, son amour pour lui reprenait le dessus. Mais elle le surprenait à regarder Sira comme il l'avait regardée autrefois, et tout recommençait.

Pourtant le chagrin qu'éprouvait Nya du départ de Tiékoro n'égalait pas celui de Naba. Naba avait grandi à l'ombre de son aîné. Il avait appris à marcher en s'agrippant à ses jambes, à se battre en cognant par jeu sur sa poitrine, à danser en le regardant évoluer le soir au milieu d'un cercle d'admiratrices. Son absence le laissait comme orphelin et il éprouvait constamment ce sentiment d'injustice que cause la mort d'un être cher. Pour combler ce vide, il s'était raccroché à Tiéfolo, fils aîné de Diémogo, le cadet de son père.

Malgré son jeune âge, Tiéfolo était un des karamoko[2] les plus connus de Ségou et de la région. On avait entendu parler de lui jusqu'à Banankoro au nord et à Sidabugu au sud. A dix ans, il avait disparu dans la brousse. Ses parents le croyaient mort, sa mère le pleurait déjà quand il avait réapparu, la dépouille d'un lion sur les épaules. Alors le grand Kéménani, grand maître chasseur gow[3], l'avait pris sous sa protection. Non seulement il lui avait communiqué le secret des plantes toxiques qui paralysent le gibier et empêchent sa fuite, mais encore il avait partagé avec lui son boli personnel, qu'il nourrissait avec des cœurs d'antilopes. Du même coup, il lui avait révélé les prières, les incantations et les sacrifices qui permettent toujours à l'homme de sortir victorieux de ses rencontres avec l'animal. Tout d'abord Naba avait éprouvé une certaine répugnance pour la chasse, car Tiékoro lui avait communiqué son horreur du sang. Puis il s'était pris au jeu. Pourtant à présent encore, à chaque fois que la bête ployait le genou avant de s'affaisser, en jetant à son bourreau un regard de totale incompréhension, il frissonnait. Alors il se précipitait vers elle et soufflait passionnément à son oreille les phrases rituelles destinées à se faire pardonner.

Il trouva Tiéfolo occupé à se préparer un poison. Il faisait cuire sur un feu de braises très doux un mélange d'ouabaïne[4], de têtes de serpents, de queues de scorpions, de sang menstruel et d'une

2. Maître chasseur.
3. Ethnie de chasseurs, maîtres de la brousse inculte.
4. Poison violent.

substance qu'il tirait de la sève du palmier rônier. Naba prit bien garde de ne pas le déranger à ce moment, car les incantations qu'il murmurait ajoutaient à la force mortelle du produit. Comme tous les chasseurs, Tiéfolo allait le torse nu abondamment couvert de gris-gris et portait pour tout vêtement un cache-sexe fait d'un assemblage de peaux d'animaux qu'il avait tués. De la crinière du lion qu'il avait su vaincre à dix ans, il s'était fait une sorte de ceinture dont il nouait les extrémités sur ses hanches. Quand il eut fini ses préparatifs, il invita Naba à venir vers lui, tout en commençant d'enduire délicatement ses flèches :

« Des lions ont dévoré une partie du troupeau des Peuls près de Masala, il faudra que nous allions leur donner une leçon, car les Peuls n'ont rien pu contre eux... »

Naba crut avoir mal compris, puis la lumière se fit jour en lui et il interrogea d'un ton incrédule :

« Tu veux dire que tu m'emmèneras avec toi? »

Pour toute réponse, Tiéfolo eut un sourire. Naba l'avait souvent accompagné dans des chasses à l'antilope, au phacochère, au buffle sauvage. Mais la chasse au lion, la chasse au prince de la savane pelée dont sa robe a la couleur et ses yeux l'éclat, est une chasse réservée aux maîtres gow et à leurs élèves, les karamoko. Pas de mâles au cœur mou sur leurs traces! Il faut de l'endurance pour suivre le lion parfois pendant des jours entiers, de la subtilité pour déjouer ses ruses et quelle bravoure pour ne pas fuir en débandade quand il pousse ses rugissements qui résonnent jusqu'au fond des entrailles! Alors la terre tremble et des nuages de poussière s'élèvent! Les villageois apeurés se barricadent de leur mieux dans leurs cases. Le lion crie : « Le seigneur a faim. Garez-vous! »

Naba ne put contenir son impatience. Il balbutia :

« Quand partons-nous?

– Pas tout de suite, petit frère. Il faut d'abord se préparer... Tu vas m'accompagner chez le maître chasseur Kéménani... »

Tiéfolo était beau. Tiéfolo était brave. Marcher à son côté dans les rues de Ségou était goûter aux plaisirs des vainqueurs. Les tondyons, de retour du sac de quelque ville, chargés de butin, n'étaient pas traités autrement. Les femmes sortaient sur le pas des portes. Les hommes le hélaient et les diély frappant leurs tamani déclamaient ses louanges, rappelant surtout la fameuse chasse au lion à l'arc de son enfance :

Le lion jaune au reflet fauve
Le lion qui délaissant les biens des hommes
Se repaît de ce qui vit en liberté
Corps à corps, Tiéfolo de Ségou
Au plus fort de sa chasse, c'était encore un enfant
Tiéfolo Traoré...

Naba s'enivrait de ces vapeurs d'adulation. Pour l'instant, elle s'adressait à un autre. Bientôt pourtant, elle s'adresserait à lui. Lui aussi reviendrait victorieux de la brousse, un lion en travers des épaules. Alors on l'appellerait karamoko. Il jetterait son lion dans la cour principale du palais du Mansa, ce Mansa qui avait humilié son père, pour rappeler à son souvenir la descendance de Dousika. Il rêvait du jour où, accompagné de Tiéfolo, il se présenterait aux grands maîtres de la confrérie des chasseurs avec dix noix de kola rouges, deux coqs, une poule et du dolo afin de les offrir aux génies de la chasse Sanéné et Kontoro. Oui, un jour, Ségou parlerait de lui.

Dans les cours de la concession de Kéménani, descendant en ligne directe de l'ancêtre gow, prénommé Kourouyoré, se pressaient tous les maîtres chasseurs venus des différents coins du royaume. Car les lions multipliaient leurs attaques et s'amusaient même à déchiqueter des bergers. Les esclaves leur servaient des calebasses de bouillie de mil pendant qu'ils attendaient l'issue des sacrifices. Kéménani avait passé la nuit à s'entretenir avec les grands forgerons-féticheurs, en particulier avec Koumaré qui avait dit que la chasse ne serait pas bonne. Les génies de la brousse étaient irrités et risquaient de manifester leur colère en frappant quelqu'un. Aussi tout le monde attendait. Tiéfolo haussa les épaules. Qu'est-ce que cela signifiait, que la chasse ne serait pas bonne?

Dépité, il s'assit dans un coin avec Naba et quelques autres jeunes chasseurs parmi lesquels on comptait cependant des karamoko, car ils avaient déjà abattu du gibier à poil, fort mécontents de l'attente qu'on leur imposait. L'un d'entre eux, Masakoulou, était le fils aîné de Samaké. Il fit avec exaspération :

« Koumaré, toujours Koumaré. Celui qui n'entend qu'une voix n'entend qu'une parole. Pourquoi ne pas faire parler un autre féticheur? »

Tiéfolo soupira :

« C'est bien mon avis. Le malheur, c'est que personne ne nous demande jamais ce que nous pensons. »

Tiéfolo exprimait là un sentiment auquel les jeunes donnaient rarement voix, habitués qu'ils étaient à une obéissance absolue. Mais un vent de révolte soufflait sur eux qui les surprenait eux-mêmes. Masakoulou continua :

« Il y a Fané qui est lui aussi un des maîtres du Komo... »

Il y eut un silence, puis les jeunes gens se regardèrent comme si cette dernière phrase avait suivi le même cheminement dans leurs esprits. Ce fut Tiéfolo qui murmura :

« Peux-tu nous conduire à lui? »

Le milieu du jour est le moment où la brousse vit intensément. On croit que le soleil l'ayant déjà beaucoup échauffée, elle commence de s'assoupir. Au contraire. Chaque brin d'herbe, chaque insecte qu'il cache, chaque arbuste, chaque animal s'interpelle et l'air, qui semble immobile, vibre en réalité d'une multitude de cris. Voilà pourquoi pour l'homme, c'est l'heure des hallucinations, des mirages, l'heure la plus dure.

La troupe des jeunes gens, Tiéfolo et Masakoulou en tête, marchait depuis le matin. Sans s'arrêter, ils avaient traversé Dugukuna, un village de guerriers et quelques villages de captifs car Tiéfolo, qui s'était spontanément institué chef de cette expédition, estimait qu'il fallait gagner Sorotomo pour la nuit afin que le jour suivant, en quelques heures, on atteigne la région de Masala. Ils suivaient le cours du fleuve, avançant presque dans son lit. Là, la végétation était assez dense. Outre d'énormes graminées, des fromagers, des cailcédrats et, bien sûr, des balanzas et des karités. Personne en vue. Pas une femme accroupie au bord de l'eau. Pas un pêcheur somono dans sa barque. Pas une case bozo faite d'une mosaïque de nattes. La chaleur comme un linge brûlant collé aux lèvres. Brusquement Masakoulou s'arrêta :

« J'ai faim. Si on mangeait? »

Et sans attendre de réponse, il s'assit et tira des provisions de son sac en peau de chèvre. Tous les autres l'imitèrent, Naba le premier.

Tiéfolo en conçut de l'humeur et fit avec irritation :

« Continuons jusqu'à Konodimini. Là, nous pourrons nous procurer de la nourriture, car il vaut mieux garder nos provisions pour demain, la journée sera rude. »

Masakoulou mordit dans un poisson séché :

« Tiéfolo, ce n'est pas parce que dans le temps tu as tué un lion malade que tu dois nous commander tous. Avoue-le maintenant, il était malade, ce lion? Il traînait la patte? »

Tout le monde s'esclaffa, même Naba. Ce n'était qu'une plaisanterie comme en font entre eux les garçons du même groupe d'âge. Pourtant Tiéfolo crut percevoir une lueur mauvaise dans le regard de Masakoulou qui témoignait d'un réel désir de le blesser. Ce qui l'irritait encore, c'est que Masakoulou semblait prendre Naba sous sa protection, en lui témoignant une familiarité qui ne pouvait que griser ce tout jeune homme. Quel jeu jouait-il? Tiéfolo s'en voulait de n'avoir pas tenu compte de la haine qui existait entre les Samaké et la famille Traoré. Un moment, cette pensée lui avait bien traversé l'esprit, puis il l'avait écartée. Les fils doivent-ils absolument épouser les querelles des pères? Il s'efforça de se calmer, s'éloigna et, dénouant son cache-sexe, se dirigeait vers l'eau quand il entendit à nouveau la voix moqueuse de Masakoulou :

« J'en ai vu de plus grosse... »

Les rires fusèrent. C'en était trop. Tiéfolo revint sur ses pas. D'un bond, il fut sur Masakoulou. D'une main, il le prit à la gorge. De l'autre, il lui martela le visage.

La mêlée fut terrible. D'abord les garçons se bornèrent à faire cercle autour de Tiéfolo et Masakoulou, en les excitant de la voix, comme il est d'usage. Puis voyant le tour que prenait le combat, le caractère vicieux des coups que chacun se portait, ils se décidèrent à intervenir. Ils les séparèrent à grand-peine, Masakoulou, le visage en sang, hurlait :

« Mon père me l'a bien dit : là où il y a un Traoré, pas de paix, pas d'entente. Toujours, toujours le besoin de dominer. »

Les autres garçons n'étaient pas loin d'être de cet avis. Pourquoi Tiéfolo avait-il réagi si violemment à une plaisanterie innocente? Sans doute croyait-il que son pénis égalait celui de l'éléphant ou celui du buffle du fleuve Bagoé? Pourtant l'essentiel était à présent de faire la paix entre les deux adversaires afin que l'expédition ne s'en ressente pas. Entre eux, les garçons chuchotaient :

« Forçons-les à faire le pacte du dyo[5]...

– Ils n'accepteront jamais... »

Tant bien que mal, la troupe reprit sa route. A présent, elle s'écartait du fleuve. Le sol se recouvrait d'une croûte fendillée par endroits d'où s'élevait une sorte de vapeur brûlante aux chevilles. On croyait apercevoir les cases de paille et les abris des Peuls nomades. Ce n'était qu'effet de chaleur. De grands oiseaux noirs volaient bas et fonçaient soudain sur des proies invisibles. Trois serpents verts filèrent sous les pas du garçon qui venait en tête, car Tiéfolo traînait à l'arrière pour bien montrer qu'il se désintéressait de tout. Brusquement un troupeau de bœufs surgit flanqué de bergers en tablier de cuir sous leurs chapeaux en entonnoir. Ces derniers semblaient terrifiés. Oui, ils avaient entendu parler de lions, mais aussi d'hommes qui incendiaient les villages, violaient et tuaient les femmes et emmenaient les hommes.

5. Pacte du sang.

« Où cela? »

Les bergers peuls n'en savaient rien. Les jeunes chasseurs se regardèrent avec désarroi. Une même pensée flottait dans les esprits que personne n'osait formuler. Fallait-il continuer? Fallait-il retourner à Ségou? En ces heures d'indécision, toute communauté a besoin d'un chef. Tiéfolo se tenait en retrait, mâchonnant quelques tiges sèches, apparemment plongé dans la contemplation du pelage des bêtes. Comme angoissés, tous les regards se tournaient vers lui; il les soutint avec une sorte d'arrogance, puis, sans mot dire, contournant le groupe, il en reprit la tête. Ils arrivèrent enfin à Sorotomo.

Quelles harmonies inimitables que celles de pilons dans les mortiers, des voix des jeunes filles s'exhortant au travail et des rires des enfants guettant le lever de la lune avant de s'endormir! Dans la grisaille de la nuit naissante, Sorotomo apparut comme une terre d'accueil avec ses cases, troupeau tranquille, pressées au flanc du balanza central. Justement, les hommes tenaient conseil. Le chef accueillit les jeunes chasseurs courtoisement, mais c'était visiblement un homme effrayé. Oui, il avait entendu parler de ces lions qui avaient dévoré des troupeaux. Pourtant, ce n'était certainement pas à ce sujet qu'il s'apprêtait à envoyer une délégation au Mansa. Des hommes attaquaient les villages, mettaient le feu aux cases, tuaient les femmes et les enfants, emmenaient les mâles. Des hommes? A quel peuple appartenaient-ils? D'où venaient-ils? Savaient-ils à qui ils avaient affaire? Ségou avait réduit tous ses ennemis et contrôlait la région. Elle écrasait les velléités de révolte des Peuls du Macina. Elle terrifiait les Bambaras du Kaarta. Qui pouvaient bien être ces hommes? Les villageois n'en savaient rien. Les morts n'avaient pu le révéler, ni les captifs. Pourtant, des calebasses de to servies avec une sauce aux feuilles de baobab et du sibala[6] apaisèrent la faim et pour un temps l'inquiétude. Dans la case de passage, offerte par le chef, tout le monde s'endormit. Sauf Tiéfolo.

Quand il repassait les événements des derniers jours dans sa tête, il avait l'impression qu'un autre, glissé à l'intérieur de sa peau, avait pensé, agi, parlé pour lui. De sa vie, il n'avait jamais désobéi à un aîné. Or qu'avait-il fait sinon mettre en doute la parole de Kéménani, un grand maître chasseur, et de Koumaré, un grand maître du Komo? Son audace le terrifiait. Quel esprit l'avait possédé et dans quel but? Et il avait entraîné un cadet dans l'aventure! Il n'y avait qu'une chose à faire : retourner à Ségou. Il se leva, enjamba précautionneusement les corps de ses camarades jusqu'à la natte de Masakoulou, endormi près de la porte :

« Masakoulou, réveille-toi... »

Les deux garçons sortirent. Seuls bruits à présent, le halètement des esprits, jouissant enfin librement de ce monde qu'ils ne se consolent pas d'avoir quitté, le frottement soyeux des ailes des chauves-souris. Tiéfolo s'efforça de faire taire ses terreurs et souffla :

« Ecoute, il faut retourner à Ségou. Nous devons persuader les autres... »

Masakoulou recula d'un pas. Dans la nuit, il paraissait immense, le visage déformé comme s'il portait un masque, habité par un esprit inconnu. Il dit froidement et sa voix elle-même était autre, sèche, craquante comme des brindilles au feu :

« Tu sais mon nom? Tu sais ce que Samaké veut dire? Homme-éléphant, enfant de l'éléphant, fils de l'éléphant et tu viens me parler de retraite? Ah! c'est vrai, tu es le fils d'un charognard. »

6. Sorte de condiment.

L'injure était grave, tellement grave, Tiéfolo le comprit, que si Masakoulou l'avait prononcée, c'est qu'il n'était pas lui-même non plus. Un autre s'était glissé à l'intérieur de sa peau pour penser, agir, parler à sa place. Tiéfolo s'interrogea. L'un d'eux avait-il commis l'acte sexuel avant le départ? Ou avait-il irrité les ancêtres protecteurs des chasseurs par un acte plus abominable encore? Non, c'était un esprit qui se jouait d'eux. Mais pourquoi? Tiéfolo tenta de se rappeler quelque formule rituelle destinée à conjurer le sort. Dans son trouble, il n'en trouva aucune.

Le malheur est comme l'enfant dans le ventre de sa mère. Rien ne peut arrêter sa naissance. Il gagne secrètement en force et en vigueur. Le réseau de ses veines et de ses artères se dessine. Puis il apparaît au jour dans un déluge de sang, d'eaux usées et de souillures.

7

A SEGOU, on ne s'aperçut pas tout de suite de la disparition des jeunes chasseurs. Puis le lendemain, une à une, chaque famille constata qu'ils n'avaient point dormi dans leurs cases. Ce fut un orage de stupeur et de désolation crevant sur la ville. Des cadets désobéir à des aînés! Des humains braver les avertissements des esprits! De mémoire de Segoukaw, on n'avait vu cela. Cela égalait l'audace de Tiékoro Traoré, tournant délibérément le dos aux dieux de ses ancêtres pour embrasser l'islam...

Sur les places publiques, sur les marchés, dans les concessions, et même dans le palais du Mansa, les gens s'interrogeaient. Fallait-il à présent redouter la jeunesse? Chaque père regardait son fils dans les yeux. Chaque mère, sa fille. Ces êtres souples et graciles, accoutumés à ployer le genou, à baisser les yeux, à acquiescer, à se taire, devaient-ils soudain apporter la contradiction et le danger? Consultés, les féticheurs des familles affirmèrent que ce temps-là approchait.

Au petit jour, Fané sortit de sa concession dans le quartier des forgerons-féticheurs. Avant le lever du soleil, il ne fait pas bon marcher dans Ségou. Les murs de banco se souviennent des peurs de la nuit. Ils sont très sombres, presque boueux et dégagent une humidité malsaine. Pas de créatures vivantes dans les rues. Les esprits rejoignent la région d'en bas. Les humains attendent l'apparition du soleil. Pourtant, Fané aimait cette heure où l'on peut modeler les esprits. Il entra dans la concession de Samaké, s'accroupit derrière sa case et, plantant une tige de mil en terre, l'appela silencieusement. Samaké apparut aussitôt, les traits défaits, car toute la nuit, il s'était torturé pour son fils Masakoulou. Il murmura d'un ton de colère :

« Fané, je te paie tant d'or et de cauris et tu laisses pareil malheur m'arriver... »

Fané haussa les épaules. Comme les hommes ont peu de confiance!

« Rien n'arrivera à ton fils, il reviendra sain et sauf comme tous les autres. Sauf le fils de Dousika. C'est ce que je suis venu t'apprendre. »

Samaké souffla :

« Tu en es sûr? »

Fané dédaigna de lui répondre sur ce point et poursuivit :

« Avant-hier, ces jeunes sont venus me consulter, mais ils ne s'en souviendront plus. J'ai planté l'oubli dans leurs esprits. Ils ne se souviendront de rien. Toi, à présent, prends la tête d'une expédition pour aller les chercher. Tu les trouveras dans la région de Kangaba. Les pas de la gazelle te conduiront. »

Samaké s'en alla en hâte, rassuré et cependant encore inquiet. Il entra dans la concession de Dousika. Malgré l'heure matinale, elle était pleine de sympathisants. Les parents éloignés, les relations, les voisins avaient tenu à entourer une famille si éprouvée. Après la déchéance de Dousika, la conversion de Tiékoro, la disparition de Naba et Tiéfolo! En même temps, malgré l'émotion que tous ces malheurs causaient, on commençait de se demander s'ils n'étaient pas mérités. Car il n'y a pas de victime innocente. Certains chuchotaient que tout cela venait de Sira. Dousika avait eu tort d'introduire une Peule dans sa maison.

A l'entrée de Samaké, il se fit un grand silence. Pourtant, courtoisie oblige, Dousika s'avança pour saluer son ennemi. Samaké prit Dousika aux épaules :

« Frère, tu vois, le malheur nous rapproche. Je vais diriger une expédition pour chercher nos enfants. Est-ce que tu te joins à nous? »

Diémogo, frère cadet de Dousika et père de Tiéfolo, s'interposa :

« Ne cours pas de riques, c'est moi qui partirai... »

Comme il n'avait pas les responsabilités de fa de son aîné, en charge de la bonne marche de la concession tout entière, tous les membres de la famille prièrent Dousika d'accepter son offre.

Déjà une quarantaine de cavaliers était réunie devant le palais du Mansa. On comptait parmi eux le prince Bin, propre fils du Mansa. Une fois n'est pas coutume, des tondyons s'étaient aussi mêlés à cette expédition pacifique, et ce déploiement de chevaux, de cavaliers, de chasseurs, de féticheurs ravissait les enfants, inconscients du tragique des circonstances. Ils se faufilaient entre les pattes des bêtes, piétinant le crottin frais, pour caresser les robes noires ou brunes. Samaké prit la tête du cortège qui, au galop, gagna la porte Nord.

Une fois le groupe disparu, une fois les nuages de poussière retombés, Dousika éprouva un total sentiment d'impuissance. Si encore il avait pu enfourcher une monture et aller arracher son enfant à la brousse! Mais non! Trop de responsabilités l'amarraient à la concession. Que ferait-on de ses trois épouses, de sa concubine, de sa vingtaine d'enfants s'il venait à disparaître?

Nya, si forte, Nya au centre de sa vie.

De l'avoir vue brisée, en larmes, il lui semblait que la charpente même de sa vie s'effondrait. A quoi cela servait-il de ne négliger aucun sacrifice si les ancêtres y étaient insensibles? Si les dieux s'emparaient des fils légitimes, les uns après les autres? Dousika eut peur de ces sentiments de révolte en lui et reprit le chemin de sa concession. Soudain, au détour d'une rue, il reconnut Sira, tenant Malobali par la main, car précoce, l'enfant avait fait ses premiers pas. Il l'arrêta :

« Où vas-tu?

– Au marché. On me dit que des commerçants haoussas ont apporté des colliers d'ambre... »

Atterré, il la fixa :

« En un pareil moment, tu penses à des colliers d'ambre? »

Sans répondre, elle prit le petit garçon qui à présent s'agrippait aux jambes de son père et se détourna. Il la retint. De sa vie, il n'avait jamais brutalisé une femme. Même pas une taloche dans un moment de colère. Mais là, c'était trop. Toute la famille était dans l'affliction, pleurant la disparition de Naba et elle n'avait en tête que sa parure. Comme elle le fixait avec une sorte d'insolence, il perdit patience et la gifla à la volée. Sans broncher, elle resta là, le sang rougissant lentement ses lèvres que sous le choc elle avait mordues. Honteux, il s'éloigna.

Or précisément Sira quittait la concession pour préserver son personnage de captive non domptée, indifférente, presque hostile qui se détachait d'elle comme un haillon. Car, ce qui affectait son entourage l'affectait en retour. Surtout la douleur de Nya. Est-ce qu'il suffit d'être transplanté même par force pour oublier son lieu d'origine? Les hommes poussent-ils racines plus aisément que les plantes? Sira s'essuya les lèvres d'un coin de pagne. Puis, soulevant Malobali de terre, elle le fixa sur son dos d'un mouvement de reins et reprit sa marche, empruntant un chemin longeant le fleuve. Par-delà ces eaux faussement paisibles, un peu bleutées, par-delà la savane, c'était le Macina. Son pays. Pourtant ce mot était vidé de sens. Le pays c'était maintenant Ségou.

Il ne manquait pas de Peuls dans l'enceinte de la ville, en particulier ceux qui avaient la garde du bétail royal. Mais Sira les avait toujours méprisés comme des êtres qui se complaisent en sujétion. En réalité, qu'avaient-ils à présent de différent d'elle?

Parfois, Sira pensait à s'enfuir. Après tout, sa famille ne la rejetterait pas. Mais que faire de Malobali? L'emmener avec elle? Comment serait-il traité, issu en partie d'une ethnie redoutée et méprisée? Ne ferait-il pas figure de paria? D'autre part, si on l'accueillait et en faisait un Peul, ne retournerait-il pas de lui-même vers son père, vers Ségou, vers ces bâtisseurs bambaras, fascinants et barbares? Alors, le laisser derrière elle? Elle savait qu'aussitôt Nya lui offrirait son propre sein, mais le cœur lui manquait. Malobali était si beau qu'on ne pouvait le voir sans prononcer les paroles rituelles qui écartent envie et jalousie. A présent, il avançait devant elle, trébuchant, tombant, se relevant avec détermination sans pleurer, comme s'il s'exerçait à conquérir l'univers. Mesurant son amour pour lui, Sira comprenait d'autant mieux le chagrin de Nya. Perdre deux enfants coup sur coup!

Allons! Ni Tiékoro ni Naba n'étaient perdus. Le premier reviendrait paré du prestige que donnait la nouvelle religion. Le second serait retrouvé et pour punir son inqualifiable indiscipline, il serait pour un temps mis à l'écart de toute confrérie de chasseurs. Puis, tout rentrerait dans l'ordre.

Cependant, ventre à terre, Samaké et ses compagnons se dirigeaient vers Masala. Les villageois éberlués avaient à peine le temps de sortir de leurs cases pour regarder passer les cavaliers. Les guerriers se demandaient si la guerre avait recommencé et n'étaient pas loin de s'en réjouir. Les captifs, au contraire, tremblaient. Allait-on les vendre à nouveau pour se procurer des armes? Alors entre quelles mains tomberaient-ils? Ils avaient fini par s'accoutumer aux villages où on les avait groupés.

A Masala résidait Demba, un autre fils du Mansa. Il reçut les arrivants avec une courtoisie princière et se plaignit du comportement des jeunes chasseurs à son endroit. En effet, ils ne s'étaient pas présentés devant lui, comme ils auraient dû le faire, mais, contournant le village par un chemin circulaire, ils s'étaient entretenus avec les « Peuls publics[1] », gardiens de ses immenses troupeaux. Sans doute craignaient-ils que Demba, bien au fait de la société ségovienne, ne s'étonne de l'absence des grands maîtres chasseurs Gow et surtout de Kéménani? Ne les presse de questions? Ne découvre leur escapade? Et ne les retienne de force?

Demba fit changer les montures des cavaliers, leur offrant des bêtes fraîches et nerveuses et l'expédition continua sa route vers la région de Kiranga. Des paysans avaient incendié la brousse et de grandes plaques noirâtres se dessinaient sur le sol. Des buffles se vautraient dans la vase d'une mare, levant vers les voyageurs un regard agressif sous le lourd casque frontal des cornes. Des bergers s'efforçaient de rassembler leurs troupeaux qu'ef-

1. On appelle ainsi les Peuls qui, au sein d'autres ethnies, ont la garde de leurs troupeaux.

frayaient les chevaux. Enfin, les cavaliers arrivèrent à un carrefour. Quelle voie prendre? Samaké se rappelant les paroles de Fané mit pied à terre et commença d'inspecter le sol. Dans le contrefort d'un talus, il découvrit de petits trous circulaires remplis d'eau comme s'il avait plu la veille, alors qu'on se trouvait en pleine saison sèche. « Les pas de la gazelle. »

Pendant plusieurs heures, les traces furent visibles et les hommes crurent qu'ils n'en finiraient pas de galoper, galoper à travers la brousse. Ils se rendaient compte qu'ils couvraient une distance considérable, descendant toujours plus au sud, atteignant presque les limites de l'empire. Brusquement ils furent sur la rive d'un fleuve. Etait-ce le Bani[2]? Sur les pierres de la rive, des grues couronnées faisaient les cent pas d'un air à la fois altier et irrité. Devant les oiseaux divins générateurs du langage, tous mirent pied à terre cependant que les griots récitaient :

Salut grue couronnée.
Puissante grue couronnée.
Oiseau de la parole.
Oiseau au bel aspect.
La voix est ta part dans la création.

Brusquement, un troupeau de gazelles surgit d'un buisson, vint sous les pas des chevaux comme pour les narguer, puis prestement s'engagea dans une piste. Cette fois encore, les hommes sautant à nouveau sur leurs chevaux les suivirent. Cette fois encore, la poursuite dura des heures. Bientôt le soleil commença de décliner et les cavaliers, Samaké compris, en dépit des assurances de Fané,

2. Affluent du Joliba.

se demandaient si les dieux ne leur jouaient pas un tour à leur manière. Enfin, ils aperçurent les toits de paille des cases d'un village.

Quel silence dans ce village!

Les pas des chevaux résonnaient sur le sable sec comme des tam-tams de guerre. Il devait s'agir d'un village de captifs, vu l'étendue des champs de mil et de coton soigneusement entretenus qui s'étendaient alentour. Mais où étaient passés les habitants? Grognant et renâclant, un troupeau de porcs sauvages traversa le sentier.

C'est dans la dernière case qu'ils trouvèrent les jeunes chasseurs, apparemment plongés dans un profond sommeil. Ils étaient tous là, amaigris, émaciés. Il ne manquait que Naba. Toute sa vie, Diémogo devait se reprocher ce mouvement de joie égoïste quand il avait reconnu son fils. Comme tous ses compagnons, Tiéfolo était méconnaissable, pareil à un patient qui relève d'une longue maladie, un pus jaunâtre aux coins des yeux. Mais il était vivant. Au bout d'un moment, grâce à l'action des guérisseurs, les jeunes gens ouvrirent les yeux et furent en état d'entendre les questions. Pourtant, ils ne purent y répondre. On aurait dit qu'une sorte d'amnésie les frappait. Que s'était-il passé depuis leur départ de Ségou près d'une semaine plus tôt? Quels chemins avaient-ils suivis? Quelles paroles avaient-ils prononcées? Qu'était devenu Naba?

En eux-mêmes, les cavaliers acceptaient l'arrêt du destin. Les jeunes chasseurs avaient commis une faute. Les dieux avaient choisi une victime expiatoire. On ne pouvait plus rien. C'est par pur forme qu'ils décidèrent de battre la brousse à la recherche du disparu. Comme la nuit était tombée, ils enflammèrent des branches sèches, ce qui effraya les chevaux qui se mirent à hennir et à galoper dans tous les sens. Certains auraient bien préféré attendre l'aube, car la nuit n'appartient qu'aux esprits. Il n'est pas bon que les hommes dérangent leurs conciliabules par des cris, des appels, des poursuites, des piétinements de chevaux. Mais Samaké et Diémogo s'entêtaient.

Rien ne peut dépeindre l'état d'esprit de Tiéfolo quand il reprit entièrement conscience et s'aperçut de la disparition de Naba. D'abord il demeura abasourdi. Puis la conviction de sa culpabilité le submergea. Il se leva et prétendit s'élancer sur un cheval. On le retint. Alors, il voulut se précipiter la tête la première sur un cailcédrat. Mais ses forces le trahirent et on dut le soutenir. Un des guérisseurs se hâta de préparer une potion qui lui donnerait le sommeil. Vers le milieu de la nuit, Samaké, Diémogo et les autres cavaliers revinrent. Bredouilles... Ils décidèrent de prendre un peu de repos et de poursuivre les recherches dès le lever du soleil.

A la vérité, il n'était pas rare qu'au cours d'une chasse, des catastrophes se produisent, car ce « métier du sang » exige ses victimes. Il arrivait que les karamoko les plus réputés soient vaincus par l'âme des bêtes, et tués en les affrontant. En pareil cas, la tradition avait tout prévu : depuis les rites de la toilette mortuaire jusqu'aux libations et aux paroles des chants funéraires. Mais la disparition de Naba avait quelque chose d'unique et de surnaturel. Les forgerons-féticheurs, qui avaient suivi la partie, voyaient sur leurs plateaux divinatoires l'expression d'un destin irrévocable qu'ils ne comprenaient pas. Un Traoré aurait-il tué un singe noir, un cynocéphale ou une grue couronnée, brisant ainsi son interdit totémique? Impossible! Alors pourquoi les dieux étaient-ils tellement irrités?

Peu avant le jour, les habitants du village réapparurent. Il s'agissait bien de captifs royaux reconnaissables à leurs crânes rasés et aux trois entailles de chaque côté de la tempe. Ils avaient pris refuge dans la brousse, car ils avaient entendu parler de groupes de Markas[3] opérant des razzias dans la région, en direction du commerce de traite. Devait-on voir là une indication du sort que connaissait Naba? Sans perdre de temps, Samaké et Diémogo dépêchèrent des hommes de leur escorte vers les cités commerçantes de Nyamina, Sinsanin, Busen, Nyaro... afin d'inspecter les marchés. En un mot, rien ne fut laissé au hasard.

C'est étrange! En ce moment où Samaké, qui par envie et mesquinerie avait été le principal artisan de la perte de Dousika, voyait s'accomplir sa vengeance, il ne la savourait pas. Au contraire, elle l'épouvantait. Comme tant de criminels devant leur forfait, il n'était pas loin de s'écrier :

« Ah! non, je n'avais pas voulu cela!... »

Il se prenait à se poser une question apparemment sacrilège. Les dieux et les ancêtres sont-ils sadiques? Les dieux et les ancêtres sont-ils cruels? Réalisant au-delà de toute attente les vœux formulés dans des moments de colère et de jalousie, ne prennent-ils pas plaisir à mortifier en même temps victimes et bourreaux? A intervertir les rôles? A les confondre? A susciter dans les deux camps chagrin, malaise, angoisse, désespoir? Aussi, personne ne comprenait son affliction et son acharnement à rechercher Naba. N'était-il pas l'ennemi de Dousika? Tout en se restaurant avec du to préparé par les femmes du village, les cavaliers chuchotaient entre eux :

« Est-ce qu'il ne faudrait pas à présent rentrer à Ségou? Dousika est un homme très riche. Il paiera des tondyons pour aller rechercher son fils, des féticheurs pour lui dire où il peut se trouver. Nous,

3. Nom donné aussi à l'ethnie Sarakolé.

nous ne pouvons plus rien. Samaké nous fatigue inutilement. »

Finalement, le prince Bin, à qui malgré sa grande jeunesse la qualité de fils du Mansa donnait de l'autorité, se fit l'interprète de tous et l'on reprit le chemin de Ségou.

Et pourtant, Naba n'était pas loin. A peine à quelques heures de marche.

Une dizaine de « chiens fous dans la brousse[4] » l'avaient capturé alors qu'il s'était éloigné de ses compagnons. Ces « chiens fous » n'étaient nullement des Markas, mais des tondyons bambaras de Dakala que la relative paix qui régnait dans la région condamnait à ce rôle de prédateur. Généralement, ils préféraient s'attaquer aux enfants, aisément effrayés, faciles à dissimuler dans un grand sac, puis à transporter jusqu'aux marchés d'esclaves où ils étaient échangés contre une petite fortune. Naba était déjà trop fort puisqu'il avait près de seize ans.

Mais il était là, désarmé, car il avait déposé assez loin de lui son arc et son carquois. Il atteignait l'âge où les prises étaient fort appréciées des commerçants de traite. Il était visiblement soigné, bien nourri. La tentation avait été trop forte. A présent les chiens fous gagnaient à cheval le village d'un intermédiaire marka. Il fallait se mettre hors d'atteinte de la justice du Mansa qui punissait de tels rapts contre ses sujets de la peine de mort. Ils avaient endormi Naba, lui avaient solidement ligoté les membres avec des cordelettes de da et l'ayant enveloppé d'une couverture, l'avait jeté en travers de leurs montures.

4. Expression bambara pour désigner les voleurs d'enfants.

Quand Naba reprit conscience, il se trouva donc dans une case dont la porte était obturée par des troncs d'arbre. A la couleur de l'air qui filtrait, il réalisa qu'il allait bientôt faire jour. A côté de lui, endormis à même la terre, trois enfants de six ou huit ans, ligotés de la même manière que lui.

Jusqu'à une époque récente, la concession de Dousika avait été pour lui et les autres enfants un univers douillet, sourd à tous les bruits du monde : guerre, captivité, commerce de traite. Parfois un adulte y faisait allusion devant eux mais ils prêtaient bien davantage l'oreille aux aventures de Souroukou, Badeni, Diarra[5]... le soir, autour du feu. La première brèche dans ce mur de bonheur avait été causée par la convertion à l'islam de Tiékoro et le départ du grand frère bien-aimé. A présent, brusquement, Naba découvrait la peur, l'horreur, le mal aveugle. Il avait souvent vu des captifs dans les cours de la concession paternelle ou chez le Mansa, mais il ne leur avait jamais prêté attention. Il ne s'était jamais apitoyé sur eux, puisqu'ils appartenaient à un peuple de vaincus qui n'était pas le sien. Allait-il connaître le même sort? Dépouillé de son identité, livré à un maître, cultivant ses terres, méprisé de tous? Il tenta de s'assoir. Ses liens l'en empêchèrent. Alors il se mit à pleurer comme l'enfant qu'il était encore.

La porte s'ouvrit et un jeune garçon entra, portant une grosse calebasse de bouillie. Dès qu'il apparut, Naba se tourna tant bien que mal vers lui et lui jeta :

« Ecoute, aide-moi à me tirer de là. Mon père est un homme très riche. Si tu me ramène à lui, il te donnera en échange tout ce que tu voudras... »

Le garçon s'assit par terre. C'était un gringalet

5. L'hyène, le chameau, le lion, en bambara.

d'aspect maladif, le torse couturé de cicatrices de coups.

« Ton père posséderait-il tout l'or du Bambuk[6] que je ne pourrais rien faire pour toi... Moi-même, j'ai été capturé quand je n'étais pas plus haut que les gosses que tu vois là. On m'appelle Allahina.

– Tu es musulman?

– Mon maître est musulman. Il est très riche. Il vend des esclaves sur plusieurs marchés et il approvisionne directement les envoyés des hommes blancs. Je l'ai entendu dire qu'à cause de ta beauté, il te vendrait à ces derniers. »

Naba crut défaillir. Avec une sorte de douceur, Allahina lui tendit une cuillère de bouillie et l'introduisit de force entre ses lèvres.

« Mange surtout, mange. Si tu essaies de te laisser mourir de faim, ils te battront jusqu'au sang. »

Autour d'eux, les enfants se réveillaient et réclamaient leur mère dans diverses langues. Dans leurs villages, on leur avait parlé de ces ravisseurs d'enfants qui emportaient leurs petites victimes loin, très loin. Aussi commençaient-ils de se demander s'ils les reverraient jamais.

Allahina se leva pour les servir avec la même douceur. Naba murmura :

« Qu'est-ce qu'on va faire de ces gosses? »

Allahina le regarda et fit avec cynisme :

« Ce sont les meilleures prises. Ils oublient vite leur lieu d'origine, ils s'attachent à la famille de leur maître, ils ne se révoltent jamais. »

En entendant ces paroles, les larmes de Naba se firent plus amères encore. Toute l'iniquité d'un système auquel il n'avait jamais songé le submergeait. Pourquoi séparait-on des enfants de leur

6. Région aurifère.

mère, des êtres humains de leur foyer, de leur peuple? Qu'obtenait-on en échange? Des biens matériels? Cela payait-il le prix des âmes? A ce moment, quatre hommes, écartant les troncs d'arbre, entrèrent dans la case. Si deux d'entre eux étaient des Bambaras, les deux autres étaient des étrangers s'exprimant imparfaitement dans cette langue. Ce furent ces derniers qui s'approchèrent de Naba. S'accroupissant près de lui, ils l'examinèrent comme on le fait d'un animal, cheval ou génisse que l'on achète au marché. L'un d'eux alla jusqu'à lui soupeser le sexe en riant, échangeant avec son compagnon des paroles incompréhensibles. Puis il s'adressa à Naba.

« Les hommes blancs aiment ça. Gros foro[7]... Ils jouent avec, eux-mêmes. »

Les quatre hommes éclatèrent de rire. Puis les deux étrangers mirent rudement Naba sur pied, lui enfilèrent une sorte de cagoule sur la tête. Ils sortirent. L'air, encore frais, sentait la fumée de feu de bois. Naba entendit des voix de femmes s'affairant aux premières tâches, des rires et des pleurs d'enfants, le braiement d'un âne. Des sons anodins, familiers comme si sa vie à lui ne venait pas d'être bouleversée, comme s'il ne faisait pas naufrage, là, au milieu de tous. Pas une main secourable ne lui était tendue. Personne ne protestait. Des Bambaras l'avaient vendu, c'est-à-dire des hommes qui croyaient aux mêmes dieux que lui, qui portaient peut-être le même diamou[8], qui avaient peut-être le même interdit totémique que lui : singe noir, cynocéphale, grue couronnée, panthère. Personne ne lui avait demandé :

« Qui es-tu? Es-tu un Coulibali de Ségou? Es-tu

7. Sexe d'homme en bambara.
8. Nom patronymique.

un Coulibali Massasi[9]? Es-tu un Diarra, un Traoré, un Dembélé, un Samaké, un Kouyaté, un Ouané, un Ouaraté? Nous t'avons surpris à la chasse. Alors es-tu un Gow, descendant de Kourouyoré, l'ancêtre venu du ciel qui eut commerce avec une femme génie et engendra Moti? Qui es-tu? Quel ventre de femme t'a porté et quel sexe d'homme t'y avait planté? »

Rien de tout cela. On avait évalué son pesant de chair, compté ses dents, mesuré son pénis, tâté ses biceps. Il n'avait plus rang d'homme.

Cependant, pour vendre Naba, les deux Markas avaient décidé de se rendre plus au sud à Kankan au pays des Malinkés. C'est qu'ils voulaient mettre la plus grande distance entre eux-mêmes et Ségou, et surtout que Kankan était devenu un des principaux lieux d'échanges. Les commerçants dioulas descendaient jusqu'à la côte avec des esclaves et revenaient chargés de fusils, de poudre de guerre, de cotonnades, d'eau-de-vie en ancre qu'ils obtenaient des représentants des compagnies françaises ou anglaises à privilèges. Contre un esclave de bonne allure, on pouvait se procurer vingt-cinq à trente fusils avec en prime une ou deux longues pipes à fumer de Hollande. Naba était une de ces prises que l'on négocie longuement, une vraie « pièce d'Inde[10] ». Les deux Markas supputaient déjà les yards de chites de Pondichéry[11] qu'ils pourraient vendre en pays songhaï. Les élégantes de Tombouctou et de Gao en raffolaient... C'est qu'au moment où Naba se faisait capturer à une centaine de kilomètres des siens, le commerce de la traite

9. Il y a deux familles de Coulibali. Ceux de Ségou et ceux du Kaarta. Ces derniers sont les Massasis.

10. On appelait ainsi un esclave mâle d'environ dix-huit ans.

11. Toiles de coton imprimées venues des Indes, peintes de couleurs chatoyantes.

négrière battait son plein. Depuis des siècles, les commerçants européens avaient bâti des forts sur les côtes, côte des Graines, côte d'Ivoire, côte de l'Or, côte des Esclaves... depuis l'île d'Arguin jusqu'aux confins du golfe du Bénin. D'abord, ils s'étaient intéressés principalement à l'or, à l'ivoire, à la cire. Puis avec la découverte du Nouveau Monde et l'expansion des plantations de canne à sucre, le trafic d'esclaves, la « chasse à l'homme » étaient devenues les seules opérations rentables. La compétition était âpre entre Français et Anglais qui se portaient les coups les plus bas. Mais s'ils se haïssaient mutuellement, ils s'accordaient pour se méfier des trafiquants africains qu'ils jugeaient « matois, artificieux, instruits des faux poids, des fausses mesures et de toutes fourberies propres à les abuser ».

8

« Ahmed, quelqu'un veut te voir... »

Siga, qui ne parvenait pas à s'habituer à ce nouveau nom, ne bougea pas tout d'abord. Puis réalisant qu'on s'adressait à lui, il se leva d'un bond, se lava les mains à la bassine d'eau près de la porte et sortit dans la cour de la très modeste gargote où il prenait ses repas.

Un jeune homme l'attendait. Tiékoro.

Depuis le lendemain de leur arrivée à Tombouctou, les deux frères ne s'étaient pas revus. Conduisant son cortège d'ânes par les rues de la ville jusqu'au port de Kabara, Siga ne se lassait pas de chercher son frère, espérant l'apercevoir parmi les groupes d'étudiants en caftans blancs, coiffés d'une calotte de même couleur, qui déambulaient d'un air à la fois fanfaron et dévot, discutant à voix haute d'un hadith[1]. A force de le guetter en vain, une rancune s'était d'abord amassée en lui, amère comme la haine. Il imaginait ce qu'il ferait s'il le voyait au détour d'une rue. Peut-être qu'il lui cracherait au visage en l'appelant bâtard. Parfois il se surprenait à prendre le chemin de la maison d'El-

1. On désigne sous le nom de hadiths les paroles, les actes ou les approbations muettes qui ont été rapportés comme venant du Prophète.

Hadj Baba Abou pour, une fois dans la cour, l'injurier à loisir. Probablement tout le monde lui donnerait raison, car le sang n'est pas de l'eau. Puis il se rappelait le regard glacial du maître de Tiékoro et il sentait que pour ce musulman à peau claire, un Bambara fétichiste et à peau noire n'existait pas. Il mettrait ses serviteurs à ses trousses afin de le chasser comme une hyène puante. Ah! l'arrogance de ces Arabes et de leurs métis, leur mépris des Noirs, Siga avait eu tout le temps de les mesurer!

Peu à peu cependant, sa rancune et sa haine s'étaient apaisées, car il était bon bougre. Il avait même fini par excuser Tiékoro. L'autre n'avait songé qu'à lui-même et à son avenir. Pouvait-on l'en blâmer? Ces études à l'université signifiaient tant pour lui. Quel sens aurait cette équipée jusqu'à Tombouctou si, en fin de compte, il ne pouvait accomplir son rêve?

Les pensées de Tiékoro avaient suivi un cheminement inverse. Il s'était d'abord inventé mille excuses pour sa conduite. Puis elles étaient devenues inopérantes, remplacées par un sentiment de remords et de culpabilité tel qu'il s'éveillait la nuit et pleurait. Pourtant les résolutions qu'il formait à ces moments-là ne résistaient pas au lever du jour et il ne se précipitait pas au port de Kabara où il était sûr de trouver Siga comme il en avait décidé dans l'ombre. Aussi chaque jour davantage était-il convaincu de sa lâcheté.

Mis en présence de Siga, il ne put trouver une parole d'excuse et se borna à souffler en baissant les yeux :

« Siga, j'ai reçu des nouvelles de notre famille. Il est arrivé un grand malheur. Naba, Naba a disparu... »

Siga répéta sans comprendre :

« Disparu? Comment cela, disparu?

– Il s'était rendu à la chasse. On pense que des Markas l'ont capturé pour le vendre... »

La nouvelle était si effoyable que toute parole mourut sur les lèvres de Siga. Instantanément un flot de larmes coula sur ses joues. Naba!

A vrai dire, il n'avait eu aucune intimité avec ce jeune frère, accaparé par Tiékoro, mais il pensait à la douleur de la famille. De Nya surtout. Puis il pensait au destin horrible de son frère. Durant leur voyage jusqu'à Tombouctou, ils avaient rencontré de longues files d'esclaves, le cou resserré entre deux pièces de bois attachées et contenues ensemble par des liens de corde, frappés à grands coups de gourdin par ceux qui les conduisaient vers les marchés de la région. Il perdrait son nom, son identité. Il deviendrait une bête à travailler dans les champs. Il balbutia :

« Mais que pouvons-nous faire? »

Tiékoro eut un geste de désespoir :

« Que veux-tu faire? Rien... »

Puis il sembla se repentir de ces paroles et corrigea vivement :

« Prier Dieu... »

Le silence tomba entre les deux frères. Au bout d'un moment, Tiékoro bégaya :

« Tu ne manques de rien? »

Sans mot dire, Siga tourna les talons. Alors Tiékoro le retint par le bras et murmura :

« Pardonne-moi... »

C'était beaucoup, compte tenu de son arrogance, et Siga crut avoir mal entendu. Il pirouetta sur lui-même et l'autre resta là, les yeux baissés, gauche et honteux dans son beau caftan de soie. Siga eut pitié de lui et fit de manière à le réconforter :

« Ne t'en fais pas pour moi, tout va bien. Encore une chance que tu m'aies retrouvé, car c'est mon dernier jour de travail ici. Un marchand me prend avec lui comme assistant... »

Tiékoro eut une exclamation horrifiée :

« Tu vas faire du commerce[2]? »

Siga se moqua :

« Tu préférerais que je demeure un ânier? Et puis, toi, tu te fais bien marabout... »

Tiékoro ne dit rien, puis il reprit :

« Si je veux te joindre, où est-ce que je te trouverai? »

Siga haussa les épaules :

« Tu te débrouilleras. »

Puis il tourna le dos et entra dans la gargote d'où ses compagnons suivaient la scène avec curiosité.

Siga était pareil à présent aux misérables qu'il fréquentait. Musculeux. Mal soigné. Plutôt sale. Il portait une courte vareuse faite de bandes de coton teint en bleu et un pantalon bouffant s'arrêtant au-dessus de ses chevilles. Ses pieds, rendus larges et rugueux, étaient nus dans la poussière. C'est vrai que les deux frères n'avaient plus rien de commun! Même le drame familial qui les avait provisoirement rapprochés ne pouvait combler cette distance. Lentement, Tiékoro se dirigea vers le fleuve. Il se sentait responsable de la disparition de Naba. Car s'il ne l'avait pas quitté pour faire ses études, son cadet se serait-il attaché à Tiéfolo? Serait-il devenu un chasseur? Et se serait-il embarqué dans cette partie sans issue? Que faire à présent? Retourner à Ségou et sécher les pleurs de leur mère? Cela lui rendrait-il le disparu?

Le port de Kabara, qui desservait Tombouctou depuis que l'Issa-Ber avait quelque peu dévié son cours, débordait d'animation. Il était couvert de

2. Les nobles bambaras méprisent le commerce et estiment que seul le travail de la terre est digne d'eux.

marchandises emballées, près d'être transportées à bord des embarcations. Mil, riz, maïs, pastèques, mais aussi tabac et gomme arabique dont on cueillait de grandes quantités aux alentours de Goundam et du lac Faguibine. Des commerçants venus de Fittouga apportaient dans leurs pirogues des pots en terre, des poissons secs et de l'ivoire. L'une de leurs embarcations était chargée d'esclaves, une dizaine d'hommes, hagards, émaciés, attachés les uns aux autres par des liens de cordes faites de racines d'arbres. Quelques semaines auparavant, Tiékoro n'aurait pas prêté attention à un spectacle si courant. Pour l'heure, tout avait changé. Il s'approcha des deux hommes qui, à coups de gourdin, faisaient descendre ces malheureux :

« Qu'est-ce que vous allez en faire? »

L'un des hommes grommela en mauvais arabe que c'étaient des captifs mossis destinés à un Maure. Tiékoro enfla la voix :

« Est-ce que tu ne sais pas que ce sont des hommes comme toi? »

Puis il réalisa tout le ridicule de son attitude. Que pouvait-il contre un système si ancien? Depuis le XVIe siècle, des esclaves noirs travaillaient dans les sucreries marocaines, sans parler des esclaves de la couronne éparpillés dans tout l'empire. Il reprit le chemin de Tombouctou.

Quand il arriva dans la cour de l'université attenante à la mosquée, de nombreux étudiants se pressaient déjà sous les arcades, attendant l'ouverture de la bibliothèque. Certes l'invasion marocaine avait causé des pertes considérables dans le nombre des manuscrits. Ainsi l'œuvre considérable d'Ahmed Baba manquait presque entièrement, mais de nombreux lettrés avaient fait don des trésors de leurs familles. Très vite, Tiékoro avait fait des progrès qui avaient forcé l'admiration de ses maîtres. Lui qui avait été presque un objet de risée était devenu un des plus brillants étudiants en linguistique arabe et en théologie. Il donnait déjà des cours dans une des cent quatre-vingts écoles coraniques que comptait Tombouctou. Nul ne pouvait interpréter mieux que lui les propos du Prophète et les actes de sa vie. Et pourtant Tiékoro n'était pas heureux. Il n'était pas heureux, parce qu'il aimait désespérément comme on aime à cet âge et n'était pas sûr d'être payé de retour.

L'objet de cet amour?

Ayisha, la cinquième fille de la première épouse de son hôte El-Hadj Baba Abou. Parfois les beaux yeux obliques d'Ayisha lui assuraient qu'elle n'ignorait rien de ses sentiments. Parfois ils exprimaient la plus dédaigneuse froideur. Elle affectait de ne jamais s'adresser directement à lui, mais de prendre pour intermédiaire son jeune frère Abi Zayd, un turbulent garçon de neuf ans :

« Ayisha voudrait un collier d'ambre.

– Ayisha voudrait un bracelet d'argent.

– Ayisha voudrait des takoula au miel... »

Toutes choses que Tiékoro s'empressait de procurer en sachant parfaitement que s'engager dans un pareil commerce avec la fille d'El-Hadj Baba Abou était un crime susceptible de lui attirer la colère de ce dernier.

De plus, comme depuis l'âge de douze ans Tiékoro culbutait les jeunes esclaves de son père, cette obligation de pureté, de chasteté à laquelle l'astreignait la religion qu'il s'était choisie le torturait. Il ne pouvait s'empêcher de dévisager chaque femme comme un paradis dont il s'était banni tandis que les soubresauts de son sexe sous son caftan le terrifiaient. Parfois un voile passait devant ses yeux, tant le désir d'un corps chaud et consentant le tenaillait. Il s'éveillait les cuisses couvertes de sperme dont il se lavait en suppliant Dieu de lui pardonner. En outre, son ami, son confident et mentor Moulaye Abdallah, ses études de droit musulman terminées, était reparti pour Gao prendre la fonction de cadi de son père, et Tiékoro vivait dans une solitude extrême.

Pour se distraire, ses cours terminés, Tiékoro avait coutume de se rendre dans un estaminet tenu par des Maures. On y buvait du thé vert. On grignotait de petites galettes au gingembre. On y jouait un jeu venu du pays des Blancs qui consistait à pousser des rondelles de bois sur une plaque de même matière. Il y avait dans cette atmosphère paresseuse et bon enfant quelque chose qui rappelait à Tiékoro la concession de son père.

Il sortait du cabinet d'aisances, petite case au toit de paille au fond de la cour sablonneuse, quand il vit une jeune fille entièrement nue à l'exception d'un cache-sexe de fibre végétale. Le soleil déclinant jouait sur sa peau noire. La vue d'une vierge nue, ou les seins nus, était chose banale dans les rues de Ségou. Mais l'islam qui pesait sur les mœurs à Tombouctou avait mis fin à cette coutume dénoncée depuis l'époque de l'Askia Mohammed. Désormais, les femmes et même les jeunes filles se couvraient le corps de vêtements faits d'étoffes venues d'Europe. A la vue de ces seins, de ces fesses, Tiékoro éprouva comme un vertige. Passant sans saluer devant la fille, occupée à éventer un feu de fientes de chameau car le bois était rare, il entra dans le cabaret et s'approcha d'Al-Hassan, le propriétaire :

« Qui est cette fille? »

L'autre répondit avec indifférence :

« Une esclave. Des Markas la proposaient à des

Marocains pour les harems. Mais elle n'est pas assez jolie... Je l'ai eue pour presque rien. »

Tiékoro ressortit dans la cour. Elle était déserte. La fille avait fini d'allumer son feu et se tenait debout les bras ballants, ses jambes longues et nerveuses légèrement écartées de sorte qu'on voyait l'intérieur de ses cuisses. Tiékoro se rua sur elle, l'entraîna dans le cabinet d'aisances. Il ne comprenait pas lui-même ce qui le possédait. On aurait dit qu'une bête sauvage tapie dans son ventre tentait de se libérer en déchirant ses chairs. Il entra en elle. Elle gémit faiblement comme un enfant, mais ne se défendit pas. Il la prit à plusieurs reprises, se vengeant de ces longs mois de solitude, de cette abstinence et, aussi, de la disparition de son cadet...

Enfin, il s'écarta d'elle, respira l'odeur épouvantable d'excréments et d'urine du lieu et souhaita mourir. Il sortit dans la cour. La fille le suivit. Il aurait aimé qu'elle se rebelle, qu'elle crie. Or, elle ne disait rien et restait là derrière son dos. Il eut la force de murmurer en arabe :

« Comment t'appelles-tu?

– Nadié... »

Il frémit et se retourna, la fixant dans les yeux pour la première fois :

« Tu t'appelles Nadié? Tu es donc bambara? »

Elle inclina la tête :

« Du Bélédougou[3], fama[4]... »

Une Bambara! Comment ne l'avait-il pas reconnue au tatouage particulier de sa lèvre inférieure, à ses scarifications à la hauteur des tempes? Ainsi, il avait violé une fille de son peuple qu'il aurait dû défendre. Il avait ajouté à son humiliation. Il ne

3. Petit royaume bambara, toujours indépendant de Ségou.
4. Seigneur en bambara.

valait pas mieux que ces marchands d'esclaves qu'il fustigeait la veille. Nadié posa la main sur son épaule. Il se leva d'un bond comme s'il avait été touché par un animal immonde, ou peut-être parce qu'il sentait renaître son désir, et gagna la rue en courant. C'est à la même allure qu'il atteignit la maison d'El-Hadj Baba Abou. Les vieillards couchés sur des nattes devant leur porte, les enfants, les vendeurs de noix de kola se demandaient quel était cet homme poursuivi par les djinns.

Dans la cour, il se heurta à son hôte accompagnant un homme corpulent, vêtu avec magnificence, la tête enturbannée et le teint d'un Maure. Il les salua hâtivement et allait entrer dans sa chambre quand Abi Azyd apparut en bondissant et expliqua sans attendre qu'on le questionne :

« Abbas Ibrahim est un lettré de Marrakech qui enseigne à l'université et a écrit plusieurs ouvrages de métaphysique. C'est un grand honneur qu'il fréquente notre famille et demande à épouser ma sœur. »

Tiékoro fut inondé d'une sueur froide, car les quatre filles aînées d'El-Hadj Baba Abou étaient déjà mariées. Il balbutia :

« Quelle sœur? »

Abi Azyd sauta d'un pied sur l'autre et fit narquois :

« Ma sœur Ayisha. »

Ah! le châtiment de Dieu ne se faisait pas attendre! Il était coupable de fornication. Alors il s'était rendu indigne de celle qu'il aimait et aussitôt elle lui était enlevée. En même temps, il ne pouvait se résigner à accepter si docilement cet arrêt. A Ségou, les règles du mariage étaient à la fois simples et complexes. C'était une affaire entre familles de rang égal, un va-et-vient de cadeaux, noix de kola, cauris, transmis par des nyamakala, jusqu'au paiement de la dot en or et en bétail et à la cérémonie finale. S'il était resté au pays, c'est Dousika qui, un jour, l'aurait fait appeler pour lui signifier qu'il était temps de prendre femme et lui aurait conseillé une compagne. Or à Tombouctou, Tiékoro ignorait tout des procédures du mariage. Etranger, il se rendait bien compte que malgré sa naissance, il n'était pas un parti possible aux yeux d'El-Hadj Baba Abou. Pourtant, il aurait eu le courage de l'affronter s'il avait eu quelque connaissance des sentiments d'Ayisha à son endroit. Mais comment les découvrir? Comment s'approcher d'elle? Comment lui parler sans surveillance?

A ce moment, un domestique entra, portant l'eau bouillante du bain. Il fit observer :

« Ton caftan est couvert de boue, Oumar... »

En un instant, Tiékoro revécut l'horrible scène. La case d'aisances avec sa planche de bois percée d'un trou circulaire posée sur une jarre de terre. Aux alentours la boue causée par l'eau des ablutions et lui, vautré dans cette fange. En même temps, le désir le prenait de retrouver cette fille et de plonger à nouveau dans l'eau de son ventre. Dieu avait-il décidé de le rendre fou? Pourquoi ce divorce entre les élans de son cœur et les désirs de sa chair?

Le feu d'Allah, le feu qui brûle,
qui s'élève au-dessus des cours des damnés!
En vérité, c'est comme une voûte au-dessus d'eux,
qui repose sur de hautes colonnes!

Tout d'un coup, Tiékoro eut une illumination. Moulaye Abdallah! Il allait faire appel à son ami et lui demander de venir à Tombouctou. Lui seul pourrait le conseiller et, bien au fait des mœurs de l'endroit, sonder les possibilités d'action. Sans plus tarder, il se mit à lui écrire.

A Tombouctou, trois groupes constituaient la société des notables, des gens distingués : les Armas qui détenaient le pouvoir militaire et politique, les jurisconsultes et enfin les commerçants. Ces derniers étaient les principaux gardiens de l'ordre social, car leurs caravanes, leurs embarcations et leurs magasins étaient les premières cibles en cas de troubles. Abdallah appartenait à la prestigieuse famille arma des Mubarak al-Dari. Mais son humeur calme s'accommodait mal du métier des armes. Un jour, il avait renoncé aux attributs de sa classe, port du sabre, habits blancs assortis de châles rouges, jaunes, verts ou noirs suivant le grade, pour s'adonner au commerce et bien lui en avait pris, car il comptait à présent parmi les plus grosses fortunes de la ville. Sa maison, sise près de la porte de Kabara, construite en briques rondes, abritait une foule de serviteurs et d'esclaves. Avec des marchands de Fès, de Marrakech, d'Alger, de Tripoli et de Tunis, il commerçait principalement en sel qu'il expédiait en barres, mais aussi en tissus, en séné et en sésame. Quelque dix ans plus tôt, il avait perdu dans la grande épidémie de peste ses deux épouses et ses cinq enfants. Depuis, il ne voulait plus prendre femme, se contentant d'une servante pour assouvir ses désirs charnels, s'il lui en prenait.

C'était, on le conçoit aisément, un homme sombre, taciturne, qui pouvait passer des jours entiers sans prononcer une parole. Et pourtant, il s'était pris d'affection pour Siga. Il avait apprécié le sérieux avec lequel celui-ci convoyait ses marchandises jusqu'au port, la modestie de son comportement et il s'était convaincu que ce jeune Bambara était plus honnête que tous les garçons de son âge engagés dans la même activité. Aussi lui avait-il offert d'entrer à son service où il serait nourri, logé, convenablement vêtu avec la possibilité de s'instruire de tous les mystères des transactions commerciales. Siga qui était las de sa vie rude d'ânier avait accepté avec empressement. En effet, depuis deux ans maintenant, il dormait parmi une douzaine de corps malodorants dans une case exiguë du quartier d'Albaradiou, se levant avant le jour, portant sur ses épaules ou sa tête des poids considérables, méprisé de tous. Quand il pensait à Ségou et à ses parents, il était parfois pris d'une violente rancœur. Enfin, s'il avait pris fantaisie à Tiékoro de se convertir et de devenir étudiant, pourquoi lui avait-on donné mission de l'accompagner? Etait-il donc l'esclave de son frère? Aussi, quand il envisageait de retourner chez lui, se voyait-il conquérant, orgueilleux, suivi d'une caravane de douze chameaux, chargés d'objets inconnus à Ségou. Les gens sortiraient dans les rues :

« Hé! Est-ce que ce n'est pas le fils-de-celle-qui-s'est-jetée-dans-le-puits? »

Les diély, flairant l'or, s'attacheraient à ses pas et Dousika regretterait de l'avoir méconnu. La voix d'Abdallah le tira de ses rêves de gloire. »

« J'ai déposé des vêtements dans ta chambre. Ils m'appartenaient, mais je t'en fais cadeau. Tu es tellement grand et fort qu'ils t'iront. Ensuite, va chez le pacha porter des chites de Pondichéry à ses femmes. Je les avais commandées pour elles. »

Tandis que Siga découvrait le charme qu'il y avait à circuler comme un garçon exerçant un métier honorable, suivi par les rues de deux esclaves, Tiékoro continuait de son côté de se ronger. Puisque El-Hadj Baba Abou envisageait de donner sa fille à un homme de Marrakech, c'est qu'il n'avait rien contre les étrangers. Il est vrai qu'il s'agissait d'un Marocain, et Tiékoro n'ignorait rien des relations particulières entre ces derniers et la population de la région. De toute façon, son amour et son désir pour Ayisha étaient tels qu'il se sentait de taille à faire front au père, mais d'abord fallait-il savoir si la belle le soutiendrait. Attendre Moulaye Abdallah pour lui servir d'intermédiaire? Sa lettre expédiée par voie d'eau mettrait au moins quatre semaines à atteindre Gao...

L'école coranique où enseignait Tiékoro ne dispensait qu'un savoir élémentaire : un peu de calligraphie, la connaissance de la fatiha et des premières sourates du bas du Coran. Comme chaque élève lui payait sept cauris par semaine et qu'il en avait une vingtaine, il était à l'abri du besoin. Il libéra les enfants et, au lieu de retourner à l'université, décida de rentrer chez son hôte.

Au fil du temps, les sentiments que Tiékoro éprouvait pour Tombouctou s'étaient modifiés. Au début, il avait eu espoir de pénétrer cette ville prestigieuse, d'y nouer des relations, des amitiés. Puis il avait compris que c'était impossible. La morgue et l'arrogance des lettrés qui l'entouraient l'interdisaient. Il fallait être « né », compter des ulémas dans ses ancêtres. Alors, il s'était mis à détester Tombouctou, souhaitant que les Touaregs la détruisent comme ils l'avaient fait tant de fois auparavant, qu'il n'en reste plus qu'un tas de cendres dans une ceinture d'ossements blancs. Il se prenait à guetter les signes avant-coureurs de son déclin, mur lézardé, émietté, bouché par des nattes, des paquets de paille. Quel bonheur le jour où il reverrait les hautes murailles de Ségou et les berges du Joliba, couvertes de femmes poitrine nue, lavant, puisant de l'eau dans des calebasses!

Il marchait rapidement, croisant sans les voir des Mauresques drapées de bleu indigo, des Touaregs serrant farouchement leur sabre, des Armas et tout un menu peuple de porteurs d'eau revenant des puits du nord-ouest et d'esclaves charroyant des barres de sel liées ensemble par des cordes. Ce spectacle qui l'intriguait autrefois le laissait indifférent.

Comment se renseigner sur les sentiments d'Ayisha à son endroit? Lui adresser une lettre par l'intermédiaire d'Abi Zayd? Et si elle tombait entre les mains d'El-Hadj Baba Abou?

C'est alors que, poussant la porte d'entrée, il se trouva face à Ayisha, debout dans la cour et attendant l'esclave qui devait la chaperonner.

Il était fort rare qu'ils se trouvent seuls l'un près de l'autre. Ayisha était toujours accompagnée d'une esclave, d'une jeune sœur, d'une amie, d'une parente. D'autre part, la vaste demeure d'El-Hadj Baba Abou se divisait en deux parties, l'une réservée à son école, à ses hôtes permanents ou de passage, l'autre constituant sa résidence privée. Mais cette résidence privée se subdivisait elle-même en pièces de réception meublées à la marocaine, en cabinet de travail, en bibliothèque avec de riches manuscrits rangés sur des étagères et en appartements des enfants et des femmes, ce qui fait qu'on ne voyait jamais ces derniers. En deux ans, Tiékoro n'avait pas rencontré plus de trois fois les femmes de son hôte, la Marocaine et l'ancienne esclave songhaï. Ayisha se tenait au milieu de la cour. Allant sur ses seize ans, c'était assurément une adorable petite personne. Le sang marocain de sa mère et le sang métis de son père en faisaient une parfaite « mwallidun[5] » au teint pâle et brillant,

5. Mulâtresse.

aux longs cheveux bouclés, tressés et parsemés de fils d'or qui descendaient jusqu'à la taille. Une légère moue relevait ses lèvres dont on ne savait si elle était amicale ou moqueuse. Tiékoro lui souffla :

« Au nom d'Allah, Ayisha, il faut que je te parle... »

Elle sembla hésiter, tourna la tête vers l'esclave qui s'avançait en hâte et murmura :

« A l'heure de la sieste, j'enverrai Zoubeïda, mon esclave favorite, te chercher dans ta chambre. »

Tiékoro, entendant ces paroles, crut tout d'abord qu'il rêvait. Ce n'était qu'en rêve qu'Ayisha lui avait accordé un regard bienveillant et, plus inespéré encore, un sourire. Dans la réalité du jour, elle n'était qu'indifférence. Il demeura immobile, le corps parcouru tour à tour d'ondes brûlantes et glacées cependant qu'elle disparaissait à l'intérieur de la maison avec Zoubeïda. Puis une peur panique l'envahit. N'était-ce pas un guet-apens ? Il se rappela les mises en garde de son ami Moulaye Abdallah : « C'est une coquette. Elle nous a tous rendus amoureux pour en fin de compte se moquer de nous... »

Allons, pourquoi se moquerait-elle de lui? Non, elle partageait son amour. Son désir. Il s'imagina la tenant dans ses bras et l'émotion fut si forte qu'il manqua s'évanouir. Ayisha. Trois syllabes ineffables! Jamais le temps ne lui parut plus long!

Enfin, on frappa légèrement à la porte de sa chambre. C'était Zoubeïda qui tenait un caftan :

« Tiens, porte cela. On te prendra pour un commerçant haoussa venu offrir des parfums... »

Tiékoro la suivit à l'intérieur de la maison. Au rez-de-chaussée demeuraient les deux épouses d'El-Hadj Baba Abou avec leurs plus jeunes enfants. Par un escalier en colimaçon on gagnait le premier étage où habitaient les aînés, filles d'un côté, garçons de l'autre dans de grandes pièces aux plafonds faits de poutres de palmier doum assemblées et badigeonnées de blanc. Partout couraient des fillettes et des garçonnets, se livrant avec emportement aux jeux les plus bruyants. Ayisha était seule dans sa chambre. Le sol de terre badigeonné de blanc était littéralement jonché d'habits de voile ou de soie. Pantalons bouffants, larges ceintures, châles, courtes blouses brodées que la main impatiente de leur maîtresse avait jetés pêle-mêle. Des coupes de terre étaient pleines de bagues de cornaline, de colliers d'ambre, de bracelets d'argent ciselé et de sautoirs d'or filigrané terminés par des pendentifs en forme d'étoile à quatre branches. Une minuscule paire de babouches décorées de fils d'or semblait attendre qu'Ayisha décide de reprendre sa marche.

Tiékoro regardait cela avec ravissement.

Il n'était jamais entré dans la chambre d'une femme. L'aurait-il fait à Ségou qu'il n'aurait vu qu'un ameublement rudimentaire. Par terre, une natte, dans un coin, des calebasses. Peut-être un tabouret. En outre les esclaves avec lesquelles il avait satisfait ses désirs allaient poitrine nue, les fesses moulées par un pagne étroitement serré. Or il découvrait que cette nudité sans mystère était moins troublante que ce corps couvert d'étoffes, si proche qu'il en respirait le parfum. Il cherchait à deviner ses formes. Les seins aigus... Le ventre...

Ayisha interrompit sèchement cette inspection :

« Qu'est-ce que tu me veux? Depuis des mois, tu me poursuis de tes regards. Que veux-tu? »

Ce début n'était pas celui qu'il attendait. Tiékoro, pris de court, bégaya :

« Il n'est pas bon de vivre en pays étranger. Personne ne connaît ni votre famille ni votre rang. Ainsi, chez moi, je suis un noble. Mon père qui a occupé d'importantes fonctions à la cour est un des hommes les plus riches... »

Ayisha l'interrompit :

« Un fétichiste? »

Tiékoro avait prévu cette objection et fit calmement :

« Il pratique la religion de ses pères. Ceux-ci croient que le monde a été créé par deux principes complémentaires, Pemba et Faro, issus tous deux de l'esprit...

– Stupidités! Blasphèmes! »

Tiékoro sentait la colère monter en lui. Pourtant il se contint :

« J'ai rompu, quant à moi, avec cette idolâtrie. N'est-ce pas ce qui compte? »

Ayisha le fixa de son beau regard marron clair, dans lequel il ne savait pas lire, et reprit :

« Il paraît que chez vous, vous mangez dans des calebasses et non dans des coupes de terre, que vous dormez sur des nattes et non sur des lits faits de peaux de bœuf, que vos filles vont toutes nues. »

Tiékoro chercha une réponse. Mais le plus dur était à venir. Ayisha se mit à tortiller une de ses tresses autour de ses doigts :

« On dit que vous sacrifiez des hommes à vos dieux... »

Une sorte d'incendie brûla le corps de Tiékoro qui protesta :

« Autrefois, autrefois! Et seulement dans les cas graves intéressant le royaume! »

Ayisha eut un sourire qui découvrit ses dents petites et très blanches. Puis elle se renversa en arrière parmi les coussins de son lit. Au mouvement qu'elle fit, sa blouse se releva découvrant la peau soyeuse et blanche de son ventre. C'était plus que Tiékoro ne pouvait supporter. Dans le surgissement de son désir, il y avait la volonté de se venger de l'humiliant interrogatoire qu'il venait de subir et de lui donner la démonstration de la virilité bambara. Ah! comme il allait la faire jouir! Aurait-elle la force de cacher son plaisir? D'un bond, il fut contre elle, glissant la main jusqu'à ses seins, l'enserrant de ses genoux. Comme il approchait son visage du sien, brutalement, elle lui cracha dessus et siffla :

« Bas les pattes, sale nègre! »

Tiékoro se redressa. Ayisha le fixait de ses yeux verdis de colère avec une expression haineuse qui enlevait toute joliesse à ses traits.

« Bas les pattes! Tu es noir, tu pues... Et tu croyais vraiment que je t'épouserais? Bas les pattes, je te dis! Zoubeïda! »

Siga s'était couché tôt, car il était las. Toute la journée, sous le soleil, il avait surveillé le déchargement d'une caravane portant des noix de kola depuis le royaume ashanti, en passant par Bondoukou et Boan. Les noix arrivaient dans de vastes paniers de vannerie qu'il fallait numéroter avant d'en répertorier soigneusement le contenu. Puis il fallait payer les marchands transporteurs toujours prêts à vous voler de quelques cauris. Comme Siga était jeune et nouveau venu chez Abdallah, tout le monde avait l'intention de profiter de lui. Ah! ce n'était pas une sinécure, ces nouvelles fonctions chez le commerçant! Siga était plongé dans cette somnolence heureuse qui précède le plein sommeil, quand les sens sont à moitié engourdis. Il lui semblait qu'il était retourné à Ségou, qu'il était auprès de Nya. Nya, le seul être qui l'ait chéri. Comment supportait-elle la disparition de Naba? Ainsi trois des garçons qu'elle avait élevés, trois de ses enfants étaient au loin. Mais il reviendrait. Il reviendrait vers elle et poserait à ses pieds l'or qu'il aurait amassé. Il lui dirait :

Mère chérie
Mère qui donne librement tout ce qu'elle possède
Mère qui n'abandonne jamais le foyer
Mère, je te salue
L'enfant qui pleure appelle sa mère
Mère chérie, me voilà!

A ce moment, on frappa vigoureusement à la porte. Siga eut un mouvement d'humeur. Qui venait le déranger? Etait-ce son ami, l'ânier Ismaël? Ne l'avait-il pas vu à l'heure du déjeuner? Il se leva, alla repousser le fort battant de bois de cailcédrat et, dans la pénombre, reconnut Tiékoro. Il dit avec stupeur :

« Encore toi! Décidément tu pousses entre les grains de sable... »

Tiékoro fit d'une voix rauque :

« Laisse-moi entrer. Tu plaisanteras plus tard! »

Siga avait le cœur sensible. Il avait trop souffert enfant pour ne pas reconnaître la douleur quand il la voyait. Il sentit tout de suite que quelque chose de terrible s'était produit dans la vie de son frère, plus terrible encore à ses yeux que la disparition de Naba et il s'empressa :

« Qu'est-ce qu'il y a? Qu'est-ce qui t'arrive? »

Pour toute réponse, Tiékoro éclata en sanglots. Voir pleurer l'arrogant Tiékoro, le voir se saisir la tête à deux mains comme un enfant ou une femme était inimaginable! Siga s'agenouilla près de lui et souffla :

« Allez parle... »

Au bout d'un moment, Tiékoro parvint à se contrôler. En phrases brèves, entrecoupées, il conta sa mésaventure. Le rendez-vous avec Ayisha n'était en réalité qu'un guet-apens. La servante Zoubeïda avait alerté la mère d'Ayisha qui se reposait au premier étage. Celle-ci avait rempli la maison de ses clameurs de femme hystérique. Dès le retour d'El-Hadj Baba Abou, qui partageait le repas d'un de ses amis dans le quartier des Chefs non loin de la résidence du pacha, elle l'avait informé des faits et il avait fait jeter Tiékoro à la rue. A présent, Tiékoro en était certain, les choses ne s'arrêteraient pas là. El-Hadj Baba Abou le ferait radier de l'université. Et alors que deviendrait-il?

Siga s'efforça d'être rassurant :

« Pourquoi agirait-il ainsi? Il suffit que tu ne sois plus chez lui à rôder autour de sa fille. S'il ne veut pas que tu l'épouses... »

Tiékoro secoua passionnément la tête :

« Non, tu ne connais pas l'arrogance de ces « mwallidun ». Ils nous haïssent et nous méprisent. Mais pourquoi? Pourquoi? Nous sommes aussi riches qu'eux. Et aussi bien nés. »

C'est que Tiékoro ne se pensait pas comme « noir » ou comme « nègre ». Pour lui, ces mots ne signifiaient rien. Il était un Bambara, sujet d'un Etat puissant que tous les peuples de la région redoutaient. Qu'on puisse lui faire grief de la couleur de sa peau lui semblait incompréhensible. Certes, il avait aimé celle de la peau d'Ayisha parce qu'il en avait peu vu de pareille, mais cela n'allait pas plus loin. Il savait d'ailleurs que bien des gens à Ségou ne manqueraient pas de murmurer en la traitant d'albinos[6] et qu'il devrait les persuader du contraire. Mais enfin, pourquoi ce désir de le perdre à tout prix? Si elle ne partageait pas ses sentiments, pourquoi ne pas le lui signifier, sans

6. L'albinos est craint.

plus? Il se mit à marcher de long en large dans la pièce, échafaudant mille projets :

« Si j'allais me jeter aux pieds d'El-Hadj Baba Abou? Non, il ne me recevrait pas. Si j'allais supplier l'imam de la mosquée-université? Ce serait dangereux, car imagine qu'El-Hadj ne lui dise rien de toute cette affaire... Que faire? »

Brusquement, il s'immobilisa :

« As-tu de quoi écrire?

– Ecrire? »

Siga en aurait été bien empêché puisqu'il ne savait pas tracer une lettre! Tiékoro s'exclama :

« Il faut que j'adresse une missive à mon ami Moulaye Abdallah. Comme son père avant lui, il est cadi à Tombouctou, c'est dire qu'il ne manque pas d'alliances parmi les ulémas. Lui seul peut me tirer de cette terrible affaire... »

Malgré la bonté de son cœur, Siga n'était pas sans éprouver quelque satisfaction à voir un frère, qui l'avait tellement traité de haut, empêtré dans pareille mésaventure. En même temps, le sang n'étant pas de l'eau, il était prêt à l'héberger et à l'aider aussi longtemps qu'il le faudrait. Il déroula une natte qu'il gardait dans un coin à l'intention des filles qui passaient la nuit avec lui :

« Tu es ici chez toi. Est-ce que j'ai besoin de te le dire? »

Tiékoro se coucha. Que pouvait-il faire d'autre? Mais il ne put trouver le sommeil. Les paroles d'un de ses maîtres à l'université lui revenaient en mémoire. Il y a trois degrés dans la foi. Un premier qui convient à la masse, qui est canalisée par les prescriptions de la loi. Un degré qui convient aux hommes qui ont triomphé de leurs défauts et sont engagés dans la voie qui mène à la vérité. Enfin un dernier degré qui est l'apanage d'une élite. Ceux qui y parviennent adorent Dieu en vérité et dans la lumière sans couleur. La Vérité divine fleurit dans les champs de l'Amour et de la Charité. Or c'est à ce degré qu'il voulait atteindre. Pourtant son corps, son corps obtus, avide, méprisable, le lui permettrait-il?

9

ALLONGÉE sur une natte sur le balcon de sa maison, à Gorée, la signare Anne Pépin s'ennuyait. Elle s'ennuyait depuis dix ans, depuis le retour en France de son amant le chevalier de Boufflers qui avait été gouverneur de l'île. Il avait amassé suffisamment d'argent pour pouvoir épouser sa belle amie, la comtesse de Sabran, et cette ingratitude ôtait encore à Anne le sommeil. Elle ne pouvait oublier que, pendant quelques mois, elle avait tenu le haut du pavé, donné des fêtes, des bals masqués, des spectacles de théâtre comme à la cour du roi de France. A présent tout était fini. Elle se retrouvait abandonnée sur ce bloc de basalte, fiché au large de la presqu'île du cap Vert, seul établissement français avec le comptoir de Saint-Louis sur le continent africain à l'embouchure du fleuve Sénégal.

Tout allait de mal en pis depuis quelques années. On ne comprenait rien à ce qui se passait en France. Il y avait eu en 1789 la Révolution et puis on avait proclamé la République. Dès lors, les ordres contradictoires se succédaient. Abolition de la traite et du commerce des esclaves. Rétablissement de la traite. Ajoutez à cela les attaques des Anglais, rivaux commerciaux des Français.

Dieu merci, cela ne ralentissait pas les affaires. Sous prétexte de ravitaillement en eau ou de réparations urgentes, les bateaux de toutes nationalités venaient en rade et continuaient d'échanger leurs marchandises contre des esclaves.

Anne Pépin avait trente-cinq ans, mais en avouait vingt-cinq, comme si elle voulait arrêter sa vie à la date du départ du chevalier de Boufflers. Elle avait été et était encore d'une grande beauté. Un officier, poète à ses heures, qui l'avait courtisée en vain disait qu'elle mariait la subtile distinction de l'Europe à l'impétueuse sensualité de l'Afrique, car si elle était fille de Jean Pépin, chirurgien attaché au fort de Gorée, sa mère était une négresse ouoloff dont il s'était épris. Elle avait le teint assez foncé, mais de longs cheveux soyeux d'un brun à reflets fauves qui, dénoués, atteignaient la base de son dos. Le plus extraordinaire cependant, c'était son regard dont on ne savait s'il était bleu ou gris ou vert puisque, selon l'heure et la couleur du jour, il ne cessait de varier. Anne était vêtue comme les autres métisses de Gorée, les signares, nées des amours d'Africaines et d'officiers du fort ou du personnel des diverses compagnies commerciales qui avaient tenté de faire fortune avec les tissus, l'alcool, les armes, les barres de fer et surtout les esclaves, mais qui n'y étaient guère parvenues à cause des malversations des employés. Elle portait une ample jupe bouffante de tissu de soie à carreaux bleus et mauves, filetés de blanc, une blouse de dentelle ajourée, un immense châle jaune soufre, teinte dominante de son mouchoir de tête noué d'une manière provocante afin de laisser libres les boucles de sa nuque.

Anne Pépin n'était pas la seule à s'ennuyer à Gorée. Car il ne s'y passait rien. La vie était rythmée par les allées et venues des navires venus se ravitailler en esclaves. Une ou deux fois par mois, les hommes trompaient l'ennui en organisant des chasses au gros gibier dans les forêts de Rufisque, sur le continent, en jouant aux cartes ou en buvant de l'eau-de-vie. Mais les femmes! Si elles n'étaient pas dévotes et ne passaient pas le temps en prières, que faire? Il y avait les amants, bien sûr. Mais faire l'amour n'a jamais rempli les jours! Anne soupira, se leva et contourna le balcon pour héler un esclave qui lui apporterait une boisson bien fraîche.

Ce fut Jean-Baptiste qui leva la tête vers elle à contrecœur.

Un an auparavant, le frère d'Anne, Nicolas Pépin, avait ramené Jean-Baptiste d'un séjour chez son ami, le gouverneur du fort de Saint-Louis, péniche immobile, ancrée dans le fleuve Sénégal. Le gouverneur l'avait acheté fort cher, à cause de sa belle mine, pour en faire un valet de pied. Hélas! Jean-Baptiste s'était révélé atteint d'une sorte de langueur dont il ne sortait que pour tenter de se suicider. Nicolas, qui avait vu agir son père Jean Pépin, s'était passionné pour ce mal. Il avait ramené le garçon à l'hôpital de Gorée et, tant bien que mal, il l'avait remis sur pied. Il avait même écrit un petit opuscule, *Des manies suicidaires des nègres de la Petite côte,* qui lui avait valu quelque crédit. Une fois Jean-Baptiste partiellement guéri, il s'en était désintéressé et l'avait donné à sa sœur qui menait plus grand train que lui, car la concession d'Anne Pépin abritait soixante-huit esclaves. Si Jean-Baptiste levait la tête à contrecœur, c'est qu'il haïssait cette appellation qu'on lui avait donnée après un simulacre de baptême à la chapelle du fort, son véritable nom étant Naba. D'autre part, on le tirait de son occupation favorite, le jardinage. Il s'en alla sans se presser annoncer à deux esclaves qui caquetaient dans le patio, encombré de bougainvillées, que la maîtresse les demandait. L'une d'entre elles, relevant sa large robe froncée, agrémentée de dentelles, s'éloigna en courant.

La population africaine de Gorée se divisait en deux groupes. D'une part, le petit peuple des esclaves domestiques attachés au service des officiers du fort ou des signares et des auxiliaires affectés aux divers travaux dans l'île. D'autre part, le bétail humain croupissant dans les diverses esclaveries. Il n'y avait aucun rapport entre les deux groupes, le premier, baptisé et portant des prénoms chrétiens, ne courant pas le risque d'être vendu. Le second attendant de partir pour les Amériques, masse informe et souffreteuse. Or les esclaves domestiques ne pouvaient oublier la présence des esclaves de traite, dont la condition les révoltait, les émouvait, bref ne les laissait jamais indifférents.

Ils se communiquaient les dates de départ des négriers et le chiffre de leur cargaison. Ils se précipitaient le long du chemin pavé menant à la plage du Castel pour tenter de les voir prendre la mer en direction des Amériques. En même temps, ils s'efforçaient de ne rien trahir, de continuer à servir, à garder les yeux baissés, en disant docilement : « Oui, maître! Oui, maîtresse! »

Naba prit la calebasse qu'il était venu chercher dans le patio et retourna vers le jardin.

Le jardin d'Anne Pépin était immense. La terre, comme celle du reste de l'île, y était sèche et sableuse. Heureusement, entre le jardin et la mer existait un puits d'eau légèrement saumâtre et Naba avait inventé à lui tout seul un véritable système d'irrigation. Aussi sous sa main poussaient toutes les étranges plantes bonnes à regarder et à manger qu'avaient introduites les navigateurs. Melons, aubergines, citrons, oranges, choux. Naba parlait à ses plantes. Aussitôt que la première tige plissée, surmontée de deux ou trois timides bourgeons vert tendre, sortait de terre, il l'arrosait, retrouvait des mots que sa mère lui adressait quand il était tout petit tandis que toute sa vie à Ségou repassait devant ses yeux. Nya le serrait contre elle.

Allons mon bébé
Allons mon bébé
Qui t'a fait peur?
L'hyène t'a fait peur
Vite, vite, emportons-le à Koulikoro
A Koulikoro, il y a deux cases
la troisième est une cuisine...

Puis elle l'élevait par trois fois vers l'orient et le couchant. Nya! Quand il pensait à sa mère, Naba avait les larmes aux yeux. Quel souci sa désobéissance lui avait causé! Avait-elle pu supporter sa disparition? Il se rappelait son visage après les cérémonies de circoncision quand il était sorti du bois sacré. Elle chantait fièrement avec les autres femmes :

Une chose nouvelle est arrivée!
Que tous jettent les choses anciennes,
Qu'ils prennent ce qui est neuf.

Parfois aussi, il pensait à Tiékoro, le grand frère bien-aimé. Etait-il devenu ce dont il rêvait? Un lettré? Etait-il toujours à Tombouctou? Ou alors était-il revenu à Ségou? Marié? Père de fils?

Naba posa délicatement ses tomates dans une large calebasse. Quel fruit extraordinaire que la tomate! C'est par elle que le dieu Faro féconde les femmes. Elle porte en elle en germe l'embryon, car ses grains sont multiples de sept, chiffre de la gémellité qui est le fondement de l'humain. A Ségou, Nya cultivait à côté de sa case un petit champ de tomates, le champ de Faro, dont elle écrasait les fruits pour les offrir au dieu dans la case aux autels. Aussi chaque fois qu'il récoltait ses tomates, Naba se retrouvait-il tout à côté de sa mère, dans son odeur, dans sa chaleur.

Il se releva et porta la calebasse dans la cuisine où les esclaves avaient recommencé de caqueter. A présent, il devait se rendre au jardin public, créé des années auparavant par Dancourt, un des directeurs de compagnie, car Anne Pépin lui permettait de louer ses services contre une mince rétribution : juste de quoi s'acheter quelques feuilles de tabac et un peu d'eau-de-vie.

Au fil des années, Gorée s'était considérablement développée. Quand les Français l'avaient conquise aux Hollandais qui eux-mêmes l'avaient enlevée aux Portugais, elle ne comptait que deux forts, simples redoutes de pierre de quarante-quatre mètres sur quarante-quatre, armées de sept ou huit canons et entourées d'un rempart crénelé de pierre et de terre. Ils abritaient une centaine de soldats, une vingtaine de commis et d'ouvriers spécialisés et un catéchiste « consolateur des malades » présidant les prières. Puis les Français en avaient fait le siège de la Compagnie du Sénégal qui avait succédé à la Compagnie des Indes Occidentales et donné la priorité à la traite des esclaves qui, si elle n'enrichissait pas les compagnies elles-mêmes, enrichissait les individus car ils truquaient les comptes, établissaient de fausses déclarations d'entrée et de sortie des marchandises, utilisaient de faux poids. Peu à peu, Gorée avait attiré une population venue du continent. Le règlement interdisant dans les comptoirs français la présence des épouses du personnel marié, ce dernier avait noué commerce avec des Africaines et toute une population métisse était née qui elle aussi s'était enrichie du commerce et faisait travailler nombre d'esclaves de case. De belles maisons de pierre à étage s'étaient élevées. D'autres étaient couvertes par des toits de paille ou par des terrasses en planches. Un vaste hôpital avait été édifié ainsi qu'une église où, le dimanche, les signares faisaient assaut d'élégance.

Pour aller de la maison de sa maîtresse au jardin public, Naba devait passer devant l'esclaverie centrale, édifiée par les Hollandais. C'était une forte bâtisse de pierre conçue de manière à décourager toute tentative d'évasion, entourée d'un mur épais de plusieurs pouces et donnant sur la mer par une porte basse et grillagée. C'est ce chemin qui menait aux vaisseaux négriers, venus emplir leurs cales d'un chargement d'hommes. Ce lieu fascinait Naba. Tant de désespoir en un espace si resserré!

L'entrée en était interdite à tout visiteur. Mais à Gorée, Naba passait pour fou. Aussi les gardiens, affranchis armés de fusils ou de « chats à neuf queues », le laissaient-ils circuler librement parmi les esclaves. Il était devenu une silhouette familière avec son grand sac plein de fruits qu'il distribuait aux femmes, aux enfants, tous ceux qui étaient par trop accablés de désespoir. Il gravit prestement l'escalier de pierre de l'esclaverie centrale. Pendant quelques jours, elle avait été vide. Mais la nuit précédente, un navire avait déchargé. Un des gardiens se promenait de long en large sous la véranda, tout faraud parce qu'il possédait un fusil et fumait une pipe de Hollande. En apercevant Naba, il grommela :

« Encore toi! »

Puis il s'essuya le front avec un mouchoir flambant neuf de Pondichéry, symbole certain de son statut social, puisqu'il s'agissait d'un article acheté aux commerçants européens.

Sans lui prêter aucune attention, Naba entra à l'intérieur du sinistre bâtiment.

« Ma chère amie, je ne plaisante pas. Il faut vous persuader que la traite sera définitivement abolie! »

Anne haussa les épaules :

« Officiellement, par décret. Mais sur le terrain, ce sera autre chose. Car on aura toujours besoin d'esclaves. »

Anne et son frère Nicolas avaient certes hérité de leur père une honorable pension. Cependant, comme tous les habitants de Gorée, ils tiraient leur fortune du commerce des esclaves joint à celui des peaux et de la cire qu'ils se procuraient sur le continent.

Isidore Duchâtel insista :

« Croyez-moi, il faut songer à quelque autre source de revenu. Ecoutez-moi. On parle à Paris de mettre en valeur le cap Vert et d'y planter du coton égyptien, de l'indigo et aussi de la pomme de terre, des oliviers... »

Anne éclata de rire et fit avec dérision :

« Tout cela se terminera comme en Guyane. Un fiasco! »

Isidore secoua fermement la tête :

« Pas du tout! La Guyane était à l'autre bout du monde. Le cap Vert est à deux pas de nous. »

Il s'approcha de la fenêtre et désigna le jardin avec ses arbres fruitiers et ses parterres de fleurs multicolores :

« Anne, rappelez-vous que cette île où tant de choses poussent aujourd'hui était inhabitée et chauve comme un œuf. Au cap Vert, la France envisage d'envoyer des ingénieurs et de créer un Jardin d'essai où on expérimentera toutes les plantes possibles, venues de tous les coins du monde. C'est un projet grandiose. »

Anne Pépin s'obstina à hausser les épaules. Gorée sans esclaves, allons donc! Gorée sans commerce. Aussi invraisemblable que le ciel sans étoiles ni soleil! Elle regarda Isidore avec impatience. C'était son dernier amant en date, un des rares hommes qui lui aient procuré quelque amusement depuis le départ du chevalier. Mais elle le soupçonnait d'être infidèle et de la tromper avec des négresses, esclaves domestiques qui prenaient soin de son ménage. Elle ne l'avait pas vu depuis plusieurs jours. Pourquoi? Or au lieu de s'expliquer, voilà qu'il lui tenait des contes à dormir debout. Irritée, elle interrogea :

« C'est là tout ce que vous avez à me dire? »

Isidore qui, visiblement, ce jour-là, n'avait pas la tête à la galanterie fit brusquement :

« Vendez-moi Jean-Baptiste... »

Offusquée, elle répéta :

« Jean-Baptiste? Mon jardinier? »

Isidore Duchâtel était un des officiers supérieurs mais il habitait une maison qui avait appartenu à un ancien directeur de la Compagnie du Sénégal, François Le Juge. C'est qu'il se déplaisait au fort. A la différence de la majorité des autres officiers, c'était un homme intelligent, très ambitieux, assez spirituel de surcroît, à qui cette vie de garnison pesait. Malgré l'interdiction formelle du gouvernement, il trompait son inactivité en faisant lui aussi du commerce, mettant la main sur des marchandises qui entraient dans l'île et les revendant avec profit. De même, il s'arrangeait pour procurer les plus belles pièces d'Inde à des négriers de sa connaissance. Ce projet de s'installer dans la presqu'île du cap Vert et de s'y tailler une plantation sur le modèle de celle des Antilles le faisait rêver. Il paraissait qu'on faisait fortune là-bas avec la canne à sucre, le café et le tabac! Aussi les talents de jardinier de Naba avaient-ils attiré son attention. Aidé d'un tel esclave, à quoi ne parviendrait-on pas! En outre, mieux qu'un maître blanc, il saurait convertir ses congénères à des expérimentations agricoles. Isidore se voyait déjà parcourant ses champs quand Anne Pépin le ramena sur terre déclarant :

« Je ne vous vendrai jamais Jean-Baptiste. Il est baptisé. Est-ce que vous l'oubliez? »

Sur ce, Isidore proposa avec un peu d'humeur :

« Alors, épousez-moi et nos biens seront en commun... »

Il parlait, bien sûr, d'un de ces prétendus mariages que les Français contractaient avec les signares, mais qui n'avaient aucune valeur légale. Ils ne les empêchaient pas de rentrer seuls en France, une fois leur temps de service terminé. Généralement, ils envoyaient les enfants, surtout si c'étaient des garçons, faire des études chez eux. Parfois ils laissaient un peu de fortune et quelques biens à leurs mères.

Anne Pépin ne répondit pas à cette proposition. Elle boudait, Isidore décida de se retirer. Il se pencha pour baiser la main qu'on lui tendait négligemment et prit son chapeau de paille des mains d'une esclave.

La plus belle résidence à Gorée était, sans conteste, celle de Caty Louet décédée l'année précédente et qui avait eu trois enfants du gouverneur de Galam, M. Aussenac. Mais celle d'Anne était peut-être plus originale. Sa façade plate ornée d'un fronton triangulaire comme un temple portait néanmoins un balcon de bois abrité d'une véranda basse, ce qui lui donnait l'aspect d'une loggia. Par les soins de Jean-Baptiste, tout cela débordait de fleurs dont le parfum s'étendait jusque dans la rue.

La demeure comptait une bonne douzaine de pièces aux planchers de marqueterie selon une mode qui venait d'Italie et que des esclaves ébénistes imitaient parfaitement. De même elle avait de fort beaux meubles, des commodes ventrues, des tables, des chaises aux pieds travaillés comme des sculptures. Certains étaient reproduits localement avec tant d'habileté que, là encore, on ne les distinguait pas des originaux venus de France. Il ne s'agissait, il est vrai, que des pièces d'apparat. Dans les chambres, on ne trouvait guère que des nattes, un fouillis de vêtements, robes bouffantes, écharpes de gaze et de tulle, mouchoirs de tête faits d'une étoffe à carreaux qui venait des Indes et des calebasses débordant de bijoux d'or et d'argent, de perles, de colliers de verroterie.

Anne Pépin était rêveuse. Les propos d'Isidore ne l'avaient pas laissée indifférente. Les terres de la presqu'île du cap Vert appartenaient aux Lébous[1]. Le chevalier de Boufflers lui aussi avait souhaité y voir apparaître des prés, des fleurs de mille espèces, puis il y avait renoncé. Depuis quelques années, en outre, les Lébous s'étaient révoltés contre le Damel[2] du Cayor[3] à qui ils payaient tribut et avaient de plus pratiquement fortifié leurs établissements. Comment négocier avec eux la cession de terres? Sans leur accord, toute tentative de colonisation était vouée à l'échec. Pourtant, en dépit de toutes ces difficultés, le projet était séduisant.

Anne se leva lourdement, car l'excès d'oisiveté et de nourriture la faisait grossir. Etait-il vrai que Gorée n'avait pas d'avenir? Que le commerce des esclaves cesserait un jour? Par quoi le remplacerait-

1. Ethnie habitant le cap Vert.
2. Roi.
3. Royaume situé dans l'actuel Sénégal.

on? Certes il y avait la gomme arabique, produite par un petit arbuste épineux, une sorte d'acacia. Mais ce commerce était entièrement contrôlé par les Maures, et n'avait jamais pu concurrencer la traite.

Anne descendit l'escalier de pierre qui menait au large patio, lui-même communiquant avec le jardin ouvert sur la mer. Des fillettes aux seins nus pilaient le mil. D'autres lavaient le linge, puis le trempaient dans une eau bleutée pour le rendre plus blanc. Une esclave plaçait du pain de farine de blé dans un four en terre cependant qu'une nuée d'enfants se disputaient les reliefs d'un repas. Tout ce monde s'efforça au calme à la vue de la maîtresse qu'on savait irritable et querelleuse. Pourtant, contrairement à son habitude, Anne ne fit aucune observation. Elle alla jusqu'au jardin regarder les plantes que Naba faisait sortir de terre. Jusqu'alors elle n'y avait pas prêté grande attention. Soudain elle réalisait qu'elle pouvait avoir là un moyen d'augmenter sa fortune.

Il y avait des melons, des pastèques à chair rouge et cotonneuse, des carottes, des choux pansus. Des rangées d'orangers dont les branches ployaient sous les fruits. Et surtout des tomates pour lesquelles Naba avait une prédilection.

La terre de Gorée était semblable à celle de la presqu'île du cap Vert. Ce qui y poussait donnerait aussi du rendement sur le continent. Qui sait si Isidore ne voyait pas clair? Si l'avenir n'était pas dans la production de fruits et de plantes commerciales comme celle des Antilles? Mais précisément, qui les mettrait en valeur? Voilà, on aurait toujours besoin d'esclaves!

En tout cas, Anne décida que s'il fallait acquérir des terres dans la presqu'île, elle ne manquerait pas de le faire. La famille de sa mère qu'elle ne fréquentait plus habitait la région de Rufisque. On pourrait toujours, si besoin était, renouer des liens.

« Elle ressemble à une fleur! »

Ce fut la pensée qui vint à l'esprit de Naba, puis il réalisa l'absurdité de sa proposition. Malgré toute son habileté et les croisements hardis qu'il avait expérimentés, il n'avait jamais obtenu de fleurs noires. Comme si la couleur ne convenait pas. Comme si la nature n'en voulait pas.

Pourtant, c'est à une fleur qu'elle faisait penser. Fragile. Ployée. Comme on n'enchaînait pas les femmes, elle se tenait avec une grâce infinie sur le sol souillé. L'intérieur de l'esclaverie était immonde. Dès l'entrée, on était assailli par l'odeur. Odeur de souffrance, d'agonie et de mort. Bien des hommes et des femmes parvenaient à s'ôter la vie en refusant l'infecte nourriture qu'on leur offrait et leurs cadavres demeuraient là, mêlés aux vivants, jusqu'à ce qu'un garde s'en aperçoive. Alors on fouettait tout le monde pour n'avoir point dénoncé les coupables. La grande salle voûtée et dallée de pierres, recouvertes de bottes de paille, ne prenait le jour que par d'étroites fenêtres aux solides barreaux de fer. Les hommes étaient enchaînés aux cloisons par la cheville et ceux que l'on soupçonnait d'être de fortes têtes avaient, en outre, les bras liés derrière le dos. On ne les détachait qu'au moment des repas, bouillie de mil liquide et gluante servie deux fois par jour et si mal préparée qu'elle provoquait souvent nausées et diarrhées. Alors vomi et excréments se mêlaient à la paille pourrie dans laquelle pullulaient déjà les insectes. Quand un négrier était en rade, on faisait lever hommes et femmes en hâte. A grand renfort de seaux d'eau froide, on les débarrassait de leur vermine. Puis on rasait la tête des hommes, on enduisait leurs corps d'huile afin de mettre leurs muscles en valeur et on les conduisait dans la salle voisine qui faisait fonction de marché aux esclaves. Descendus des navires, les trafiquants de chair humaine faisaient leur choix. Naba se fraya un chemin parmi ces corps présentant toutes les postures du désespoir et s'arrêta auprès d'une femme qui venait de mettre au monde un enfant, car en l'embarquant on ne s'était pas aperçu qu'elle était grosse. Il regarda le minuscule petit paquet de chair promis à un si horrible destin, tendit un fruit à la mère, puis arriva jusqu'à la nouvelle venue. Il s'agenouilla devant elle et souffla :

« Tu parles dioula? »

Elle eut un geste des épaules qui signifiait son incompréhension. D'où venait-elle? Du Sine, du Saloum[4], du Cayor comme la majorité des esclaves entreposés à Gorée? Ou alors de ces pays du Sud, Allada, Ouidah...? Naba s'assit sur ses talons, en face de la jeune fille. Les larmes coulaient sur ses joues noires, dessinant de petits rubans brillants. Elle n'avait pas plus de quinze ans, à en juger par la gracilité de ses formes, par ses seins à peine renflés, comme les bourgeons d'une plante rare et délicate. Une plante! Un sentiment puissant de tendresse inonda le cœur de Naba. Il sortit du sac de peau de bœuf qu'il portait à l'épaule une des premières oranges de son jardin. Il l'éplucha, porta un quartier à sa bouche et fit signe à la jeune fille d'en faire autant. Elle refusa d'un mouvement de tête. Il n'en fut pas découragé pour autant et dit, se frappant la poitrine à plusieurs reprises :

« Naba! »

4. Royaumes situés dans l'actuel Sénégal.

Pendant un instant, elle resta immobile, absente, puis ses lèvres s'arrondissant, elle souffla :

« Ayodélé[5]... »

Des larmes vinrent aux yeux de Naba. Ainsi, en dépit de leur condition misérable, par-delà tout ce qui les séparait, ils avaient établi un pont. Ils s'étaient nommés, ils avaient pris leur place dans la longue lignée des humains. Il fouilla à nouveau dans son sac et en tira un morceau de pain de blé, du sucre en tablettes et des restes de viande de poulet. Il les lui tendit. Cette fois encore, elle refusa d'y toucher. Naba se rappela les premiers jours de sa captivité quand lui aussi refusait de s'alimenter. Ah! il fallait qu'elle vive! Même si la vie n'égalait qu'humiliation et détention. Comment faire pour l'en persuader puisqu'ils ne parlaient pas la même langue? Alors il se rappela la chanson que Nya lui chantait et qu'il chantait lui-même à ses plantes pour les inonder d'affection.

Allons mon bébé
Qui t'a fait peur?
L'hyène t'a fait peur
Vite, vite, emportons-le à Koulikoro
A Koulikoro...

Elle le fixa, écarquillant les yeux, suivant avec stupeur le dessin de sa bouche. Il savait que dans l'univers où elle avait été plongée, il n'y avait pas eu de place pour la miséricorde, le partage, les sentiments humains. Alors, il l'attira contre lui.

Naba en avait connu des femmes! Quand il était chasseur avec Tiéfolo, il en avait pris des esclaves! Puis, il y avait eu sa capture, sa captivité, sa maladie et il avait perdu goût à tout. Sauf à ses plantes.

5. Prénom yoruba qui signifie « la joie est entrée dans ma maison ».

Brusquement des sentiments, des sensations oubliés se réveillaient en lui. C'est la main d'un ancêtre qui les avait réunis dans cette esclaverie. Pour tenir la mort en échec.

Un gardien, muni d'un chat à neuf queues s'approcha de lui et lui dit sans trop de sévérité :

« Va-t'en à présent, Jean-Baptiste! Si le commandant te voit, tu nous feras tous punir. Tu sais bien que personne ne doit rôder par ici. »

Au lieu d'obéir, Naba interrogea :

« Est-ce qu'elle est à quelqu'un? »

L'autre haussa les épaules :

« Pas que je sache. Mais comme elle est très jeune, je pense qu'on la réserve pour le Brésil ou Cuba... »

Naba frémit et imagina le calvaire. Une fois choisie par un marchand et reconnue pour bonne, on la marquerait sur la poitrine au fer rouge. Puis une nuit, pour éviter une éventuelle révolte, le négrier prendrait la mer.

Hommes parqués à fond de cale. Fouettés pour danser sur le pont. Femmes violées par les marins. Malades et mourants jetés par-dessus bord. Gémissements de douleur. Cris de révolte et d'angoisse. Puis un jour, une terre d'exil et de deuil se dessinerait à l'horizon. Naba prit la petite main fripée aux ongles gris comme les coquillages d'huître de la baie du Joliba. S'ils s'étaient connus au royaume de Ségou, son père aurait dépêché au sien de la poudre d'or, des cauris, du bétail. On aurait partagé la noix de kola. Les griots auraient chanté moqueusement : « On dit qu'il ne faut pas battre la femme. Pourtant pour que le fer au feu soit droit, il faut le battre! Il faut le battre! »

Mais les dieux et les ancêtres en avaient décidé autrement.

Au lieu d'une concession aux murs fraîchement

badigeonnés de kaolin pour symboliser le renouveau, l'atmosphère empuantie d'une prison. Au lieu des battements amples du dounoumba[6], les grondements de révolte des esclaves. Au lieu de l'impatience heureuse de l'union, l'attente du départ pour un effoyable inconnu. Tant pis, ils feraient de cet enfer leur paradis.

En d'autres temps, la signare Anne Pépin ne se serait pas trop inquiétée de la disparition de Jean-Baptiste que tout le monde tenait pour un doux fantasque. Il finirait bien par revenir! Mais les paroles d'Isidore avaient attiré son attention sur son exceptionnelle valeur. Ces champs d'orangers, de citronniers, de bananiers derrière sa maison, préfiguraient-ils une fortune? Pour achever de s'en convaincre, elle avait interrogé son frère Nicolas. De retour d'un séjour à Paris, il lui avait tenu, lui aussi, les propos les plus stupéfiants. Eh oui, à Paris, depuis la Révolution de 1789 et l'avènement de la République, on avait le souci des Noirs. On en venait littéralement aux mains pour eux. Il y avait, d'un côté, les planteurs des Antilles et surtout d'une île appelée Saint-Domingue qui s'opposaient à l'abolition de l'esclavage. De l'autre, la Société des amis des Noirs qui la réclamait. Avec, à ses côtés, certains hommes politiques invoquant les droits de l'homme. Ajoutons à cela les pressions de l'Angleterre qui du jour au lendemain devenait une nation de négrophiles! Oui, il fallait regarder les choses en face et chercher une autre manière de se faire de l'argent qu'en vendant des nègres. La colonisation agricole était bien à l'ordre du jour.

Anne n'était pas la seule à s'inquiéter. Toutes ces

6. Tam-tam d'allégresse.

rumeurs agitaient le petit monde des signares. Certes le commerce était du monopole des compagnies qui s'étaient succédé à Gorée. Mais cela n'avait jamais empêché personne de trafiquer de tout et même de vendre des marchandises qui n'auraient jamais dû quitter les entrepôts royaux. Si on ne pouvait plus vendre des nègres, que ferait-on ? Les signares se préparaient au combat. Elles en avaient l'habitude. Il leur avait fallu lutter pour revendiquer les biens qui avaient appartenu à leurs pères. Elles avaient encore en mémoire les démêlés de la signare et des enfants d'un ancien gouverneur, M. Delacombe, jetés à la rue, dispersés après le départ de ce dernier en France. Fallait-il tout abandonner et se tourner vers le continent ? Les seuls liens qu'elles entretenaient étaient avec des familles métisses de la région de Joal.

Du coup, Anne dépêcha un esclave au petit village au sud de l'île où avec les autres esclaves domestiques Jean-Baptiste avait sa case. On ne l'avait pas vu de huit jours. Où pouvait-il bien être ? Il y avait constamment à quai un navire qui avait pour mission de garder la baie. Le soir venu, des gardes faisaient la ronde, suivis d'auxiliaires auxquels on avait appris à manier le fusil. Il n'aurait pu s'enfuir. Et puis, pourquoi l'aurait-il fait ? N'était-il pas pratiquement libre ? Bien traité ?

Certains suggérèrent qu'il avait peut-être été repris par son mal et s'était jeté dans la mer où les requins faisaient bombance. Anne finit par se rallier à cette hypothèse.

Détail piquant, la disparition de Jean-Baptiste précipita la rupture d'Anne Pépin et d'Isidore Duchâtel.

Ce dernier avait pris connaissance de l'ouvrage du naturaliste Michel Adanson, qui avait herborisé au village de Hann, dans la presqu'île du cap Vert, et étudié les possibilités agricoles de la région. Avec un de ses amis du nom de Baudin, il était décidé à obtenir une concession qu'il planterait en arbres fruitiers des Antilles et en légumes d'Europe. Jean-Baptiste étant une des pièces maîtresses de ce projet, il conçut de sa disparition un dépit qu'il reporta sur Anne. Peu après, il quitta Gorée et rentra à Bordeaux dont il était originaire. Laissé à lui-même, Baudin ne se découragea pas cependant et entra en contact avec le chef d'un groupe de Lébous.

10

PEUT-ÊTRE faut-il s'aguerrir dès l'enfance contre le naufrage des ambitions. Peut-être faut-il se répéter que la vie ne sera jamais telle qu'on l'a rêvée. Qu'on ne possédera jamais la femme aimée, la notoriété désirée ou les richesses souhaitées. Tiékoro ne cessait de se dire cela devant ce qu'il pensait être les décombres de sa jeune vie. La vengeance d'El-Hadj Baba Abou n'avait pas tardé : il était rayé de l'université. L'imam l'avait convoqué pour lui signifier son exclusion. Ce qui lancinait Tiékoro encore plus, c'était le mépris qu'on lui avait manifesté. Mépris, il le sentait, qui le dépassait, qui, à travers lui, s'adressait à son peuple, à sa culture, et, tant bien que mal s'était dissimulé jusque-là. On ne punissait pas seulement un geste déraisonnable, mais un Bambara qui avait prétendu s'introduire dans un univers aristocratique et fermé. Depuis des semaines, il attendait le résultat des efforts du père de Moulaye Abdallah qui tentait de le faire admettre dans une des universités de Djenné pour terminer ses études.

Alors les jours se passaient lentement dans la modeste chambre de Siga. Ah! Siga! Tiékoro découvrait l'extrême bonté du cœur de son frère qu'il avait toujours inconsciemment méprisé et si laidement abandonné. Pas un mot de reproche. Pas une raillerie. Siga partageait tout. La bouillie de mil le matin. Le plat de couscous le midi. La natte le soir. Tiékoro s'efforçait de ne penser qu'à Dieu. D'accepter ces humiliations. D'étouffer en lui ce sauvage désir de se rebeller contre le sort. Qu'avait-il fait pour être si cruellement puni? Pour quoi et pour qui expiait-il?

A force de réfléchir, il avait fini par trouver une explication aux tours du destin. Nadié. Il avait violé une fille de son peuple. Car il s'agissait bien d'un viol. Si cela s'était passé à Ségou, il aurait été sévèrement puni par le tribunal familial et contraint de verser une réparation aux parents de sa victime. Or là, quelle avait été sa conduite? Il s'était enfui.

Chaque jour davantage, la pensée de la jeune esclave le hantait. Il finit par se rendre dans l'estaminet des Maures qu'il n'avait plus fréquenté depuis des mois. L'endroit n'avait pas changé. Des nattes étendues sur un sol très propre. L'odeur du thé vert et du feu de fiente de chameau séchée. Des hommes, la mine passionnée, jouant aux dames. Al-Hassan regarda Tiékoro avec un air narquois, comme s'il devinait l'objet de sa visite, mais ce dernier trouva tout de même le courage de s'enquérir :

« Al-Hassan, tu avais une esclave bambara?... »

L'autre ôta sa pipe de Hollande de sa bouche :

« De qui parles-tu? De Nadié? La pauvre fille est malade... »

Tiékoro se troubla :

« Malade? Tu t'en es donc débarrassé? »

Al-Hassan fit gravement :

« Ce n'est pas ainsi qu'Allah nous demande de traiter ceux qui nous servent. Ma femme l'a prise auprès d'elle et la soigne... »

Ah! trêve de faux-semblants! Avec un peu d'admiration devant sa propre humilité, Tiekoro se confia :

« Ecoute, j'ai de graves torts vis-à-vis de cette fille. Je dois les réparer... »

Comme beaucoup de Maures, Al-Hassan cachait sa prospérité matérielle sous les dehors de la misère. Sa concession ne payait pas de mine : murs lézardés, brèches béantes bourrées de paille, cour principale encombrée d'ustensiles divers, de tas de linge sale, de détritus et d'enfants teigneux. Tiékoro se fraya le passage jusqu'à une vaste salle fort mal tenue, au sol à demi couvert de nattes effrangées, et bientôt une grosse Mauresque, au teint très blanc sous ses voiles bleus, fit son apparition. Tiékoro entra dans le vif du sujet. Il recherchait une jeune esclave bambara qui avait servi dans le cabaret d'Al-Hassan. Il était lui-même bambara... La Mauresque l'interrompit, le fixant d'un regard pénétrant :

« Es-tu le père de son enfant? »

Tiékoro manqua défaillir?

« Que dis-tu? »

La Mauresque continua de le fixer avec la même sévérité, empreinte de mépris :

« La pauvre créature est grosse de près de trois mois. Malgré mes efforts, elle n'a jamais voulu me parler de son amant. Elle me supplie seulement d'adopter son enfant pour qu'il ne soit pas esclave lui aussi. »

Pendant un instant, Tiékoro resta muet tandis que mille pensées tourbillonnaient dans son esprit. A vrai dire, il n'aurait su dire clairement pourquoi il avait cherché Nadié, ni ce qu'il entendait faire une fois qu'il l'aurait retrouvée. Dans ses moments de lucidité, il s'avouait qu'il n'avait d'abord envie que de coucher de nouveau avec elle. Puis, son pharisaïsme reprenait le dessus et il se persuadait qu'il voulait réparer le tort qu'il lui avait causé. Et voilà qu'à nouveau le destin se moquait cruellement de lui. Dans la boue du cabinet d'aisances, dans l'affreuse odeur d'excrément, il avait donné vie à un être humain envers lequel il avait des devoirs. Un être humain qui aurait le droit de se tourner vers lui, comme il s'était tourné vers Dousika. Qui aurait droit de le juger. De le mépriser. De le haïr.

Il releva la tête vers la Mauresque qui mâchonnait une noix de kola et balbutia :

« Est-ce que je peux la voir? »

La femme éleva la voix et une petite fille entra dans la pièce, jetant des regards curieux à l'inconnu. Puis elle disparut et, après un temps qui sembla interminable, Nadié entra. La dernière fois qu'il s'était trouvé devant elle, Tiékoro n'avait vu que ses formes, aveuglé qu'il était par sa nudité et son désir. A présent, elle était enveloppée d'un voile indigo comme sa maîtresse et il s'apercevait qu'elle était très jeune, pas très jolie avec des dents légèrement proéminentes, ce qui pourtant ne la déparait pas, donnant l'illusion d'un sourire, et très timide. Ses yeux s'emplirent de larmes et il souffla :

« Pardonne-moi... »

Elle fit sur un ton d'absolue soumission :

« Tu es revenu, fama, c'est ce qui compte... »

Là-dessus, la Mauresque dit brutalement :

« Eh bien, qu'est-ce que tu comptes faire à présent? »

Tiékoro fit simplement :

« L'emmener avec moi... »

En même temps, il pensait qu'il n'avait plus de logis, aucune ressource, aucun avenir et il souhaitait mourir. Deux ans auparavant, il avait quitté Ségou pour acquérir des lauriers. Qu'allait-il ramener? Une femme de rang et de famille inconnus, dégradée par les circonstances de la vie. Quand il songeait à toutes les garanties et tout le cérémonial qui entouraient le mariage chez lui, il savait que Dousika ne lui pardonnerait jamais d'épouser Nadié. Alors, la garder auprès de lui comme concubine?

A présent qu'elle était rassurée sur l'honnêteté de son interlocuteur, la Mauresque lui offrait du thé vert et bavardait intarissablement. Qu'étudiait-il à l'université? N'était-il pas originaire de Ségou? Etait-il donc musulman? Elle-même était originaire de Fès et trouvait les habitants de Tombouctou bien orgueilleux. Qu'en pensait-il?

Tiékoro ne songeait pas à répondre à cet insignifiant verbiage. Il revoyait le fil de sa vie et il ne comprenait pas pourquoi tout se liguait contre lui. Il était trop croyant pour accepter l'idée d'une vengeance des ancêtres, irrités par sa conversion. Pourtant cette crainte était là, tapie dans son esprit. L'aurait-il pu qu'il aurait consulté un féticheur capable d'entendre et d'interpréter les volontés des invisibles. Mais il n'en connaissait point à Tombouctou. Nadié revint, un léger balluchon sur la tête. Sans un mot, elle suivit Tiékoro au-dehors.

Ils cheminèrent sans parler, lui la précédant à vive allure, elle posant les pieds dans ses empreintes, comme si de tout temps ce chemin avait été tracé pour elle. Ils arrivèrent à la porte de Kabara à la demeure du commerçant Abdallah.

Si Siga fut surpris par l'irruption de Nadié dans la vie de son frère, il n'en montra rien, se contentant de se retirer et d'emporter ses quelques effets chez un ami. Le couple demeura donc seul parmi la foule de parents, d'hôtes de passage, de domestiques, de parasites qui occupaient les lieux. Personne ne prêtait attention à lui. Personne ne le questionnait et, pendant quelques semaines, Tiékoro se donna l'illusion de la paix et du bonheur. Il n'était pas surprenant qu'on eût destiné Nadié au harem de quelque prince arabe. Son corps était d'une exceptionnelle beauté. Tiékoro songeait, en l'enfourchant, à une jument que son père avait reçue du Mansa après le sac de Guémou et qu'il gardait dans un enclos derrière les cases de la concession. Noire, nerveuse, racée et cependant docile. Il la possédait à toute heure, écartant d'un haussement d'épaules ses faibles protestations.

« Il est grand jour[1], koké... »

Au fond de lui, il n'était pas dupe. Il savait que ces excès de la chair étaient une manière de se venger de sa déchéance. Non, il ne serait jamais docteur en théologie et en linguistique arabe, entouré de l'adulation d'une petite cour d'étudiants, s'entretenant par lettres avec ses pairs de Marrakech, de Tunis ou d'Egypte et rédigeant de savants commentaires des hadiths. Pourtant, le paradis avait-il plus de saveur? Les dieux, qui croyaient le moquer, lui faisaient en réalité le plus beau présent, un corps de femme!

Chose étrange, il ne se souciait nullement de découvrir qui était en réalité Nadié. Quelle était sa famille? Quelle était sa vie avant le jour fatal où elle lui était apparue près du cabinet d'aisances? C'est qu'il avait peur de découvrir qu'elle ne lui était nullement inférieure. Il avait besoin de la mépriser afin de mieux se mépriser. Il voulait faire d'elle le symbole même du naufrage de ses espérances. Aussi, l'intimité qui s'était installée entre elle et Siga l'irritait. Certes, de telles relations étaient naturelles, l'épouse jouissant de la plus grande liberté avec ses beaux-frères, plaisantant, riant, bavardant avec eux. Mais voilà, Nadié n'était pas son épouse et Siga,

1. La tradition interdit de faire l'amour en plein jour. Le châtiment est un enfant albinos, force mauvaise.

en la traitant comme telle, entendait subtilement lui dicter la conduite à tenir. Tiékoro avait trop d'orgueil pour le supporter. Un jour, il n'y tint plus et après le repas du soir, comme Nadié préparait dans la cour une infusion de feuilles amères de quinquéliba, il apostropha son frère :

« Eh bien, qu'as-tu à me dire? »

Siga se cura soigneusement les dents avant de répliquer :

« Moi? Souroukou sait bien distinguer un village habité d'un village en ruine[2]... »

L'insolence de la réponse exaspéra Tiékoro :

« Est-ce parce que je dépends pour le moment de toi que tu te mêles de ma vie? »

Siga le fixa dans les yeux et cette fois encore, son extraordinaire ressemblance avec Dousika confondit Tiékoro, lui donnant l'impression d'affronter leur père, puis il fit :

« Elle vient de Gouméné. Ce sont les tondyons de Ségou qui ont détruit son village, dispersé et vendu les siens après s'être réparti le butin... »

Là-dessus, il sortit dans la cour.

Tiékoro demeura immobile. Il n'ignorait rien de l'histoire guerrière de Ségou, en lutte contre les Bambaras du Kaarta, en lutte contre les Soninkés, en lutte contre les Peuls... Devait-il en être tenu pour responsable? Devait-il réparer ses crimes?

A ce moment, Nadié entra. Son ventre commençait de pointer sous le pagne et, pour la première fois peut-être, Tiékoro pensa avec netteté à l'enfant qui allait naître. Un enfant est toujours une joie et pourtant, il ne sentait dans son cœur aucune anticipation heureuse. Plus encore que sa mère, celui-là allait être le signe éclatant de son échec. Un premier-né s'honore par le sang des bœufs, les accla-

2. Proverbe qui signifie « chacun sait ce qu'il fait ».

mations des griots, les danses des femmes. Au lieu de cela, cet enfant aurait pour abri la concession d'un étranger dans une ville étrangère. Pas de visages attentifs penchés sur lui pour prédire sa force et sa vigueur futures. Ah! quel crime que donner la vie sans amour! Tiékoro fut pris d'une pitié qui ressembla à la tendresse et interrogea Nadié :

« Que désires-tu? Aller accoucher chez moi? Auprès des miens? Auprès de ma mère?

Elle baissa la tête et murmura :

« Je ferai comme tu voudras... Pourtant... »

Elle s'interrompit et il fit avec un peu d'impatience :

« Pourtant quoi? Parle! »

Elle dit si bas que sa parole devint inaudible :

« Pourtant je préfère rester auprès de toi... »

Elle s'enhardit et le regarda en face, ce qui était rare :

« Tu sais, chez nous à Gouméné, ma mère m'avait appris beaucoup de choses. Je peux faire le filé le plus blanc et le plus fin... »

Tiékoro bondit :

« Filer! Mais c'est un travail d'esclave! »

Elle eut un sourire ténu :

« Ne suis-je pas devenue une esclave? »

Sans lui laisser le temps de trouver une objection, elle poursuivit :

« A Tombouctou, presque tout le filé vient de Djenné, ce qui en augmente le prix. Si je m'entends avec des tisserands, je peux en échange de mon travail obtenir beaucoup de cauris. Cela soulagera Siga qui n'a pas trop de facilités lui-même. »

Cette fois encore, Tiékoro eut honte. Bien des fois, la pensée de travailler lui était venue. Mais que faire? Hormis l'enseignement dans une école coranique ou une fonction administrative, toute tâche lui semblait dégradante.

Il était un noble! S'il était resté à Ségou, le seul travail digne de sa condition aurait été celui de la terre et comme il aurait possédé des esclaves, il aurait coulé ses jours dans l'oisiveté.

A sa manière, Nadié lui donnait une leçon de courage. Il ne dit rien. Prenant, à l'évidence, son silence pour un acquiescement, elle reprit :

« Je sais aussi teindre l'étoffe. Quand j'étais petite, je regardait les esclaves de ma mère préparer l'indigo. Elles en pilaient les feuilles, puis y ajoutaient des cendres de bois de baobab sauvage. Ensuite, elles creusaient des trous dans la terre qu'elles emplissaient d'eau... »

A ce moment, il se fit un grand bruit dans la cour. Un homme mettait pied à terre et demandait que l'on prenne soin de sa monture. Tiékoro reconnut le timbre de cette voix. Moulaye Abdallah! Enfin!

Il se rua hors de la pièce. Moulaye Abdallah, tenant son cheval par la bride, était enveloppé d'une cape blanchie par la poussière du désert. Il semblait épuisé, mais heureux :

« Allah est avec nous, cellé[3]! Mon père est parvenu à fléchir un de ses amis, Baba Iaro, marabout qui vient de Kobassa dans le Pondori et qui est très influent dans la région de Djenné. Tu es admis à l'université de cette ville... »

Tiékoro tomba à genoux au milieu de la cour. Son cœur de pécheur avait douté de la grande bonté du Créateur et à présent celle-ci l'inondait! Il n'écoutait pas les recommandations de Moulaye Abdallah :

« Sois prudent quand tu seras là-bas, car Djenné est encore plus dangereuse que Tombouctou. Rappelle-toi ce qu'a écrit Es Saadi : « Les gens de

3. Ami-frère en songhaï.

« Djenné sont par nature enclins à jalouser tout le
« monde. Si quelqu'un obtient quelque faveur ou
« quelque avantage, les autres s'unissent contre lui
« dans un même sentiment de haine... »

Il n'était que prières :

« Seigneur, guéris mon âme troublée! Rends ma fidélité semblable à celle de cet être que j'appelle dédaigneusement chien. Donne-moi comme à lui la force de maîtriser ma vie lorsqu'il *s'agira* d'accomplir ta volonté et de te suivre... »

Lorsque les eaux inondent le podo, des bancs de poissons se répandent dans les terres et se jettent avec voracité sur les herbes jeunes et tendres, dévastant notamment les rizières. Ils cherchent aussi dans le lacis des tiges du bourgou[4] un refuge contre les caïmans et les grands poissons carnassiers. Ce sont les pêcheurs bozos, premiers habitants de la région, qui ont appelé podo le delta central du Joliba dont Djenné occupe la pointe méridionale. C'est tantôt une immense steppe avec des chaumes de bourgou qu'envahissent les Peuls et leurs troupeaux, tantôt un vaste terrain submergé où pointent çà et là des bancs de sable.

Quand Tiékoro et Nadié arrivèrent à Djenné, les eaux recouvraient le podo. C'était l'hivernage et ils frissonnaient autant d'humidité que d'appréhension. Tiékoro avait beau se répéter que d'importantes colonies de Bambaras habitant Djenné, ils ne seraient pas isolés, il éprouvait une crainte vague et imprécise. Pour venir de Tombouctou, ils avaient pris une pirogue à Kabara et remonté le cours du fleuve. Certes, ils auraient pu trouver place dans une de ces larges embarcations qui sillonnaient le

4. Plante aquatique.

fleuve et transportaient bien deux cents personnes. Mais elles n'étaient pas sûres, chavirant souvent dans un lieu à la réputation sinistre, le Mimsikaynayendi. Aussi Siga avait-il dépensé une fortune, plus de deux mille cauris, pour leur faire fabriquer une « pirogue cousue » à l'étanchéité parfaite. Ce voyage avait duré des semaines.

Le piroguier et son gringalet d'assistant avaient dressé à l'arrière une sorte de tente faite de peau de bœuf sous laquelle Tiékoro et Nadié mangeaient, dormaient, faisaient l'amour. Autour d'eux, les eaux lumineuses du fleuve avec leur peuple d'aigrettes et d'échassiers mélancoliques. Au loin, les rives se rapprochant jusqu'à ne plus former qu'un étroit couloir au débouché du lac Débo, aussi riche en poissons qu'en caïmans et en grands serpents noirs, rayés de blanc. Tiékoro aurait souhaité que ce voyage dure toujours. Le matin, il ne se lassait pas de l'envol des oiseaux vers les champs de la rive. Le soir, il guettait le lever de la lune, d'abord écarlate, s'entourant peu à peu d'un voile bleuté. Quand la nuit était claire, il s'asseyait à l'avant avec le piroguier et pêchait au harpon. Par temps sombre, avec son compagnon, il allumait un feu et regardait se presser carpes, capitaines, et poissons hyènes à la chair amère se nourrissant d'ordures. Parfois un poisson cheval fendait le courant de sa crinière dorsale.

On s'arrêtait dans les villages pour troquer ces fruits de l'eau contre des fruits de la terre, Tiékoro se répétant que c'était là le mode de vie idéal. Soudain, toutes ses ambitions lui semblaient absurdes. Le temps lui-même s'était aboli. Qu'allait-il chercher à Djenné? Pourquoi, comme un pêcheur bozo, ne se bâtissait-il pas une case de paille au bord de l'eau? Nadié ouvrirait le poisson pêché, le viderait, le mettrait à sécher à même la terre. Elle lui donnerait des enfants.

Ils passèrent deux nuits à Komoguel, sorte d'îlot au confluent du Bani et du Joliba. Il fallait rectifier le calfatage de la pirogue, qui prenait l'eau, avec de l'étoupe enduite de farine de fruit de baobab et de beurre de karité. Puis ils reprirent leur route. A présent, les rives du fleuve étaient couvertes de campements peuls, reconnaissables à leurs cases demi-sphériques de paille, serrées autour de celle du dyoro[5]. Moulaye Abdallah avait informé Tiékoro de la menace que les Peuls faisaient peser dans la région de Djenné. Un obscur marabout du nom d'Amadou Hamadi Boubou, originaire du Fittouga, commençait à faire sérieusement parler de lui et irritait fort le nouvel ardo du Macina. S'il n'avait pas encore pris les armes, il parlait néanmoins de déclencher le jihad et de défaire tous les fétichistes. Cette idée d'un jihad n'était pas pour déplaire entièrement à Tiékoro. Pourtant il se demandait si ces desseins religieux avoués n'en cachaient pas d'autres plus méprisables : appétit de pouvoir temporel, soif de richesses matérielles, rivalités de toute sorte. Car s'il avait découvert l'arrogance et l'intransigeance de l'islam, il n'en avait pas encore appris tous les bienfaits.

Tiékoro évitait de songer à Ayisha. Il sentait que son amour et son désir qui, à travers elle, visaient un mode de vie qui l'avait fasciné, étaient loin d'être morts. Qu'il suffirait de peu pour qu'ils ressurgissent et l'embrasent comme une étincelle la brousse en saison sèche. Il savait que s'il pensait à celle qu'il n'avait pas su conquérir, la tentation de désespérer de la vie s'emparerait de lui. Et devant Allah, quel

5. Chef de campement.

crime est plus grand que le désespoir? Son seul refuge demeurait le corps de Nadié.

Plus qu'à Tombouctou, dans l'espace resserré de la pirogue, il apprenait à la connaître. Douce sans être passive. Active, au contraire, et efficace sans jamais chercher à attirer le regard sur elle. Elle était parvenue à aménager une sorte de coin cuisine où elle préparait du dègué et faisait frire les poissons du fleuve dans le beurre de vache. Quand on accostait, elle se mêlait aux femmes et lavait vigoureusement le linge. Puis, cherchant un coin retiré, une anse abritée de solo, elle se baignait. A la stupeur choquée des autres femmes, Tiékoro la suivait, s'amusant à faire ruisseler l'eau le long de ses omoplates, savonnant par jeu ses cheveux à présent coiffés « à six tresses[6] ». Un jour, il ne put y tenir et la posséda au sortir de l'eau. Ils s'éloignaient, quand le maître de la terre, alerté, leur demanda réparation de ce forfait. Comme ils ne pouvaient rien lui donner, ils durent regagner en hâte la pirogue, poursuivis par ses imprécations. Après cet incident, Nadié demeura plusieurs jours songeuse. Tiékoro en riait aux éclats. Au fond de lui, il ne cessait de s'interroger : que faire de cette femme devenue aussi nécessaire à son corps que le sang qui l'irriguait? Moulaye Abdallah, pétri des préjugés de sa classe, avait été formel :

« Cellé, tu ne peux l'épouser. Fais-en ta concubine et ta servante... »

Etait-ce justice? Tiékoro ne cessait de se le demander.

Quand ils arrivèrent à Djenné, la ville se dressait comme une île au-dessus du podo. Au pied de ses murailles se pressaient des bouquets de cailcédrats et, ainsi, elle semblait entourée d'une double cein-

6. Coiffure de la femme mariée, par opposition à la vierge.

ture d'eau et de feuilles. Si Tombouctou entrait en décadence, Djenné était encore à l'apogée de sa gloire. Elle était plus gaie, plus vivante que Tombouctou, la « reine du désert » et Tiékoro retrouva dans ses rues l'animation de Ségou. Il allait droit à la grande mosquée, dont on lui avait tant parlé, quand il se souvint de l'état de Nadié qui commençait à se fatiguer, et décida de se rendre plutôt chez Baba Iaro, l'ami du père de Moulaye Abdallah. Il arrêta un passant et, après les salutations d'usage, l'interrogea en arabe :

« Connais-tu la maison du moqaddem[7] Baba Iaro? »

L'homme s'exclama :

« Est-ce que tu n'es pas un Bambara, toi? »

De se voir reconnu, interpellé dans sa langue réchauffa le cœur de Tiékoro. Pourtant les nouvelles que lui donna son interlocuteur étaient plutôt inquiétantes. A Djenné, on haïssait les Bambaras, même si le Mansa de Ségou possédait une résidence dans le podo méridional. Tout cela, c'était l'effet de l'islam qui se répandait comme un feu de forêt. La région tout entière était en train de passer sous contrôle des Peuls! Ces gueux que l'on avait connus abrités par des cases de feuillage et suivant les mouvements de leur bétail s'étaient à présent transformés en guerriers d'Allah! Tiékoro écoutait tout cela avec incrédulité. Il aurait pressé l'inconnu de questions, mais comme depuis la veille Nadié souffrait d'une petite fièvre, il était plus urgent de trouver un abri.

Baba Iaro habitait non loin de la grande mosquée dont Tiékoro put apercevoir les tours-minarets, une maison typiquement djenéenne. C'était un style apporté quelques siècles auparavant par les Maro-

7. Religieux chargé de donner aux néophytes l'éducation de base.

cains quand, comme Tombouctou, ils avaient occupé et vassalisé Djenné. De formes parallélépipédique, elle était haute d'un étage avec une façade plate, décorée autour de l'unique porte d'entrée d'appliques en forme de trapèze et percée de trois fenêtres munies de grillage. L'huis était agrémenté de ferrures. Au moment de toucher l'anneau formant heurtoir, Tiékoro se souvint de l'accueil qu'il avait reçu deux ans plus tôt chez El-Hadj Baba Abou et faillit battre en retraite. Ah! seuls les habitants de Ségou savaient recevoir, accueillir, traiter l'hôte comme un frère! Mais où irait-il avec cette femme lasse, bientôt en gésine? Sa main étreignit le heurtoir.

Siga se retrouva donc seul à Tombouctou.

Il éprouvait pour cette ville des sentiments entièrement différents de ceux de son frère. Tout de suite, il avait pris place dans la population flottante d'esclaves, d'étrangers, de pauvres et mis à profit les réseaux de solidarité qui existent parmi les individus en difficulté. Aussi, s'il n'y était pas heureux, il n'y souffrait jamais de la solitude. Il comptait une douzaine d'amis parmi les âniers de Kabara, autant de camarades parmi les employés des grands commerçants. Quant aux femmes, il n'était pas difficile, se contentant soit des filles-à-tout-le-monde dans les troquets, soit des Mauresques et des femmes touaregs qui lui ouvraient leurs cuisses chaudes en l'absence de leurs jaloux de maris. Mais Nadié lui avait donné le goût d'une constante présence féminine. Ah! Trouver la chambre balayée, le repas préparé! N'avoir plus à attendre le bon plaisir des servantes d'Abdallah! A payer leurs services! A souffrir leurs accès d'impertinence ou d'indolence!

Il se jeta dans le travail. Depuis peu, Abdallah

l'avait fait responsable de son commerce de sel. Deux fois par mois, il se rendait à Teghaza ou à Taoudenni avec une caravane qu'il chargeait de barres de sel, veillant à ce qu'elles soient solidement liées ensemble afin qu'elles n'arrivent pas à destination cassées ou abîmées. Alors il régnait sur tout un peuple d'esclaves qui les transportaient et les marquaient de dessins en noir, rayures, losanges afin que nul n'ignore à qui elles appartenaient. Puis il les ramenait à Tombouctou et les vendait à des commerçants venus du Maroc ou même du Levant et du Maghreb central. C'était là un labeur harassant qu'il aimait néanmoins. Surveillant les esclaves, discutant avec les marchands, il avait une impression sinon de puissance, du moins d'utilité. Il était part d'un grand système, d'un grand courant d'échanges et de communications qui s'étendait à travers l'univers. Pourtant, malgré ces contacts quotidiens, il demeurait farouchement à l'écart de toute influence musulmane. S'il comptait des agents des Kounta[8] parmi ses relations d'affaires, cela n'allait pas plus loin qu'une plaisanterie, un bol de thé vert pris ensemble. Fétichiste il était, fétichiste il entendait demeurer et tant pis pour ceux qui l'appelaient Ahmed!

Un soir qu'il revenait de Taoudenni, Abdallah le fit quérir par une servante :

« Assieds-toi, assieds-toi! Tu travailles beaucoup, Ahmed! »

Siga eut un sourire qui pouvait tout signifier et prit une petite coupe de terre pleine de thé des mains d'une esclave. Après un silence, Abdallah reprit :

« Tu n'ignores pas que j'ai de la famille à Fès avec

8. Grande famille d'origine arabe de religieux et de commerçants qui donna naissance à la confrérie religieuse des Kounti.

laquelle je suis en relation d'affaires. Or j'ai de bonnes raisons de croire que ce monde me vole. On me doit des sommes considérables. On ne répond pas à mes lettres. J'ai décidé de t'envoyer sur place voir ce qui se passe...

– Moi!... »

Abdallah inclina la tête :

« Oui, toi! Je t'observe, Admed et je nourris de grands desseins à ton endroit. Tu sais qu'Allah m'a pris mes enfants. Que sa volonté soit faite. En outre, en agissant ainsi, il me laissait libre de choisir les enfants de mon esprit. Va à Fès, récupère mes créances et quand ce sera fait, attends mes instructions... »

Quel garçon de dix-huit ans ne serait pas rempli d'une heureuse exaltation à la perspective d'un voyage? Qui ne s'est pas imaginé entrant en conquérant dans une cité inconnue, pour s'emparer de ses richesses et posséder ses femmes? Siga n'échappait pas à la règle. En même temps, il avait peur. Certes, il était mieux armé pour entreprendre pareille équipée que deux ans plus tôt quand il avait quitté Ségou. Il s'était frotté aux hommes. Il parlait deux langues, la sienne et aussi l'arabe. Pourtant n'était-il pas encore bien peu expérimenté? En même temps, il n'envisageait pas un instant de repousser l'offre de son patron. C'était un nouveau défi qui était lancé au fils de l'esclave, au fils-de-celle-qui-s'était-jetée-dans-le-puits. Il releva la tête et interrogea :

« Comment me rendrai-je jusque-là?

Abdallah avala une gorgée de thé :

« J'ai tout préparé. Bientôt, on fera la debiha[9] et tu seras sous la protection des hommes de mon

9. Cérémonie de protection.

ami Moulaye Ismaël. Tu iras à Taoudenni, puis à Teghaza, de là, tu arriveras au Touat[10]. La région est alors fertile en orge et riche en points d'eau. Tu y verras des gazelles, des autruches. Quelle expérience pour un jeune homme de ton âge! »

10. Région du Sud marocain, plaque tournante entre la Méditerranée et le Sahel.

11

Le *Lusitania* avec à son bord quelque trois cents esclaves cinglait vers Pernambouc. Sa route n'était pas régulière. Mais misère des temps! N'ayant pu faire le plein à São João de Ajuda[1], il avait dû remonter jusqu'à Gorée, ce qui augmentait encore les coûts. Avec tous ces trafiquants anglais, danois, français et hollandais croisant autour des côtes d'Afrique, faisant leur cour aux rois africains à coups de barriques d'eau-de-vie, de poudre de guerre et de fusils, la concurrence devenait terrible. Anglais et Danois proposaient des prix tels qu'un commerçant sans grands moyens ne pouvait rivaliser avec eux. Au prix où désormais était le nègre, on ne pourrait bientôt plus en acheter et le *Lusitania,* qui aurait pu contenir six cents hommes et femmes, avait sa cale à moitié vide...

Somme toute, le capitaine Fereira n'était pas mécontent de son chargement. Pas un esclave âgé de plus de vingt ans et même plusieurs enfants. Bientôt ce serait l'heure de faire monter tout ce monde sur le pont pour le lavage général à l'eau de mer. A la différence de ces salauds de Français et d'Anglais, Fereira comme les autres Portugais n'enchaînait pas ses esclaves et veillait à la propreté des

1. Fort de la région de Ouidah dans l'actuel Bénin.

nattes sur lesquels ils dormaient. Car à quoi servait de voir mourir pendant la traversée des hommes et des femmes qu'on avait payés si cher?

Depuis vingt ans que Fereira bourlinguait sur les mers, il connaissait tous les forts depuis Arguim : Saint-Louis, James Island, Cacheu, Assinie, Dixcove, Elmina, Anomabu... Après tant d'années, il avait fini par s'endurcir à son triste métier. Il avait même fini par ne plus entendre ce terrible gémissement fait de douleur et de révolte que les esclaves poussaient quand le navire s'éloignait pour toujours des côtes de l'Afrique. Fereira bourra sa pipe et regarda autour de lui. On apercevait encore l'arête tranchante de la jungle d'un vert si foncé qu'elle en semblait noire. Le soleil venait de se lever et pourtant, il était déjà terrible comme l'œil d'un cyclope enragé d'alcool et de luxure. Fereira ouvrit son livre de prières, car il était dévot. Quand il était à terre, ce qui était rare, il communiait tous les dimanches et il n'embarquait jamais d'esclaves sans faire monter à bord un missionnaire qui les baptisait.

Comme il terminait ses prières, il vit sortir un couple de l'écoutille avant. Il reconnut l'homme tout de suite : c'était l'énergumène qui était monté subrepticement à bord. A vrai dire, le qualificatif d'énergumène ne lui convenait pas. Il s'agissait d'un jeune homme de seize ou dix-sept ans environ, admirablement découplé avec un beau visage sensible. On disait que c'était un Bambara. Or Fereira n'était familier que des Congolais, des Gabindas, des Angolais dont il s'approvisionnait au fort de São Tomé[2] et depuis peu, des Minas, des Ardras qu'il embarquait à São João de Adjuda. Comment

2. Ile à la hauteur de la Guinée équatoriale, sert d'escale entre le Brésil et l'Angola lors de la traite.

l'homme était-il monté à bord? La porte basse dite « porte de la mort » qui menait de l'esclaverie centrale de Gorée aux négriers était gardée nuit et jour par des soldats et des marins en armes. N'y accédaient que des esclaves étampés au fer pour marquer leur appartenance et soigneusement entravés. L'homme avait donc bénéficié de complicités. Cependant le véritable problème n'était pas là. Comment un homme pouvait-il s'offrir à devenir un objet de traite? S'offrir à affronter l'horrible traversée? Etait-il fou?

Quand les marins l'avaient découvert et traduit devant leur capitaine, la première idée avait été de le jeter par-dessus bord. C'était sûrement une forte tête, venue fomenter une de ces mutineries d'esclaves dont tout navigant avait la terreur. Mais l'homme, avec une extraordinaire dignité, leur avait montré une croix. Etait-il donc baptisé? Alors, on ne pouvait mettre à mort un enfant de Dieu, et, pris au piège, Fereira avait bien dû supporter sa présence. Il avait d'abord tenté de l'empêcher de s'approcher de la partie des ponts inférieurs que l'on réservait aux femmes, car il ne voulait pas de promiscuité à bord. Cela avait été impossible! Avec la même autorité tranquille, l'homme venait protéger une jeune Nago[3] que Fereira avait eu la chance de se procurer à l'entrepôt de Gorée. Fereira en ricanait. Une fois qu'ils seraient rendus à Pernambouc, ils connaîtraient leur malheur! Les planteurs n'avaient pas de ces délicatesses. L'un d'entre eux achèterait l'homme et l'expédierait dans l'enfer des plantations de canne ou de café. Quant à la fille, étant donné son joli minois et son jeune âge, elle ne tarderait pas à devenir « maîtresse de maison » et à mettre au monde des bâtards métis. Fereira lui-

3. Synonyme de yoruba, ethnie de l'actuel Nigeria.

même en avait deux ou trois d'une négresse mina.

Cependant, le couple regardait la mer. Tant que la mer existe, l'homme ne peut être entièrement malheureux. Abandonné. Mer, immense bleu appliqué sur le corps de la terre! Tes eaux sont amères. Pourtant doux sont les fruits de ton ventre. Tu es si puissante que l'homme avide d'or, de cauris, de café, de coton ou d'ivoire n'est pas parvenu à te dompter. Il te parcourt au galop de ses chevaux de fer. Mais quand tu t'irrites, roulant tes ondes, alors il redevient un enfant apeuré.

Deuxième partie

LE VENT DISPERSE LES GRAINS DE MIL

1

QUAND Malobali eut environ dix ans, alors qu'il venait de rosser et de jeter par terre un de ses camarades de jeux, l'enfant, en se relevant, l'injuria :

« Sale Peul! »

Malobali entra en courant dans la case de Nya :

« Ba[1], Diémogo m'a appelé Peul. Pourquoi? »

Nya le regarda gravement et fit :

« Tu es sale, tu es en sueur. Va prendre ton bain et reviens. »

Malobali s'en alla vers la case de bain des enfants et vociféra après une esclave pour qu'elle lui apporte des calebasses d'eau très chaude. C'était un petit garçon violent et querelleur à qui sa trop grande beauté avait complètement gâté le caractère. Il était habitué à être complimenté, à se voir singulariser dans tous les groupes d'enfants. Sa mère l'adulait. Tout ployait devant lui. Il se baigna, s'oignit le corps de beurre de karité, enfila le pantalon bouffant qu'il portait depuis sa circoncision et revint dans la case de Nya. Celle-ci avait allumé sa lampe au beurre et des ombres se jouaient contre les cloisons. Elle lui fit signe de

1. Mère en bambara.

s'asseoir sur la natte. Mais il préféra se blottir contre elle. Elle dit doucement :

« Tu n'es pas Peul, mais ta mère l'était. »

Malobali répéta sidéré :

« Ma mère? Est-ce que tu n'es pas ma mère? »

Nya le serra plus fort contre elle. Elle avait toujours redouté ce jour, mais savait qu'il faudrait l'affronter :

« Je suis ta mère puisque je suis la femme de ton père et puisque je t'aime. Pourtant ce n'est pas moi qui t'ai porté dans mon ventre... »

Et doucement elle lui parla de Sira. De sa captivité. De son concubinage avec Dousika.

« Un soir elle est entrée dans ma case. Elle te tenait par la main et portait au dos la petite fille qu'elle a eue après toi. Elle m'a dit : « Je pars, mais je te confie mon fils. »

Malobali bondit.

« Pourquoi ne m'a-t-elle pas emmené avec elle là où elle allait? »

Nya lui baisa le front :

« Parce que les garçons appartiennent à leur père. Tu es du clan des Traoré... »

Malobali fondit en larmes :

« Pourquoi est-elle partie? Pourquoi? »

Nya eut un soupir. L'enfant allait-il la comprendre? Elle tenta de trouver des mots simples :

« Vois-tu, pendant longtemps, les Peuls ont vécu à côté de nous sans que nous leur prêtions attention. Parfois même, nous les méprisions parce qu'ils ne bâtissaient pas et ne cultivaient pas. Ils allaient çà et là avec leurs troupeaux. Puis un jour, tout a changé. Ils se sont groupés et se sont mis à nous déclarer la guerre. Tout cela à cause de l'islam. Tu vois, l'islam est un couteau qui divise. Il m'a pris mon premier-né... »

Mais Malobali, qui se souciait peu des ravages de l'islam, l'interrompit :

« Tu as des nouvelles de ma mère? »

Nya inclina la tête :

« Oui, il y a quelques années, elle m'a fait savoir qu'elle s'était remariée et vivait à Tenenkou. »

Malobali se mit à hurler :

« Je la hais, je la hais! »

Prestement, Nya mit sa main sur ses lèvres. Ah! que les ancêtres n'entendent pas l'enfant clamer qu'il hait sa mère! Puis elle le couvrit de baisers :

« Elle a beaucoup souffert de te quitter, j'en suis témoin. Mais il a fallu qu'elle rejoigne les siens. Depuis son départ, ton père n'est plus le même homme : il n'a plus goût à rien. Trop de coups, trop de coups. D'abord sa brouille avec le Mansa, puis la conversion de Tiékoro, la disparition de Naba... C'est trop! »

Nya retint des larmes provoquées par un coupable apitoiement sur elle-même et s'efforça de ne songer qu'au chagrin de l'enfant.

C'était pourtant vrai que la vie dans la concession de Dousika n'était plus ce qu'elle était.

L'année précédente, le Mansa Monzon était mort, pris d'incoercibles diarrhées. Et sa mort avait porté un dernier coup à Dousika. Ce n'était plus qu'un vieillard, s'interrogeant interminablement sur les raisons de la cabale qui l'avait écarté de la cour. Si seulement il avait pu faire sa paix avec Monzon avant que la mort ne le prenne! Non, ce fut seulement le son funèbre du grand tabala[2] qui lui avait annoncé, comme à tous les autres habitants du royaume, qu'il était devenu orphelin. Ensuite, parmi la foule, il s'était rendu dans le premier vestibule du

2. Tambour royal annonçant la mort ou la guerre, ou autres grands événements.

palais, où était exposé le corps, pour lui rendre un dernier hommage. Et quand il avait vu la dépouille de Monzon, frottée de karkadé[3] et de beurre de karité, étendue sur un suaire, une queue de bœuf fraîchement abattu dans la main droite, il avait cru contempler son propre cadavre.

Nya étreignit Malobali :

« Quand tu seras grand, rien ne t'empêchera d'aller la voir, ta mère! Elle t'aimait tant, je me demande parfois comment elle parvient à vivre sans toi... »

Malobali, bien sûr, n'en crut rien. Essuyant ses yeux de ses poings fermés, il se leva et sortit. Malgré son jeune âge, il sentait que désormais plus rien ne serait semblable autour de lui. La nuit se peuplerait de peurs, d'angoisses, d'interrogations de toutes sortes. Sa mère! La femme qui l'avait porté neuf mois dans son ventre lui avait tourné le dos! Entre ses deux enfants, elle avait choisi celui qu'elle devait emmener avec elle, celui qu'elle devait laisser. Quelle abominable décision! Et après cela, elle avait pu se laisser courtiser par un autre homme, lui donner son corps, lui donner des fils et des filles? Mère cruelle, marâtre! Aucune injure ne la fustigerait assez!

Malobali passa devant la case où il dormait avec une bonne douzaine de frères, demi-frères et cousins et aperçut Diémogo, qui, à sa vue, battit prestement en retraite. En réalité, Diémogo ne savait rien de précis concernant Sira et n'avait fait que répéter un mot qu'il entendait accoler à celui de Malobali dans les conversations des adultes. Sans s'arrêter, Malobali continua jusqu'à la case de Dousika, décidé, malgré son jeune âge, à l'interroger.

Mais il était dit que le père et le fils ne s'expli-

3. Ou oseille de Guinée.

queraient pas ce soir-là, car l'état de Dousika, qui se plaignait de douleurs depuis quelques jours, avait brusquement empiré. Ses femmes, Nya exceptée, s'affairaient autour de lui, celle-ci lui portant des fumigations de « feuilles d'hippopotame » pour apaiser ses courbatures, celle-là des infusions de nété pour faire baisser sa température, celle-là encore de la décoction d'écorce de nyama pour arrêter ses diarrhées. La case sentait la sénilité et cette odeur qui précède celle de la mort.

Diémogo, cadet de Dousika, qui, depuis deux ou trois ans à présent, faisait fonction de fa dans la concession était au chevet de son aîné. Celui-ci chevrotait :

« Je vais mourir. Crois-moi, cela ne me fait pas peur. Mais je voudrais revoir mes fils. Du moins ceux qui me restent, puisque je ne reverrai jamais Naba dans ce monde. Surtout Siga. Bien sûr, j'ai obéi aux ancêtres en l'envoyant à Tombouctou avec Tiékoro, mais je me demande si cela n'a pas été trop dur, si, en fin de compte, cela n'a pas été injuste... »

Diémogo se demanda si l'approche de la fin ne faisait pas délirer son frère. Mettre en doute la sagesse d'une décision dictée par les ancêtres! Il garda ces pensées pour lui, se bornant à murmurer :

« Koro[4], où veux-tu que nous les trouvions? Nous savons que Tiékoro est à Djenné, c'est tout. Quant à Siga, la dernière fois que nous avons entendu parler de lui, c'était par des caravaniers qui l'avaient croisé dans le Touat... »

Dousika ferma les yeux :

« Je dois les voir. Sinon mon esprit ne trouvera

4. Grand frère en bambara.

jamais la paix. Il ne cessera jamais de se plaindre et de rôder parmi vous. »

Diémogo soupira :

« Je ferai tout, alors. »

Malobali regardait tout cela de ses yeux d'enfant. L'état de son père ne l'affligeait pas. Comme la maladie et la déchéance physique aux êtres très jeunes, il lui répugnait plutôt. Les visages en pleurs des femmes, les gestes de deux ou trois féticheurs-guérisseurs accroupis dans l'ombre, les plaintes de son père, la face luisante et l'haleine fétide, composaient un tableau qu'il n'était pas près d'oublier. Est-ce que la mort était cachée dans les coins sombres de la pièce, attendant l'heure? Sans savoir pourquoi, Malobali se l'imaginait sous les traits d'une très vieille femme complètement chauve, les yeux couverts de taies, à la fois pathétique et féroce, qu'il voyait parfois dans la concession voisine. Un jour, elle avait laissé tomber ses pagnes et il avait entrevu ses fesses ridées et souillées d'excréments.

Brusquement Nyéli, la deuxième femme de Dousika, qui le détestait comme elle avait détesté sa mère avant lui, l'aperçut. Avec des cris hystériques, elle le chassa.

Or, il se passait des choses extrêmement graves au royaume de Ségou.

Da Monzon avait succédé à son père dans le tumulte des tabala et des dounoumba. Tourné vers l'est, il s'était assis sur la peau de bœuf qui lui avait appartenu pour recevoir tous les attributs de la souveraineté, les arcs, les flèches, la lance, le couteau du bourreau, puis les sages l'avaient coiffé du bonnet auquel pendaient de lourds anneaux d'or tandis que le chef des griots hurlait :

« Tu n'as plus de famille, Da Monzon! Tous les enfants de Ségou sont tes enfants! Tiens toujours ta main tendue, non pour recevoir. Mais pour donner! »

Jour de liesse extraordinaire!

Hélas! à peine intronisé, Da Monzon avait dérouté. Pour l'ensemble des Segoukaw, les Peuls étaient des étrangers que leurs Mansa soumettaient, razziant leurs troupeaux quand cela leur chantait. Or voilà que Da Monzon se mettait à faire une différence entre Peuls islamisés et Peuls fétichistes, nouant des alliances avec les seconds contre les premiers. Etait-ce sage? C'est comme un étranger qui se mêle d'une querelle de famille. Après, toutes les parties se réconcilient. Sur son dos!

L'ardo du Macina Gourori Diallo lui ayant fait savoir que le marabout Amadou Hamadi Boubou l'importunait, il lui avait envoyé des tondyons pour l'aider à le mettre à la raison.

Or les tondyons s'étaient fait battre à Noukouma. Battus, les tondyons! Et par qui? Par cet Amadou Hamadi Boubou? Qui était-il? Personne à Ségou n'était capable de le dire avec certitude. C'était un Peul, voilà tout.

Da Monzon sentait bien que la puissance de Ségou commençait à s'effriter. Il avait convoqué Alfa Seydou Konaté, célèbre marabout de Sansanding qui lui avait déclaré :

« Un Peul s'est levé qui fera échec à la puissance de Ségou. D'autre part, en ce qui te concerne, ce n'est pas ton fils Tiékoura qui te succédera, mais un de tes frères. Lequel? Je ne peux encore te le dire. Quant au mal dont tu souffres, tu n'en guériras jamais.

Après ces terribles paroles, le silence s'était fait. Tous les esclaves avaient été chassés pour cette entrevue secrète avec le grand devin et il n'y avait dans la salle du palais que le roi, le marabout et le chef des griots Tiétigui Banintiéni. Devant la visible détresse du Mansa, Tiétigui Banintiéni lui avait adressé un petit sourire railleur comme pour l'inviter à minimiser ces prédictions. Oubliait-il qu'il existait à Ségou des féticheurs capables de dénouer toutes les cabales du destin? Mais Da Monzon ne fut pas rassuré. Il se mit à parcourir la pièce au rythme heurté de ses pensées, s'arrêtant tout net, repartant, revenant en arrière. Si les Peuls, à présent islamisés jusqu'au fanatisme, devenaient si dangereux, ne fallait-il pas faire la paix de toute urgence avec les frères ennemis du Kaarta afin qu'il n'existe qu'un seul front de lutte? Mais alors quel prétexte trouver?

Alfa Seydou Konaté s'était levé :

« Maître, si tu me le permets, j'aimerais me retirer. De Sansanding à Ségou, la route est longue... »

Da Monzon lui ayant signifié son assentiment, Alfa Seydou Konaté se retira avec la morgue des musulmans qui prétendent ne se prosterner que devant Dieu.

Depuis son accession au trône, Da Monzon avait apporté nombre de modifications à l'ameublement du palais. Il avait fait construire une sorte de salon particulier avec des fauteuils d'Europe et des canapés très bas couverts de couvertures marocaines. En outre, il avait fait l'acquisition de hauts chandeliers d'un métal brillant dans lesquels étaient fichées des bougies. Ainsi la nuit n'existait plus et le souverain avait reçu un nouveau titre qui s'ajoutait à ceux qu'il possédait déjà : maître de la bataille, long serpent protecteur de Ségou, source de vitalité. C'était celui de « maître des soleils de la nuit ».

Da Monzon allait et venait dans la lumière artificielle des bougies, son visage ruisselant de sueur.

Brusquement, il se rassit et retrouva son air royal :

« Tiétigui, si nous demandions une femme à Ntin Koro, le Mansa du Kaarta? »

Le griot regarda le Mansa, ahuri, incapable de suivre les calculs de son esprit et fit :

« Une femme? »

L'autre eut un geste d'impatience et, sans daigner s'expliquer davantage, ordonna :

« Renseigne-toi! Vois si parmi les filles de Ntin Koro, il en est une qui soit d'âge à marier et reviens m'en informer... »

Da Monzon n'avait pas les qualités de stratège de son père. C'était un homme vain, capable de faire mettre à mort quelqu'un qu'on disait plus beau que lui, et dépensant des fortunes pour un joli minois. Pourtant, aux heures d'urgence, il savait se ressaisir. Puisque les Peuls menaçaient le monde « fétichiste », et bien, le monde fétichiste devait enterrer ses querelles et faire front contre eux! Au fond de lui-même, Da Monzon ne comprenait pas qu'on puisse faire la guerre au nom de la religion. Est-ce que chaque peuple n'est pas libre d'honorer qui lui plaît? Ségou, qui contrôlait tant de cités étrangères, n'avait jamais cherché à leur imposer ni ses dieux ni ses ancêtres. Au contraire, elle s'emparait des leurs pour grossir son panthéon et mieux les subjuguer.

Les dieux sont multiples. Il n'y a pas de dieu unique. Quelle était cette prétention d'Allah à régner seul, en excluant les autres?

La vieille rivalité entre les familles régnantes, Coulibali du Kaarta d'une part, Diarra de Ségou d'autre part, devait donc être oubliée. Il enverrait une délégation auprès de Massasi et, par le biais d'une épouse, scellerait la nouvelle alliance. Puis leurs armées s'uniraient et on verrait bien si elles ne pourraient pas renvoyer ces éleveurs à leur bétail! Alors, Da Monzon se sentit relativement apaisé. Regardant autour de lui, il se vit seul dans la grande pièce décorée de tentures à la marocaine et frappa violemment dans ses mains. Le peuple des esclaves et des griots qui attendait dans l'autre pièce s'avança et mesura d'un regard l'humeur sombre du Mansa. Aussitôt les griots rivalisèrent d'attention :

« Que veux-tu que nous te chantions, maître des soleils de la nuit? »

Da Monzon hésita :

« Que savez-vous de ce Peul qui commence à m'ennuyer comme un taon sur la queue d'une vache? »

Le jeune griot Kéla frappa son tamani :

« Un vacher de Fittouga, converti à l'islam, rencontra une vachère dans la boue du podo non loin de Djenné. Ils se marièrent et bientôt le ventre de la vachère enfla comme une courge. Au bout de six mois, il sortit un fils, chétif comme tous ceux de cette race, Amadou Hammadi Boubou. Le jour de sa circoncision, il se mit à pleurer :

« Ah! mon père! Ecarte ce couteau! Pourquoi me faire cette blessure? Ah! mon père, écarte ce couteau! »

« La mère eut honte de son fils. Elle lui dit : « Va-t'en, je ne veux plus te voir. » Alors Amadou Hammadi Boubou s'en alla à Rounde Sirou et, frottant son front dans la poussière, cria : « Venez, « je suis l'envoyé d'Allah! Bissimillahi, Allah miséri- « corde! »

« Les Marocains de Djenné en eurent les oreilles échauffées : « Quel est ce vacher qui se dit envoyé d'Allah? » Ils le renvoyèrent à la boue du marigot de Dia auprès de ses bêtes... »

Da Monzon écoutait ce chant satirique destiné à l'amuser et ne parvenait pas à en sourire. Vacher ou non, Amadou Hammadi Boubou avait déjà battu une de ses colonnes. Si on pouvait considérer cela comme un incident mineur, au dire d'Alfa Seydou Konaté, d'autres rencontres ne tarderaient pas qui seraient fatales. Brusquement Da Monzon se demandait s'il ne valait pas mieux provoquer ces rencontres et s'appuyant sur l'effet de surprise, les transformer en victoires. Pourtant, pour s'assurer du succès, il fallait être fort. Très fort.

« – Quel est ce vacher qui se dit envoyé d'Allah? » Et ils le renvoyèrent à la boue du marigot de Dia. Alors les enfants s'attroupèrent autour de lui : « Puisque tu es envoyé d'Allah, tu n'as pas besoin de ta couverture » Et ils la lui arrachèrent... »

Impatienté, Da Monzon fit signe à Kéla de se taire. Aussitôt un chanteur prit la relève, s'accompagnant d'une guitare, bientôt soutenu par un bala et ce furent les seuls bruits dans la pièce.

Da Monzon revivait les conquêtes de son père, la manière dont il avait fait reculer les limites de l'empire. Serait-il celui qui présiderait à son effondrement? Serait-ce là le souvenir que les griots garderaient de lui? Non, dès le lendemain, il ferait convoquer les chefs des villes et des cantons de Ségou et il leur proposerait la réconciliation avec le Kaarta. Ayant pris cette décision, il s'apprêtait à se retirer auprès de sa dernière favorite quand le griot Tiétigui Banintiéni réapparut :

« Maître des eaux et des énergies, je viens d'apprendre que Dousika Traoré est au plus mal. Ses frères ont confié des messages à des caravaniers pour prévenir ses fils qui sont au loin... »

Da Monzon eut un léger haussement d'épaules. Quelle vie ne se termine par la mort?

Mais Tiétigui s'approcha de lui :

« Rappelle-toi pourquoi ton père l'a banni de la cour. N'est-ce pas parce qu'il était en relation avec les Coulibali du Kaarta? Si tu veux te rapprocher de ces derniers, ne serait-ce pas de bonne politique que prétendre le réhabiliter avant sa mort? Il va laisser derrière lui une vingtaine d'enfants. Envoie des présents à ses femmes, surtout à sa bara muso. Visite-le même avant qu'il ne soit trop tard... De tels gestes impressionneront favorablement les Massari et les prépareront à tes requêtes... Car à présent, je crois que je devine ton dessein... »

Les deux hommes se regardèrent. Un roi n'a pas de conseiller plus intime, d'ami, d'âme damnée comparable au chef de ses griots. Il n'entreprend rien sans le mettre dans sa confidence et peut compter sur sa dévotion. Tiétigui, du temps que Da Monzon était prince, exécutait déjà ses sales besognes, intriguant, flattant à son profit. C'est en partie grâce à lui que Da Monzon avait eu l'avantage sur ses douze frères en âge de régner à la mort de Monzon et en particulier sur son aîné. Une fois de plus, il admira la finesse d'esprit de Tiétigui. Naissances, mariages, décès, voilà les événements de la vie qui doivent être utilisés par ceux qui veulent dominer le monde! Il hocha la tête :

« Dépêche-lui mon guérisseur personnel et demande-lui de bien s'affairer. Moi, je le visiterai demain. »

Cependant, l'âme de Dousika avait, sans qu'on s'en aperçoive, quitté son corps. Légère, invisible aux yeux des humains, l'âme, avant d'être récupérée par les forgerons-féticheurs et assignée de nouveau à résidence dans le corps d'un nouveau-né, savoure de brefs instants de liberté. Alors, elle flotte au-dessus des fleuves, s'élève au-dessus des collines, aspire sans frissonner l'épaisse vapeur qui monte des marigots, et se pose dans les coins les plus secrets des concessions. Elle ne connaît pas les distances, l'âme. Pour elle, le large damier des champs cultivés n'est qu'un point dans la démesure de l'espace. Elle se dirige suivant les astres.

L'âme de Dousika survola donc le podo. Les bas-fonds étaient couverts de larges fleurs mauves de nénuphar, car les premières pluies étaient tombées et les troupeaux des Peuls s'enfonçaient jusqu'aux genoux dans la terre grasse. Puis, tournant le dos à Djenné, elle traversa le marigot de Moura jusqu'à Tenenkou, capitale du Macina.

Il ne faudrait pas croire que tous les Peuls étaient partisans de la révolution religieuse conduite par Amadou Hammadi Boubou. Certes, ils n'étaient pas mécontents de donner une leçon à ces agriculteurs guerriers qui trop longtemps avaient razzié leur bétail. Mais de là à se raser la tête, à renoncer aux boissons fermentées et à se prosterner par terre cinq fois par jour! En outre, des mots inconnus auparavant se mettaient à circuler :

« La foi est comme un fer chaud, clamait Amadou Hammadi Boubou. En se refroidissant, elle diminue de volume et devient difficile à façonner. Il faut donc la chauffer dans le Haut Fourneau de l'Amour et de la Charité. Il faut tremper nos âmes dans l'élément vitalisant de l'Amour et veiller à garder ouvertes à la Charité les portes de notre âme. Ainsi nos pensées s'orienteront-elles vers la méditation. »

Qu'est-ce que tout cela signifiait?

Le mari de Sira était de ceux qui comprenaient le sens de ces paroles. Amadou Tassirou avait été l'élève de cheikh Ahmed Tidjani, fondateur d'une secte musulmane, la Tidjaniya, et bien qu'il ne portât pas lui-même le titre prestigieux de cheikh, se contentant de celui de modibo[5] c'était un saint.

5. Lettré musulman.

Dans sa maison, il possédait une bibliothèque, riche de plusieurs ouvrages de théologie, de scolastique, de droit dont le célèbre Djawahira el-Maani[6]. Il avait épousé Sira parce qu'aucun homme de son rang n'en voulait plus, après son long concubinage avec un Bambara. A son retour à Tenenkou, elle s'était mise à vivre avec sa mère et nourrissait sa fille du fruit du gossi[7] ou du koddé[8], qu'elle vendait au marché. Ainsi, Amadou Tassirou croyait s'être procuré une servante, éperdue de reconnaissance. Or après quelques mois de mariage, il avait dû se rendre à l'évidence et admettre qu'il avait fait un mauvais calcul. Sira était arrogante, sans aucune des modesties qui conviennent à son sexe, avec un air de le juger, de le railler qui le mettait hors de lui. Pour l'humilier, il avait pris une deuxième épouse, à peine pubère. Celle-ci était morte en couches. Alors, il avait compris que Dieu l'avait affligé de Sira dans un dessein particulier. Lequel?

Il l'attira contre lui. Elle se raidit et il fit avec impatience :

« Qu'est-ce qui t'arrive? »

Elle murmura :

« L'enfant a bougé dans mon ventre... »

Il fut bien forcé de la laisser aller. Sinon elle le regarderait à nouveau d'un air railleur. Un dévot qui n'oublie ni lazim[9], ni wazifat, ni zohour, ni asr, ni maghreb, ni icha[10], prendre sa femme enceinte au-delà du temps prescrit!

En réalité, Sira mentait et ne voulait que mortifier Amadou Tassirou. Chaque jour, sa pensée retournait à Ségou. Sa fille, ses deux fils et l'enfant

6. « La Perle des significations » de Cheikh Ahmed Tidjani.
7. Gossi : bouillie de mil.
8. Koddé : farine de mil plus lait caillé.
9. Prières propres à la Tidjaniya, récitées 2 fois par jour.
10. Les cinq prières de la journée d'un musulman.

dans son sein ne la consolaient pas de Malobali. A quoi ressemblait-il à présent? A un jeune palmier du désert, les cheveux tressés en cadenettes, la cornée de l'œil d'un blanc étincelant, les pommettes un peu hautes, le teint clair. Nya lui avait-elle parlé d'elle? Alors il devait la haïr. Pourtant si elle ne lui avait rien dit, cette ignorance n'était-elle pas plus douloureuse que la haine? Il allait, courait, mangeait, dormait, sans savoir qu'à des jours de distance, la pensée de sa mère ne le quittait pas. Pour l'heure, Sira ne se souciait pas seulement de Malobali. Une angoisse qu'elle ne s'expliquait pas l'avait envahie et elle revoyait sa vie avec Dousika. Quel temps elle avait mis à se séparer de lui! A chaque saison d'hivernage, elle prenait cette décision pour la remettre à la saison sèche. Ce n'étaient pas les bruits de haches et de lances entre Bambaras et Peuls qui l'avaient finalement convaincue. Ce n'était pas non plus une attirance pour l'islam auquel les Bambaras se refusaient farouchement. Non, c'était le désir de se mortifier. L'esclave ne doit pas aimer son maître sinon elle perd le respect d'elle-même. Il fallait partir. Retrouver les siens devenus curieusement étrangers. Tenenkou s'était modifiée. Ce n'était plus un informe campement de cases en paille, édifiées rapidement autour d'un clayonnage de branches souples. On comptait des maisons de terre dont certaines avaient l'élégance de celles de Djenné. Un véritable port s'était construit sur le marigot de Dia à Pinga où affluaient les commerçants venus de toutes les cités du fleuve. C'étaient des maçons de Djenné qui avaient édifié la mosquée sans minaret ou ornement architectural autour de laquelle fleurissaient une centaine d'écoles coraniques. Pourtant, Sira ne pouvait oublier Ségou, la liberté heureuse de ses rues, les chants s'échappant des concessions, le va-et-vient des femmes allant puiser l'eau au fleuve, le hennissement des chevaux conduits par des palefreniers à demi nus. Il lui semblait que l'islam donnait à la vie une coloration austère et grisâtre. Une tablette de sumane[11] sous le bras, les enfants se dirigeaient vers les prisons des écoles. Le matin, des taalibé[12] grelottants se répandaient dans les rues psalmodiant :

« Sache que la clef de la connaissance de Dieu est la connaissance de l'âme ainsi que Dieu l'a dit lui-même. Le Prophète a dit : « Celui qui connaît « son âme connaît son Seigneur. ».

Et les femmes drapées de vêtements informes semblaient ne plus se soucier de leur beauté, qui écartait les hommes du souci de Dieu.

Sira se tourna et se retourna sur la natte comme si un œil l'observait. Elle se redressa pour scruter l'obscurité. Qui se cachait dans l'ombre? A côté d'elle, Amadou Tassirou s'était endormi, et elle se rappela les nuits avec Dousika. Parfois les contours de la lucarne blanchissaient avant qu'ils ne s'endorment. Ensuite, évitant les regards pénétrants de Nya et de Niéli, elle regagnait sa case et là, elle se haïssait pour le plaisir donné et le plaisir reçu. C'est un de ces matins-là qu'elle avait décidé de s'en aller.

Sira finit par s'asseoir sur la natte. Elle en était sûre, une présence palpitait près des larges calebasses contenant les vêtements. Mais quand, en hâte, elle alluma la lampe au beurre, elle ne surprit rien, hormis la fuite de quelques rongeurs.

Dousika?

C'était lui : il avait besoin d'elle.

Des marchands revenant de Ségou lui avaient appris que sa santé déclinait, que ses cheveux

11. Bois tendre (littéralement le parfumé).
12. Petits élèves d'une école coranique confiés à un marabout.

blanchissaient comme la brousse en saison sèche, que sa taille s'alourdissait. A présent, elle le sentait, il était au plus mal et son âme l'interpellait doucement. Peut-être souhaitait-elle se glisser dans l'enfant qu'elle portait afin de demeurer auprès d'elle? Sira eut peur et mit les mains sur son ventre comme pour se protéger. A ce moment, le plafond fait d'un latis de bois recouvert de rameaux grinça et elle crut reconnaître la plainte d'une voix familière.

Dousika! Oui, c'était lui!

Les murs de la case s'écroulèrent. Les eaux recouvrant le podo refluèrent tandis que l'humidité de l'air se changeait en une chaleur sèche et brûlante. Ségou. Dans les cours du palais du Mansa, les esclaves filaient, tissaient, ou lavaient à grande eau les étoffes trempées au préalable dans la boue des mares. Un homme avait traversé cette foule. Leurs regards s'étaient rencontrés. C'étaient les meilleures années de sa vie.

Une esclave ne doit pas aimer son maître sinon elle perd le respect d'elle-même. Sira replaça dans la niche creusée dans le mur la lampe au beurre, puis l'éteignit d'un souffle avant de se recoucher. Amadou Tassirou finit par grommeler :

« Qu'est-ce qu'il y a? »

Puis, se tournant sur le côté, il l'enserra de ses bras. Après tout, il en avait le droit, il était son mari. Pour la créature dépréciée qu'elle était, il n'avait pas hésité à donner une dizaine de têtes de bétail à robe luisante et à cornes effilées. Il traitait M'Pènè, la fille qu'elle avait eue de Dousika comme sa propre enfant, car c'était un homme de Dieu. Que lui reprochait-elle?

Cependant, l'âme de Dousika s'était adossée à la lucarne obstruée d'un bout de poterie. Ne pouvant souffrir le spectacle qu'offrait Sira dans les bras d'Amadou Tassirou, elle imaginait les pires vengeances. Entrer dans le sein de Sira, habiter son enfant, le faire mourir, traquer ensuite tous ceux qu'elle porterait pour les mener un par un à la tombe. Occuper entièrement l'espace de son ventre, en boucher les interstices et la rendre stérile. Ou encore s'emparer de son corps déserté lors du sommeil et concevoir des monstres.

Sous ce regard terrible, Sira se recroquevillait sur la natte, gémissait, s'éveillait à demi pour sombrer à nouveau dans l'inconscience.

2

LES griots royaux atteignaient déjà la concession de Dousika, suivis des musiciens, des chanteurs, des danseurs quand Da Monzon, lui-même entouré d'esclaves l'éventant avec des plumes d'autruche, mettait tout juste le pied hors du palais. Comme il se montrait rarement en public, en dehors des expéditions guerrières, toute la ville était sortie pour le voir et l'acclamer. Les gamins s'étaient juchés aux branches des cailcédrats et des arbres à karité cependant que, sans vergogne, les femmes jouaient des coudes pour s'approcher au plus près. Da Monzon était vêtu fort simplement d'un pantalon bouffant blanc et d'un boubou rouge, car il avait adopté cet habit musulman. Il ne portait comme attribut de sa souveraineté que le long bâton gainé de cuir et le sabre à large palette. Mais il n'avait pas résisté au plaisir de chausser des bottes de cuir jaune brodées de rouge, venues de la côte par le biais des trafiquants.

Ceux qui ne l'avaient pas vu depuis son intronisation s'exclamaient qu'il était encore plus beau que son père, avec sur ses tempes les trois balafres royales, à son nez l'anneau de cuivre ouvert que Monzon avait porté comme lui et ses deux grandes tresses croisées sous le menton. C'était sa démarche que l'on appréciait par-dessus tout, son grand pas chaloupé qui mettait en relief la minceur de sa taille. On comprenait que tant de femmes se soient pâmées pour lui et que son harem ne compte pas moins de huit cents créatures à sa dévotion.

Cependant quand le griot Kéla franchit le seuil de la concession, un des frères de Dousika lui souffla que ce dernier n'avait pas attendu le Mansa et venait de passer. Kéla remonta le cortège en courant, signifiant aux joueurs de tam-tam, de bala et de buru de faire sourdine et se jetant dans la poussière aux pieds de Da Monzon, lui dit :

« Pardonne-lui, maître des eaux et des énergies, il s'en est déjà allé... »

Da Monzon ne rebroussa pas chemin pour autant.

A présent les lamentations des femmes couvraient les accords de musique et selon une coutume récemment introduite, on tirait des coups de feu dans la concession du défunt avec les fusils de traite qu'il avait possédés. A ce bruit, d'autres femmes sortaient en hurlant des concessions voisines et couraient vers le lieu du deuil. Certaines se roulaient dans la poussière des rues tandis que des nuées de griots surgissaient pareils à des sauterelles s'abattant sur un champ et commençaient de clamer l'arbre généalogique et les hauts faits de Dousika. Da Monzon adressa un signe discret à Kéla et celui-ci commença de chanter à son tour. C'était là une marque d'honneur suprême : être loué par le griot du Mansa en sa présence! Dans la case de Dousika régnait au contraire un silence contrastant avec le tumulte du dehors. Les femmes de Diémogo lavaient le corps avec de l'eau chaude aromatisée de basilic tandis que la dernière femme de Dousika, Flacoro, dépliait des pièces de coton blanc tissé par les meilleurs artisans et soigneusement gardées à cette intention. Nya et Niéli, quant à elles, avaient disposé sur le sol une natte de grosse paille et par-dessus une natte fine et souple en feuilles d'iphène. Une fois le corps de Dousika déposé là-dessus, toutes les femmes prendraient place autour de la bara muso sur de petits tabourets et recevraient en silence les condoléances. Nya ne savait pas si elle éprouvait du chagrin.

Elle était d'abord soulagée car le Dousika qu'on allait bientôt mettre en terre n'était pas le Dousika qu'elle avait tant chéri. C'était un homme diminué avant l'âge, ressassant interminablement les déboires de sa vie comme si chaque existence n'était pas en fin de compte un long deuil, aigri et mesquin. Le matin, quand elle entrait dans sa case, elle se demandait à quel être elle avait affaire. La mort et le rituel de purification qui l'accompagne lui rendaient un compagnon digne de son amour et de son respect.

Diémogo, frère cadet de Dousika, qui faisait fonction de fa, était installé dans le vestibule de la case de son frère. Il entendait s'approcher le cortège du Mansa, mais n'éprouvait aucun plaisir de cette réhabilitation tardive. Il savait que les honneurs des rois ne recouvrent qu'hypocrisie et se demandait quelle machination se tramait autour du corps encore chaud de Dousika. Puis, tout en remerciant les voisins, les amis, les parents qui déjà apportaient la volaille, les moutons destinés au repas rituel de viandes, il songeait avec chagrin que le dernier vœu de son frère n'avait pas été exaucé puisqu'il n'avait revu ni Siga ni Tiékoro. Ah! il faudrait abattre un bœuf, Dousika était un homme d'importance et tous les miséreux de Ségou viendraient se nourrir une dernière fois à ses frais. Il faudrait préparer des calebasses et des calebasses de dolo, des calebasses et des calebasses de to, des calebasses et des calebasses de sauce...

Da Monzon s'encadra dans l'unique porte d'entrée de la concession, traversa la cour principale au milieu des enfants interloqués et admiratifs et s'approcha du vestibule. Diémogo se jeta dans la poussière, murmurant :

« Pardonne-lui, maître des énergies, de ne pas t'avoir attendu... »

Le Mansa lui fit signe de se relever cependant que Tiétigui Banintiéni se mettait à tournoyer autour de lui en criant :

Koro, ton unique bâton d'appui s'est rompu
Il faut que tu apprennes à marcher seul
Quand tu avais besoin de soutien
Tu appelais ton frère
Quand tu auras encore besoin de soutien
Vers qui iras-tu à présent?

Da Monzon n'entra pas à l'intérieur de la case, car la toilette du mort n'était pas terminée. Il fit signe à ses esclaves de remettre à la famille les sacs de cauris qu'ils portaient et présenta ses condoléances à Diémogo et aux frères cadets. Aux alentours, Koumaré et les autres forgerons-féticheurs accroupis dans le sable interrogeaient la volonté des ancêtres. Diémogo serait-il un bon fa? Saurait-il gérer les vastes biens de la famille, protéger les nombreux enfants et les femmes, éviter les querelles entre esclaves? A Ségou, il arrivait souvent que les esclaves et leurs enfants, se liguant, fassent la loi dans les foyers. A qui reviendraient les épouses de Dousika? Les partagerait-on par ordre de primogéniture? Ou iraient-elles toutes à Diémogo, déjà époux de quatre femmes? Autant de questions et les féticheurs retenaient leur souffle en fixant les plateaux divinatoires. Koumaré surtout était attentif, car il devait suivre l'âme de Dousika dans son voyage jusqu'à la demeure des ancêtres. Toutes les forces déchaînées par ceux qui l'avaient haï de son vivant le guettaient pour l'égarer dans cette région sombre et torride où l'on ne retrouve jamais la paix afin que lui soit interdite la réincarnation dans le corps d'un enfant mâle.

Koumaré mâcha vigoureusement une noix de kola, puis projeta sa salive chargée de jus brunâtre et de débris contre les parois de la case de Dousika, puis il s'en alla égorger les bêtes qui, cuites ensemble, serviraient au repas funèbre. Pendant ce temps, un autre prêtre pétrissait la figure en terre du défunt que l'on placerait dans la petite case qui contenait déjà, avec les boli, la représentation des ancêtres de la famille. Tous ces préparatifs rappelaient à Da Monzon ceux qui avaient eu lieu un an plus tôt, lors de la mort de son propre père. Bien sûr, l'échelle des présents n'était pas la même. A la mort de Monzon, il n'avait pas fallu moins de sept pièces du palais pour abriter les cauris et l'or qui affluaient de tous les coins du royaume tandis que les chevaux, le bétail s'entassaient dans les cours. Distribués selon le vœu du défunt aux pauvres et aux voyageurs de passage ces biens avaient comblé des centaines d'individus. Pourtant, au-delà de ces différences dues au statut des disparus, c'était la même atmosphère, ce mélange de réjouissances obligées et de chagrins particuliers, d'ostentation nécessaire et de réelle hospitalité et surtout cette terreur de l'inconnu qui venait de se manifester, masquée sous les chants, les danses, les plaisanteries. Da Monzon ne pouvait s'empêcher de penser à sa propre mort, au moment où il glisserait dans la fosse et où ses fils arroseraient la terre au-dessus de lui, en murmurant les paroles rituelles :

« Vois cette eau, ne te fâche pas, pardonne-nous, donne-nous de la pluie en hivernage et une abondante moisson. Donne-nous une longue vie, une postérité nombreuse, des femmes, des richesses... »

Il frissonna, songea à retourner au palais, mais alors il s'aperçut que son griot Tiétigui était en grande conversation avec un homme de belle mine qu'il ne connaissait pas. D'après sa haute taille, ses tatouages et son vêtement, on aurait dit un homme du Kaarta et Da Monzon se dit que Tiétigui n'oubliait jamais les intérêts du royaume.

A l'intérieur de la case, le corps de Dousika enflait et se décomposait rapidement, dégageant une odeur douceâtre. Koumaré et les autres forgerons-féticheurs comprirent que c'était là l'effet des humeurs causées par les soucis et les déboires des dernières années du mort et conseillèrent aux fossoyeurs de l'enterrer au plus vite. Ceux-ci en avisèrent la famille, mais Diémogo s'y opposa, déclarant qu'il fallait donner une chance aux fils du défunt de recevoir le terrible message et de revenir à Ségou. La plupart des gens présents pensaient que ce n'était pas sage, qu'il suffirait que les fils soient de retour pour les cérémonies du quarantième jour et concluaient hâtivement que Diémogo ne serait pas un bon fa. Trop timoré, trop respectueux de la coutume. A présent que Da Monzon était retourné dans son palais, l'atmosphère était moins solennelle et, sous l'effet du dolo, on commençait d'oublier le mort pour potiner, regarder les femmes et plaisanter. On se demandait surtout ce qui se passerait entre Diémogo et Nya. On savait qu'ils se haïssaient. Quand Dousika avait commencé de décliner, Nya s'était imaginé qu'elle prendrait les rênes de la maisonnée au nom de son fils Tiémoko. Diémogo avait promptement réuni le conseil de famille qui l'avait déboutée. Si Nya refusait d'épouser Diémogo, comme la tradition lui en donnait le droit, elle devrait retourner dans sa famille. Qui défendrait alors les intérêts de ses enfants? Déjà Tiéfolo, fils aîné de Diémogo, semblait jouir d'une prééminence excessive sur tous. On rappelait que c'était au cours d'une chasse où il avait entraîné Naba, le deuxième fils de Dousika, que celui-ci avait disparu. De là à chuchoter que l'affaire était préméditée, il n'y avait qu'un pas que beaucoup de gens s'empressaient de franchir.

Diémogo dut finalement obéir aux recommandations des prêtres-féticheurs et donner aux fossoyeurs l'ordre de dresser l'abri sous lequel Dousika serait brièvement exposé. En même temps, on commença de creuser derrière sa case la fosse où il serait enterré. Les chants et les danses redoublèrent et tout le monde se mit à fixer Tiéfolo, notant qu'en vérité, il se comportait en héritier en titre, en fils premier-né. En réalité, Tiéfolo n'avait jamais pu se pardonner cette chasse fatale et toute son existence depuis ce jour n'était qu'une vaine tentative de l'oublier. Ses manières taciturnes et distantes, que l'on croyait hautaines, cachaient ses remords. Il venait de concevoir une idée, un moyen de se racheter. Il avait causé autrefois la perte d'un fils du clan? Eh bien, aujourd'hui il en retrouverait un autre! Aussi, profitant d'un moment où Diémogo se trouvait seul, il s'approcha de lui et souffla :

« Fa, permets-moi de prendre un cheval et de partir pour Djenné. Je me fais fort de ramener Tiékoro avant le quarantième jour... »

Diémogo ne sut que dire. C'était assurément une bonne idée, car les esclaves qu'il avait dépêchés ne feraient pas plus diligence qu'un enfant de la famille. Pourtant, avec tout ce qui se passait dans la région, embuscades des Peuls, captures en direction de la côte, était-ce prudent de laisser un jeune garçon s'aventurer sur les routes! Il prit la seule décision possible :

« Nous allons consulter Koumaré. »

Au même moment, une bouffée d'air lui apporta l'odeur pestilentielle que commençait de dégager Dousika et il comprit que l'inhumation ne saurait tarder davantage. Il envoya quérir Koumaré qui se tenait avec les fossoyeurs, récitant, tourné vers le Sud, les prières rituelles et l'entraîna dans un coin tranquille. Koumaré n'hésita pas. A peine eut-il trempé ses doigts dans le sable qu'il releva la tête :

« Ton fils peut partir, Diémogo. »

Diémogo insista :

« Est-ce qu'il ramènera Tiékoro? »

L'autre eut une moue qui rendit son visage plus effrayant encore et fit :

« La nasse du pêcheur ne ramène pas que du capitaine! »

Là-dessus, un esclave palefrenier amena un cheval, une superbe bête du Macina au poil noir luisant, sans autre tache qu'à l'un des pieds. La têtière de sa bride était couverte de gris-gris, d'amulettes, de petites cornes d'animaux contenant mille poudres destinées à protéger monture et cavalier. A la selle, on accrocha deux sacs contenant des provisions, des cauris et un énorme carquois plein de flèches. Tiéfolo, après s'être prosterné devant son père, prit son cheval par la bride. Aussitôt tous les enfants de la concession se précipitèrent à sa suite, en piaillant et battant des mains. Pour eux, c'était le couronnement d'une journée extraordinaire qui avait commencé avec la visite du Mansa et s'était poursuivie par cette débauche de mangeaille et de cidre de tamarinier. Les plus sages se bornèrent à le regarder sauter à califourchon sur le dos de la bête. D'autres coururent après lui à travers les rues brûlantes jusqu'au palais du Mansa. Les plus braves enfin poussèrent au-delà des murs de Ségou jusqu'aux berges du Joliba pour le voir prendre place avec sa monture dans une large pirogue. Le cheval, effrayé, hennissait, se cabrait et Tiéfolo le calmait et le flattait de la voix. Bientôt l'embarcation atteignit le milieu du fleuve dont les eaux étaient hautes, traversées de forts courants.

Quand le gros de la troupe des enfants regagna la concession, le cadavre de Dousika, enveloppé des deux nattes, reposait sous un abri devant sa case et chacun d'entre eux dut dominer sa frayeur, se couler dans l'ombre d'un adulte et implorer le pardon du mort. Ceux qui savaient parler tentèrent de répéter avec le chœur :

« Pardon! Nous t'aimions, nous te respectons, sois heureux et protège-nous... »

La voix haute des fossoyeurs, le visage des féticheurs et leur formidable appareil de gris-gris les terrifiaient et ce n'était pas là le moindre drame de ces heures exceptionnelles que soient si étroitement mêlés peur et plaisir, gaieté et douleur, liesse et chagrin.

Puis, chargeant le corps sur leurs épaules, les fossoyeurs se mirent à faire le tour de la concession au pas de course avant de revenir vers la tombe rouge et béante autour de laquelle tous les fils de Dousika s'étaient placés. Diémogo, quant à lui, tenait à la main les sandales de son frère, son canari à eau et un petit poulet blanc qui allaient être enterrés avec lui. Son visage était couvert de larmes, car il avait beaucoup aimé son frère. Mais les gens n'apprécièrent pas cette manifestation de faiblesse. C'est bon pour les femmes de sangloter, de hurler. Or, les épouses de Dousika demeurées dans la case se tenaient dignement sur de petits tabourets, drapées d'étoffes de coton. Pour elles allait commencer la longue réclusion du deuil : elles ne sortiraient qu'en cas d'absolue nécessité jusqu'au jour de la purification rituelle.

3

TIÉKORO frappa dans ses mains et ses élèves s'égaillèrent, leur tablette de sumane sous le bras. Il n'avait pas beaucoup d'élèves, une quinzaine, venant des maisons voisines de ce quartier pauvre et dont les parents étaient souvent dans l'impossibilité de le régler. Au fond de lui-même, Tiékoro répugnait à se faire payer pour dispenser les indispensables éléments d'une vie spirituelle et religieuse. Il avait une profonde horreur du « marabout-quêteur[1] », mais il ne pouvait laisser la charge de l'entretien de la famille à Nadié... Quand ses élèves ne pouvaient lui apporter les cauris qu'ils lui devaient, alors, il acceptait du mil, du riz, de la volaille...

Etait-ce pour en arriver là qu'il avait fait tant d'études? A cette cour étroite, sableuse où dans un coin était dressé un auvent sous lequel les élèves s'asseyaient? A cette maison qui ne contenait que les objets les plus élémentaires?... Tiékoro avait postulé un poste à l'université, cela lui avait été refusé. De même, il n'avait pas semblé qualifié pour être imam, cadi, muezzin. On lui avait seulement laissé la liberté d'ouvrir une école, mais il ne recevait aucun subside de la dina[2] et devait se

1. Nom donné au marabout qui ne vit que des dons des fidèles.
2. La société théocratique musulmane.

contenter de rétributions individuelles. N'était-il pas docteur en théologie et linguistique arabes? A quoi devait-il attribuer la méfiance dont on l'entourait, l'ostracisme dont il était victime? Il était bambara, voilà tout. A Djenné, Marocains, Peuls, Songhaïs méprisaient et haïssaient les Bambaras. L'opprobre du « fétichisme », de l'origine « fétichiste » les marquait comme au front d'un dévot le point noir des prosternations. Mais il semblait parfois à Tiékoro que la religion n'était pas seule en cause, que ce mépris et cette haine visaient tout autre chose. Quoi?

Il rangea son chapelet dans sa poche, se leva, défroissant son boubou incrusté par endroits de brins de paille, puis se dirigea vers sa maison. La corporation des maçons de Djenné, les bari, était célèbre de Gao à Ségou, à travers tout le Tekrour et même jusqu'au Maghreb. On disait que les bari avaient appris leur art de construire d'un certain Malam Idriss, venu du Maroc des années auparavant, et qui avait travaillé à l'édification des palais des Askia, des Mansa et des madougvu[3] des chefs des grandes familles. Avec la terre du podo, parfois mêlée de coquillages d'huîtres pilés, les bari fabriquaient des briques à la fois légères et résistantes, capables de faire face au pires intempéries. Hélas! Tiékoro n'habitait point une maison construite par un de ces maîtres. Dans le quartier de Djoboro, il occupait une maison de deux pièces, meublées de quelques couvertures, de nattes et de tabourets, précédée d'une cour encombrée de volailles, de chèvres et de divers objets nécessaires à la cuisine. Elle était serrée entre des maisons de même allure, le long d'une rue étroite et mal nivelée. Chaque fois

3. Résidence des notables, palais.

que Tiékoro s'en approchait, son cœur se serrait. Alors que ne retournait-il à Ségou?

C'est que Tiékoro avait l'âme exigeante. Il savait que s'il rentrait à Ségou, il serait, bien malgré lui, auréolé du prestige de ses voyages au loin, de sa connaissance des langues étrangères et même de sa conversion à l'islam, religion magique, et qu'il pourrait ainsi, à peu de frais, se poser en notable. Or, il ne pouvait se masquer l'échec de sa vie et n'entendait pas plus faire illusion aux autres qu'à lui-même. D'une certaine manière, il se complaisait dans sa misère et dans sa solitude. Il franchit le seuil de sa demeure. Aussitôt Ahmed Dousika et Ali Sunkalo accoururent vers leur père en trébuchant sur leurs petites jambes encore mal assurées. Nadié interrompit vivement ses tâches pour se porter au-devant de son maître.

Sans Nadié, que serait devenu Tiékoro?

A peine arrivée en ville, elle avait appris à fabriquer des dyimita, ces galettes de farine de riz mélangée de miel et de piment dont les habitants de Djenné, les commerçants de Tombouctou et de Gao étaient friands, ainsi que des kolo, petits pains de farine de haricot cuits au beurre, et mille autres friandises. Elle s'était mise à les vendre au marché et en peu de temps était devenue réputée. Plus Tiékoro devenait amer, angoissé et fébrile, plus Nadié devenait sereine. Ses dents très blanches et légèrement proéminentes donnaient à son visage une expression souriante que démentait la gravité de ses yeux, profondément enfoncés dans leurs orbites. Elle qui n'était point coquette avait adopté la coutume des femmes peules de se garnir abondamment les cheveux de perles d'ambre et de cauris. Elle était belle Nadié, d'une beauté qui envahissait par surprise, comme le parfum de certaines fleurs que l'on croit d'abord insignifiant, puis que l'on ne peut plus oublier.

Elle posa sur la natte devant Tiékoro une calebasse de riz et une autre plus petite contenant une sauce de poisson. Il fit la moue :

« N'as-tu rien d'autre à m'offrir? Tout ce que je voudrais, c'est un peu de dèguè... »

Elle dit fermement :

« Tu dois te nourrir, koké... Rappelle-toi comme tu as été malade l'hivernage dernier... Tu es encore faible... »

Tiékoro haussa les épaules, mais obéit. Par respect, elle allait se retirer comme il mangeait, mais il la pria :

« Reste avec moi... Qu'est-ce que tu as entendu ce matin au marché? »

Elle prit dans ses bras Ali Sunkalo qui prétendait mettre la main dans la nourriture de son père et répondit gravement :

« On dit que la guerre va bientôt faire rage entre Ségou et les Peuls du Macina. Amadou Hammadi Boubou a obtenu la protection d'un autre musulman du nom d'Ousmane dan Fodio qui lui a ordonné de jeter bas tous les fétiches... »

Tiékoro feignit l'insouciance :

« Eh bien, nous ne résidons ni à Ségou ni dans le Macina. Qu'est-ce que cela peut bien nous faire?... »

Elle reprit après un bref silence :

« Amadou Hammadi Boubou veut aussi réduire Djenné. Il dit que l'islam y est corrompu et que les mosquées ne sont que des lieux de débauche... »

Tiékoro soupira :

« Même si je redoute ce fanatique, je dois dire que sur ce point, il a raison. »

Il repoussa les calebasses et se lava les mains dans un récipient d'eau claire :

« C'est étrange que le nom de Dieu divise les hommes! Dieu qui est amour et puissance! La création des êtres procède de son amour et non d'une quelconque puissance... »

Là Tiékoro s'interrompit car, il s'en apercevait, il se laissait aller à prêcher doctement comme il l'aurait fait sous les arcades d'une université. Il se leva tandis que sans mot dire Nadié remportait les restes du repas. S'il était un point qui chagrinait Tiékoro, c'était l'attitude de sa compagne vis-à-vis de l'islam. Avec un silencieux entêtement, elle s'y refusait. Il ne parvenait pas à l'empêcher d'entourer leurs enfants des protections qu'il avait connues à Ségou. Leurs corps étaient couverts de gris-gris. Quand il rentrait chez lui à l'improviste, il surprenait un vieux féticheur bambara tout édenté que, furieux de sa faiblesse, il n'osait pas chasser. Plusieurs fois, il avait détruit des boli qu'elle cachait dans un coin de la cour. Mais comme à chaque fois avec la même obstination, elle les remplaçait, de guerre lasse, il ne protestait plus.

Après toutes ces années de vie commune, Tiékoro n'avait pas résolu le statut de Nadié. Elle demeurait sa concubine. De même, il n'avait fait aucun effort pour tenter de découvrir à quelle famille du Bélédougou elle appartenait et ce qui en était advenu. Il en éprouvait du remords, puis se disait pour s'en absoudre qu'elle semblait heureuse. Heureuse de le servir. Heureuse de lui donner des enfants. Elle avait trouvé sa place à Djenné dans un cercle de femmes bambaras pratiquement imperméables aux mœurs de la société environnante, actives, industrieuses.

Tiékoro entra dans la seconde pièce, étroite et sombre, car elle n'avait aucune ouverture, où dormait sa petite fille Awa Nya, enveloppée d'un tas de chiffons. Tiékoro prit le bébé dans ses bras. Ah!

Nadié avait encore ajouté un gri-gri à ceux qu'elle portait déjà autour du cou et des poignets! Tiékoro fut tenté d'arracher ces objets méprisables. Le Prophète n'a-t-il pas dit : « Celui qui porte une amulette sur son corps est impie. »?

Puis il se retint; si ces gris-gris pouvaient protéger Awa Nya, il ne devait pas intervenir. Il adorait sa petite fille. Si, en ses fils, il croyait deviner de futurs juges, en sa fille, il pensait ne trouver qu'amour, indulgence, protection. Comme en Nadié. Il posa l'enfant contre lui sur sa natte, et, soudain, il entendit le tambourinement de la pluie sur le toit, car l'hivernage n'en finissait pas. Il glissa doucement dans le sommeil. Aux premières gouttes d'eau, Nadié rentra les enfants qui, quant à eux, auraient préféré courir nus sous la pluie, puis empila sous le rudimentaire auvent de la cuisine le linge, les calebasses et la provision de bouse de vache. Connaissant bien Tiékoro, elle lui avait caché la gravité des bruits qui circulaient en ville. Tous les Bambaras s'apprêtaient à refluer vers Ségou ou vers les villages d'origine de leur famille. Ce n'était pas la première fois que les Bambaras étaient obligés de quitter Djenné. L'Askia Daoud, des siècles auparavant, avait donné consigne de les chasser hors des murs. Mais en dépit des ordres officiels, d'importantes colonies avaient prospéré, en particulier dans le podo méridional, dans le Femay[4] et le Derari. A présent, tout prenait un tour plus inquiétant. Des gens d'Amadou Hammadi Boubou parcouraient la ville. Ils tenaient prêche aux coins des rues : « Si tu me dis que tu te connais, je te répondrai que tu connais la matière de ton corps

4. Femay et Derari, deux régions entourant la ville de Djenné situées entre le Joliba et le Bani.

qui est fait de tes mains, de ta tête et du reste; mais tu ne connais rien de ton âme. »

Ils parlaient de précipiter les impies et les mauvais musulmans dans le feu éternel, une fois que leur chef aurait investi la ville. En outre, d'après ce qu'elle avait entendu, les musulmans se déchiraient entre eux, selon la confrérie à laquelle ils appartenaient. Quel était ce dieu de division et de désordre? Nadié ne cessait de se le demander. Tiékoro se croyait protégé par sa conversion à l'islam. Or Nadié était persuadée qu'il n'en était rien et que fétichiste ou pas, un Bambara restait un Bambara aux yeux de ceux qui en avaient à la puissance et à la grandeur de Ségou. Alors quitter la ville? Mais Nadié avait peur de cette famille inconnue qui reprendrait Tiékoro dans ses rets, qui lui rappellerait qu'elle n'était qu'une concubine au passé peu glorieux et qui exigerait que Tiékoro prenne une épouse de son rang. Elle serra ses fils contre elle.

Tiékoro était un noble, un yèrèwolo, dont l'arbre généalogique se perdait dans la nuit des temps. Une fois de retour chez lui, il retrouverait avec la concession de son père rang, prestige, grandeur. Et elle, que deviendrait-elle sous le regard de la famille et bientôt des épouses légitimes? Pareille à la bouse de vache ou à la fiente de chameau, bonne à faire le feu, mais puante et méprisée. Jamais. Jamais. Plutôt mourir.

Cependant Tiéfolo était aux portes de Djenné.

Les gens regardant ce jeune homme, monté sur un cheval superbe, reconnaissaient un Bambara à ses balafres, à sa coiffure en petites tresses, à ses bras hérissés de gris-gris et, selon les cas, le haïssaient ou le méprisaient.

Insensible à ces regards, Tiéfolo entra dans la

ville. Il fut déçu. Etait-ce cela, Djenné? Moins populeuse, moins commerçante que Ségou? Il arriva au galop sur une vaste place au centre de laquelle s'élevait un énorme bâtiment. Etait-ce une mosquée? Tiéfolo n'en avait jamais vu de pareilles dimensions. Guidant son cheval, il en fit le tour.

Placé sur une sorte d'esplanade, le bâtiment, fait en riche terre du podo, prenait dans l'air chargé de pluie une teinte brune, à reflets bleuâtres. Sa façade principale se composait d'une succession de tours, terminées par des pyramides tronquées en dessous desquelles étaient dessinés des festons triangulaires, tandis que les façades latérales étaient faites de rectangles en relief et en creux, donnant l'impression des arbres d'une forêt.

Un groupe d'hommes se mit à gravir les degrés menant à l'esplanade, puis entassa soigneusement ses sandales dans un angle. Le geste intrigua Tiéfolo. Il décida d'en avoir le cœur net et fouetta son cheval qui, docile, bondit et atterrit à son tour sur l'esplanade. Les hommes se dirigeaient vers une porte, assez haute pour permettre le passage d'un cavalier. Tiéfolo les suivit et se trouva dans une cour intérieure que limitaient des piliers aux fûts élancés. C'est alors que les hommes qu'il avait surpris, se retournant, commencèrent à vociférer contre lui. Un grand vieillard en robe flottante surgit de derrière un pilier, hurlant à son tour. En garçon poli qu'il était, Tiéfolo allait descendre de sa monture et tenter de le calmer. Mais d'autres hommes en robes blanches accoururent, sortant cette fois de l'intérieur du bâtiment. En moins de temps qu'il ne faut pour le dire, Tiéfolo fut jeté à bas de sa bête, injurié, roué de coups. Tout d'abord, comme il s'agissait d'hommes plus âgés que lui, Tiéfolo ne chercha pas à se défendre. Puis, les coups redoublant, il commença de perdre patience. Bientôt, des énergumènes surgirent, armés cette fois de bâtons, tandis que des enragés lui crachaient au visage. Alors Tiéfolo se défendit. Ce n'était pas pour rien qu'il était un jeune chasseur au corps vigoureux et bien entraîné. Il se servit de ses pieds, de ses poings, de ses dents et ne tarda pas à mettre ses assaillants en déroute. Il y eut un moment de flottement dans leurs rangs. Brusquement deux d'entre eux qui s'étaient éclipsés revinrent, tenant chacun un bloc de pierre à la main. Tiéfolo eut un hurlement de protestation. Voulaient-ils donc le tuer? Trop tard, l'un des projectiles l'avait déjà frappé au front.

Quand Tiéfolo reprit connaissance, il se trouva dans une pièce étroite, basse de plafond, misérablement éclairée par une lucarne. Il était étendu sur un tas de paille qui puait tant que, malgré son état de demi-inconscience, l'odeur l'incommoda et qu'il tenta de se déplacer. Alors mille aiguilles faites de cornes de bœufs lui vrillèrent le crâne tandis que le sang ruisselait sur son visage. Il s'évanouit à nouveau.

Quand il émergea de l'inconscience, à la couleur du ciel qu'il apercevait par la lucarne, il comprit que pas mal de temps s'était écoulé depuis son dernier évanouissement. Le minuscule rectangle était couleur indigo. Moqueuse, une étoile riait en son centre. Tiéfolo tenta de se tâter le crâne pour prendre les dimensions de sa blessure. Mais il s'aperçut qu'il ne pouvait pas bouger les bras. Ceux-ci étaient liés derrière son dos par une solide cordelette de da. De même ses chevilles étaient entravées. Tiéfolo pleura comme un enfant. En même temps, malgré sa faiblesse et la douleur qui l'envahissait de toutes parts, il ne perdait pas espoir. Il savait que toutes ces épreuves étaient passagères. Koumaré avait été formel : il accomplirait en fin de compte sa mission. Peut-être s'endormit-il? Peut-être s'évanouit-il à nouveau?

Le rectangle d'indigo bleuit encore, vira au noir, puis commença de s'éclaircir, passant par toutes les teintes du gris pour se fixer à un bleu clair pointillé de blanc. De sa vie, Tiéfolo n'avait jamais été enfermé, privé de la liberté de ses mouvements. Au contraire, il avait toujours été le maître de la brousse et de ses grands espaces. Pourtant, il ne céda pas au découragement.

Soudain, la porte tourna sur ses gonds de bois et un homme parut, portant une calebasse de dègue et une petite courge évidée. Il s'agenouilla auprès de Tiéfolo et l'examina avec une surprenante expression d'admiration :

« D'où es-tu? Quel est ton pays? »

Tiéfolo parvint à répondre :

« Je suis bambara, je viens de Ségou. »

L'homme rit :

« Je l'avais deviné. Quel gaillard tu fais! Sais-tu que tu as à moitié étranglé l'imam et fait voler en éclats deux dents du muezzin? Moi, je suis un Bozo. Voilà pourquoi je comprends ta langue... »

Il dénoua les liens de Tiéfolo, l'aida à s'asseoir et introduisit un peu de dègue entre ses lèvres. En même temps, il marmonnait :

« Ils vont te traduire devant le cadi. Je te donne un conseil : si tu ne veux pas finir sous le couteau pointu du bourreau, accepte de te convertir à l'islam... »

Tiéfolo repoussa vivement la main de l'homme et cracha :

« Jamais! »

L'homme eut un geste apaisant :

« Accepte. Ils te raseront la tête et t'appelleront Ahmed. Qu'est-ce que cela peut te faire? »

Tiéfolo se rejeta en arrière :

« Pourquoi se sont-ils tous jetés sur moi? Qu'est-ce que j'ai fait?

– Tu es entré à cheval dans leur mosquée et il paraît que ta bête s'est oubliée, parsemant le sable de crottin et d'urine... »

Il rit. Tiéfolo en aurait peut-être fait autant, s'il n'avait pas souffert le martyre. Comme il avalait avec peine une autre gorgée de dèguè, trois hommes armés de fusils de traite entrèrent dans la pièce. Ils commencèrent par le rouer de coups de pied, lui arrachant malgré lui des hurlements, puis le forcèrent à se mettre debout. Ils portaient de courtes casaques noires, de larges ceintures de cuir étroitement serrées à la taille et des pantalons bouffants, s'arrêtant à mi-mollets. Leurs visages étaient féroces. Tiéfolo les suivit en claudiquant. A chaque pas, il croyait s'évanouir à nouveau tandis que le sang ruisselait de sa tête. Ils passèrent par un labyrinthe de corridors, atteignirent une cour, puis entrèrent dans une salle rectangulaire dont le plafond était soutenu par des piliers de rôniers. Sur des nattes, sept hommes étaient assis, vêtus de blanc et la tête enturbannée. La même haine et la même détermination farouche se lisaient dans leurs yeux. Assis en tailleur dans un angle, un jeune garçon, enturbanné lui aussi, traçait des signes sur un grand rouleau à demi déplié.

Tiéfolo comprit qu'il se trouvait devant un tribunal. Ainsi, le Bozo avait raison. Le bâtiment était une mosquée et ces fanatiques allaient le punir d'y être entré.

« *As salam aleykum. Bissimillahi.* »

Tiéfolo devina qu'il s'agissait de salutations musulmanes et, pour bien montrer qu'il ne reniait rien de son identité, salua à son tour en bambara. Les hommes se concertèrent, puis firent signe à un soldat qui se détacha du groupe et eut désormais fonction d'interprète.

« Décline ton identité. »

Tiéfolo s'exécuta.

« Que viens-tu faire à Djenné?

– Je suis venu apprendre à mon frère que notre père s'en est allé et que la famille attend son retour pour les cérémonies du quarantième jour.

– Comment s'appelle ton frère?

– Tiékoro Traoré. Mais il paraît qu'à présent, vous l'appelez Oumar. »

Il y avait beaucoup d'insolence dans cette réponse et les juges manifestèrent entre eux leur mécontentement. L'interrogatoire reprit :

« C'est Da Monzon qui t'a envoyé nous provoquer dans nos lieux de culte. Avoue-le et tu sauveras ta tête... »

Tiéfolo retint un rire :

« Lieux de culte? Je ne savais même pas qu'il s'agissait d'une mosquée. A Ségou, elles ne sont pas si grandes et pour cause...

– Pourquoi es-tu entré à cheval? Et pourquoi as-tu laissé ta monture souiller son sol?

– A la première question, je répondrai que je ne savais pas que c'était interdit. Si on me l'avait appris, je me serais excusé et j'en aurais fait réparation. A la deuxième, est-ce que je suis maître des entrailles de ma monture? »

Pendant un instant, les juges s'entretinrent à nouveau entre eux. Tiéfolo se demandait s'il ne rêvait pas. Oui, son corps était quelque part étendu sur une natte tandis que son esprit rôdait, affrontait les pires expériences! Ces hommes âgés en robes blanches, un chapelet à la main. Ces soldats. Ces accusations absurdes. A Ségou, le seul lieu où il était interdit d'entrer à cheval était le palais du

Mansa et encore, exception était faite pour certains dignitaires.

« Sais-tu que tu mérites la mort? »

Tiéfolo eut un haussement d'épaules et fit calmement :

« La mort n'est-elle pas la porte par laquelle nous passerons tous? »

Il y eut à nouveau un silence. Puis un des juges se leva. C'était un vieillard que le grand âge courbait vers la terre, mais dont les yeux demeuraient pleins d'éclat.

« Je connais un certain Oumar Traoré qui un temps a vécu sous mon toit. Nous allons le faire chercher. Fasse Allah que tu n'aies pas menti! »

Les soldats ramenèrent Tiéfolo à la prison. A présent, le soleil brillait de tout son éclat. Tiéfolo, traversant les cours, aperçut au-delà des hauts murs de banco les bouquets des palmiers rôniers. La prison occupait la partie ouest d'une concession dont les bâtiments étaient disposés en quadrilatère autour d'une cour contenant des poteries et de l'eau pour les ablutions rituelles. Dans un angle, des hommes assis assemblaient des bandes de coton en ménageant à une extrémité une sorte de capuchon. Ce spectacle intrigua si fort Tiéfolo qu'il interrogea :

« Qu'est-ce qu'ils font? »

Un des soldats rit :

« Ce sont les fabricants de linceuls. Si tu ne sors pas vivant d'ici, tu t'en iras dans un de ces habits-là... »

Tiéfolo frissonna.

Signe encourageant? Les soldats ne le ramenèrent pas à l'infecte cellule où il avait passé la nuit, mais dans une pièce plus propre, plus aérée, au sol recouvert d'une natte en bon état. Au bout d'un moment, le Bozo réapparut :

« Laisse-moi te mettre un emplâtre de feuilles de

tamarin. Tout à l'heure, je te porterai une infusion de sukola. Ça fera tomber ta fièvre... »

Tiéfolo se laissait soigner, comprenant que ce Bozo était l'incarnation d'un esprit placé à ses côtés par Koumaré. Rassuré, il n'eut plus de doute sur l'heureuse issue de son aventure. Il retrouverait Tiékoro et accomplirait sa mission. Pendant ce temps, le Bozo bavardait, certaines de ses phrases rendues indéchiffrables par une intonation djenéenne :

« Tu n'aurais pas pu tomber plus mal. Ici, c'est un vrai nœud de pythons. Peul fétichiste contre Peul musulman. Quadriya[5], contre Tidjaniya[6], contre Kounti. Songhaï[7] contre Peul. Marocains contre Peul et tout ce monde contre les Bambaras... Bientôt, cette terre se rougira de sang. De beau sang frais et vermeil comme le tien. Mais moi, je serai déjà parti. Je goûterai à l'hydromel des ancêtres. »

Tiéfolo s'endormit.

Au bout de quelques jours, un matin, alors qu'il terminait tout juste sa calebasse de dègué, les soldats vinrent le quérir. A leur suite, il traversa à nouveau le dédale des cours jusqu'à la salle du tribunal. Cette fois-là, outre les juges, le scribe, les gardes, se tenait dans la pièce un homme jeune avec cette haute taille et cette expression altière propres aux gens de Ségou, habillé de longs vêtements flottants et portant sur son crâne rasé de près une petit calotte brune. Emu, Tiéfolo reconnut Tiékoro qu'il n'avait jamais vu pareillement accoutré. Les deux frères[8] se jetèrent dans les bras l'un de l'autre et les larmes qui s'amassaient silencieusement comme les eaux du podo derrière les barrages de terre et de roseaux coulèrent sur les joues amai-

5, 6 et 7. Confréries de l'islam en Afrique.

8. Les enfants de plusieurs frères, en Afrique, ne sont pas considérés comme des cousins mais comme des frères.

gries de Tiéfolo. Voilà, il était venu dans cette ville inconnue et on l'avait traité comme un criminel ! De quelle matière étaient faits ces hommes ? Et pourquoi leur dieu ne leur apprenait-il qu'à haïr ? Qu'à guerroyer ?

Tiékoro dut payer une lourde amende de 2 000 cauris et de 300 sawal[9] de grains, plus une demi-barre de sel de Teghaza.

Qu'est-ce qu'une ville ? Ce n'est pas un ensemble de maisons de paille ou de terre, de marchés sur lesquels on vend du riz, du mil, des calebasses, du poisson ou des objets manufacturés, de mosquées où l'on se prosterne, de temples où l'on répand le sang des victimes. C'est un assemblage de souvenirs intimes, différents pour chaque être, ce qui fait qu'aucune ville ne ressemble à une autre et n'a d'identité véritable.

Pour Tiékoro, Djenné était un lieu où il avait été profondément humilié, isolé. Après Tombouctou, c'était un paradis qu'il n'avait jamais atteint, une pépite d'or qui, dans sa main, s'était changée en caillou. Et pourtant au moment de la quitter, il regrettait l'extrême liberté qu'il y avait connue, l'anonymat dans lequel il avait vécu et qu'il perdrait, une fois franchies les murailles de Ségou, quand tous ses ancêtres reprendraient leur empire. Pour Nadié, c'était un lieu où elle avait été heureuse, possédant sans rivale l'homme qu'elle aimait et l'aidant à vivre. C'était le coin de terre dans lequel ses enfants étaient nés, où, dans le dénuement matériel le plus total, son cœur avait été comblé. Elle savait qu'à présent ne l'attendaient plus qu'humiliation et partage. Pour Tiéfolo enfin, c'était le

9. Mesure de capacité.

lieu d'une cruelle plongée dans l'intransigeance et la dureté des hommes. Aussi, tous trois voyaient de manière différente l'alignement des façades, creusées de niches pour les lampes au beurre de karité et agrémentées sur les portes d'énormes clous de fer, importés de Tombouctou. Dans les échoppes avoisinant la mosquée, des artisans de cuir fignolaient des sandales faites de deux liens passant autour d'une semelle, des bottes, des fourreaux de sabre ou des selles à dossier profond, bonnes pour le chameau. Malgré la pluie, cette activité ne désarmait pas, hommes et femmes pataugeant dans les flaques d'eau tandis que les enfants pétrissaient des boules de sable mouillé qu'ils se lançaient avec des rires. Oui, pour chacun d'entre eux, ce spectacle avait une résonance particulière. Une semaine auparavant, Nadié plantait son étal au coin de cette place parmi d'autres femmes et interpellait Touaregs enturbannés, marchands marocains ventrus sous leurs lourds caftans, Songhaïs de Tombouctou et de Gao parlant la langue avec un accent plus guttural que ceux de Djenné. Elle avait sa clientèle, et les jours de marché, quand la place se couvrait de femmes accourues de toute la région, avec leurs ballots de coton, de poisson séché, leurs poteries rouge sombre et leurs bassines de jus de fruits, elle ne savait plus où engranger ses cauris. Tiékoro, quant à lui, gravissait les degrés menant à la mosquée pour la grande prière du vendredi, la seule de la semaine qui doive être effectuée en commun. Le front dans la poussière, il se répétait : « Dieu récompense ceux qui marchent dans la voie droite » et s'efforçait de taire les aigreurs de son cœur. En même temps, parmi ces hommes prononçant les mêmes mots, portant les mêmes vêtements que lui, il se sentait bien.

Cependant, une foule immense se pressait aux

portes de la ville. Le grand exode des Bambaras avait commencé à dos d'âne, de mulet, de cheval, de chameau, à pied. Les femmes portaient d'énormes charges sur la tête, les enfants trottinaient derrière elles, abrités de la pluie par de petits capuchons de jute. Les hommes protégeaient les bêtes. Tous les Bambaras refluaient vers Ségou, vers le Kaarta, le Bélédougou, le Dodougou, le Fanbougouri... Plus que les Markas, les Bozos, les Somonos, ils avaient à redouter les Peuls. Ils savaient que si ces derniers faisaient taire leurs dissensions, ce serait pour se liguer contre les sujets d'un empire qui les avait trop longtemps vassalisés. Ils le savaient aussi, si les Songhaïs et les Marocains de Djenné, après avoir manifesté tant d'hostilité à Amadou Hammadi Boubou, faisaient la paix avec lui, ce serait sur leur dos. Alors, il fallait reprendre le chemin des villes et des villages d'origine, emporter ce qu'on pouvait, abandonnant les souvenirs, plus précieux peut-être que les richesses.

Tiékoro n'avait jamais mesuré la gravité de la situation. Absorbé par ses soucis personnels, il n'avait pas senti croître la terreur de son peuple. Dans la foule, les bruits les plus effrayants circulaient. Les Peuls d'Amadou Hammadi Boubou avaient placé un barrage à la sortie de Djenné sur la route de Gomitogo. Armés de haches, ces hommes disaient à tous les passants :

« Es-tu contre la foi islamique? Ou, chose encore plus grave, es-tu un hypocrite? »

Si la réponse ne leur convenait pas, vlan! ils tranchaient la gorge de leur interlocuteur et les têtes, encore sanguinolentes, formaient un alignement macabre le long de la route. Par ailleurs, des tondyons avaient été écrasés. Des fuyards déguenillés et faméliques avaient été entassés dans des villages et sommés de se convertir. Da Monzon qui avait défait après son père Basi De Samaniana, Fombana, Toto, Douga de Koré, n'était plus qu'un enfant chétif devant Amadou Hammadi Boubou. A l'embarcadère sur le Bani, on prenait les pirogues d'assaut. Brusquement le ciel déversa un pissat grisâtre, et l'eau du ciel se confondit avec celle du fleuve. Les gens couraient de tous côtés, se jetaient dans le Bani, nageaient, coulaient à pic. Les femmes gémissaient :

« C'est vrai! Allah a défait nos dieux... Ceux-ci sont en déroute... »

Pour la première fois, Tiékoro eut l'impression d'avoir trahi les siens. Ne s'était-il pas épris d'une religion au nom de laquelle on les traquait et on les massacrait? C'était comme un homme qui aurait pris femme dans une famille ennemie de la sienne. Il tendit la main à un vieil homme pour l'aider à prendre place dans la pirogue qu'il avait louée. Le vieil homme marmonnait :

« Jamais, jamais, ils ne me verront le front dans la poussière comme un âne! Que les « pieds grêles[10] » se le disent! »

Sans trop s'expliquer pourquoi, Tiékoro lui dit doucement :

« Fa, moi aussi, je suis musulman... »

Avec un grand cri, l'autre enjamba le bord de l'embarcation et se rejeta dans le fleuve. Pendant ce temps, Tiéfolo avait atteint la rive avec son beau cheval qu'heureusement le cadi n'avait pas gardé en réparation de ses outrages. Il sauta par terre et l'offrit à un homme aux cheveux blancs :

« Prends-le, fa. Tu en as plus besoin que moi... »

L'autre eut un geste de dénégation :

10. Surnom donné aux Peuls par les Bambaras.

« Non, c'est à toi de ménager tes forces. S'ils nous attaquent, nous en aurons besoin. »

Néanmoins, il consentit à se délester d'une partie de ses bagages et une conversation s'engagea où ils maudissaient tous deux les « noircisseurs de planchettes[11] », leurs roseaux taillés et leurs peaux de mouton, Tiéfolo n'osant pas révéler que son propre frère était converti.

Une fois franchi le Bani et disparus les murs de Djenné, un sentiment de soulagement parcourut la foule et ce grand rassemblement prit des allures de fête. On traversait un paysage plat comme la main où s'élevaient çà et là des acacias et des épineux. Comme c'était la saison des pluies, la brousse était verdoyante. On s'assit sur le talus et l'on se mit à déballer des provisions, les femmes allumant des feux et calant leurs mortiers dans la terre pour piler le mil. Les garçons partirent à la recherche des graines de fini ou des baies du bayri qui rougit les lèvres. Des hommes faisaient circuler des calebasses de dolo et des féticheurs charlatans toujours prêts à profiter d'une occasion vendaient de petits gris-gris destinés à protéger des Peuls. Tiékoro réprimanda durement Nadié qui en achetait trois. Mais Tiéfolo prit sa défense.

Etant donné la réserve qui caractérise les rapports d'un aîné et d'un cadet, Tiéfolo n'avait pas interrogé Tiékoro à propos de Nadié. Il s'était borné à la traiter avec la plus grande courtoisie. N'était-elle pas la mère de trois enfants du clan ? Mais Tiékoro connaissait assez les mœurs des siens pour savoir ce que cette courtoisie cachait. Quelle serait l'attitude de Nya, de Diémogo, maintenant remplaçant de son père à la tête du clan ? Quelle serait l'attitude de coépouses de Nya, toutes filles de

11. Allusion à la planchette qu'utilise l'enfant à l'école coranique.

grande famille? Tiékoro regardait Nadié s'affairant autour des enfants. Il remarquait les cernes autour de ses yeux, la nervosité de ses gestes. Elle souffrait, elle avait peur. Si elle vacillait, que deviendrait-il? Il aurait aimé la prendre dans ses bras, là, au beau milieu de la foule, comme il l'avait fait autrefois en descendant le Joliba, et lui murmurer :

« N'aie pas peur. Je ne t'abandonnerai jamais. Jamais. Jamais non plus je ne permettrai que tu sois ravalée au rang de ta servante. Tu es ce que j'ai de plus cher au monde maintenant que sont dissipés les ambitions et les rêves. »

Pourtant, peut-on dire ces choses-là à une femme?

Brusquement, une poignée d'individus apparut, montés sur de misérables bidets, à demi nus et les parties génitales presque à l'air. Qui étaient-ils? D'un bond, la foule se leva, près de céder de nouveau à la panique. Des hommes qui possédaient des fusils de traite se précipitèrent et mirent en joue les arrivants.

En réalité, ces derniers étaient des tondyons de Diémogo Seri, battus à Noukouma, qui, honteux de regagner Ségou, vivaient de brigandage. La vue de ces redoutables tondyons pareillement réduits acheva de démoraliser la foule. Elle pressa les nouveaux venus de questions. Etait-ce vrai que les « singes rouges[12] » accordaient la vie sauve si on répétait après eux :

« *Allah Akbar!* »

Dans ces moments de grand désarroi populaire, il suffit d'un homme et de sa parole pour retourner les esprits. Soumaoro Bagayoko était un grand féticheur qui s'était installé dans le Femay un peu au nord de Djenné et y avait fait fortune. Il rentrait

12. Surnom donné aux Peuls par les Bambaras.

à Ségou avec une caravane de biens, quatre femmes et une trentaine d'enfants. Il grimpa sur un talus et étendit la main pour imposer le silence :

« Ces singes rouges qui vous terrifient tant seront bientôt défaits jusqu'au dernier par d'autres musulmans, venus ceux-là, du Fouta Toro. Il ne restera rien de la capitale qu'ils vont bâtir sur la rive droite du Bani et à qui dans leur arrogance ils vont donner le nom de leur Dieu[13]. Ils redeviendront éleveurs comme devant. Tandis que, croyez-moi, Ségou est éternelle. Son nom traversera les siècles. Après vous, les enfants de vos enfants le répéteront. »

Ces paroles rassérénèrent les esprits. Les femmes nourrirent les hommes et les enfants, puis on reprit la route. Une fois dans le Seladougou[14], on ne craindrait plus rien. C'était une région de peuplement bambara contrôlée par Ségou. Il suffisait d'y arriver avant la nuit. Car la nuit, ce ne sont pas les humains qu'il faut redouter. Ce sont les esprits que déchaîne la méchanceté des hommes et qui font pleuvoir maladies, misère, folie...

13. Il s'agit de Hamdallay, qui signifie : « Louange à dieu. »
14. Région proche de Djenné sur la route de Ségou.

4

Malobali regarda son frère aîné et s'étonna presque de le haïr si fort. A cause de Tiékoro, tout ce qui constituait la charpente de sa vie s'effondrait. Nya. Nya semblait l'oublier, absorbée qu'elle était par ces trois marmots Ahmed Dousika, Ali Sunkalo et Awa Nya. Elle les berçait, leur chantait des airs qu'il s'était cru réservés, les baignait, les nourrissait. Une nuit, quand, à son habitude, il s'était échappé de la case des garçons pour venir auprès d'elle, il l'avait trouvée serrant Ali Sunkalo dans ses bras et elle l'avait renvoyé, en lui reprochant durement de faire l'enfant.

Quant au reste de la famille! Le soir, à la veillée, plus de contes mettant en scène Souroukou, Badéni ou Diarra. Non! Tiékoro, sous le feu de dizaines de paires d'yeux admiratifs, racontait sa vie au loin. On l'interrogeait inlassablement :

« Est-ce que Ségou est plus belle que Tombouctou?

– Est-ce que Ségou est plus belle que Djenné?

– Est-ce que les Maures sont des hommes blancs?

– Est-ce que les Marocains sont des Maures?

– Est-ce que les gens de Djenné mangent des chiens? »

Et Tiékoro pérorait avec suffisance tandis qu'une

salive amère emplissait la bouche de Malobali, s'amassant aux commissures de ses lèvres. Ah! le faire taire! lui faire rentrer les mots au plus profond de la gorge!

Pis encore cette ostentation avec laquelle il égrenait son chapelet, assis sur une natte devant sa case avant de se jeter, cinq fois par jour, dans la poussière. Une fois par semaine, il se rendait à la mosquée des Somonvs, entraînant avec lui ses deux fils et des dizaines de garçonnets. Est-ce qu'il oubliait que des musulmans faisaient la guerre aux siens? Pour Malobali, Tiékoro n'était qu'un traître. Il aurait souhaité que les hommes de la famille lui disent son fait. Au lieu de cela, au contraire, tout le monde béait :

« Tu as vu Tiékoro lire dans ses livres?

– Tu as vu Tiékoro écrire? »

Même les vieillards sortaient des concessions voisines pour écouter son prêchi-prêcha :

« La parole est un fruit dont l'écorce s'appelle bavardage, la chair, éloquence et le noyau, bon sens. Dès l'instant où un être est doué du verbe, quel que soit son degré d'évolution, il compte dans la classe des grands privilégiés. »

Le pire, c'est que cet engouement avait atteint le Mansa lui-même. Peu après son arrivée, il avait fait convoquer Tiékoro. Les dieux et les ancêtres seuls savaient ce que cet intrigant lui avait conté. En tout cas, le Mansa lui avait confié l'éducation de deux de ses fils afin que eux aussi connaissent les secrets de l'islam et en avait fait son conseiller aux affaires musulmanes. Tiékoro siégeait donc au Conseil et donnait son avis sur les relations à entretenir ou à nouer avec les Peuls du Fouta Djallon, du Katsina, du Macina. On parlait de l'envoyer en délégation auprès de Ousmane dan Fodio à Sokoto afin de neutraliser les alliances qu'il avait passées avec Amadou Hammadi Boubou. Bref, Tiékoro était devenu un notable. Il avait rendu à la famille son prestige à la cour au point qu'il éclipsait le fa Diémogo qui avait deux fois son âge, mais n'hésitait pas à le consulter sur tout.

Depuis quelques jours, quelque chose se tramait. Il était question de donner à Tiékoro une épouse digne de son rang. Il y avait eu un va-et-vient de griots, une circulation de cadeaux. Malobali avait entendu dire qu'il s'agissait d'une princesse apparentée au Mansa et vivant dans l'enceinte du palais, mais n'en savait pas davantage. Or Malobali adorait Nadié. Cette affection avait commencé par surprise. Un jour que Tiékoro l'avait durement rabroué, lui jetant : « Tu n'es plus un bilakoro, conduis-toi comme un homme! » il avait rencontré le regard de Nadié qui semblait signifier : « Allons, allons. N'y prends pas garde... »

Puis, comme il s'éloignait, honteux, pour cacher ses larmes, elle l'avait suivi et lui avait offert un dyimita, une de ces incomparables friandises qu'elle avait appris à préparer à Djenné. Peu à peu, il avait pris l'habitude d'aller près de sa case. N'étaient-ils pas tous deux dépossédés? Elle, de ses enfants et de son compagnon? Lui de l'affection de Nya? Malobali n'avait jamais à ce jour songé au statut fait aux femmes. Pour lui, si Dousika n'avait pas épousé sa mère, c'est qu'elle était une étrangère qui, le moment venu, avait choisi de retourner parmi les siens. Mais là, Nadié était une Bambara. Que lui reprochait-on? De n'être pas de naissance honorable? Etait-elle responsable des malheurs de sa famille qui l'avaient conduite à être vendue comme esclave? Devait-on considérer cela comme une souillure indélébile? Ne suffisait-il pas qu'elle ait donné trois enfants au clan? Qu'elle soit douce et industrieuse? Qui mieux qu'elle savait assaisonner un poulet, faire dorer la viande de mouton et revenir dans son jus un couscous de mil? Qui tissait plus fin? A Djenné, elle avait appris de nouvelles techniques de teinture qu'elle avait enseignées à toutes les femmes de la maison. Hélas! toutes ces qualités se retournaient contre elle, car c'étaient celles d'une esclave et elles ne faisaient que justifier l'attitude adoptée à son endroit. Les premiers temps, Tiékoro l'avait défendue, l'avait protégée contre les menues humiliations que chacun lui infligeait quotidiennement. Puis, il semblait s'en être lassé, comme si lui aussi ne voyait en elle qu'un objet humble et peu adapté à sa condition. Il recevait chaque soir dans sa case les plus belles esclaves de la concession. En outre, le Mansa lui ayant offert nombre de captives, son harem personnel comptait bien une dizaine de concubines.

Tiékoro apostropha Malobali :

« Eh bien, qu'est-ce que tu as à me regarder comme cela? »

L'enfant baissa les yeux et s'éloignait promptement quand la voix de Tiékoro le rappela :

« Viens ici... »

Malobali obéit et revint vers la natte étendue devant le vestibule de la case de Tiékoro. Tiékoro portait un caftan couleur soufre, orné de broderies, qu'il avait acheté à des commerçants venus de Fès. L'étoffe en était soyeuse, agrémentée çà et là de fils d'or. Sur son crâne rasé, il avait coquettement posé une calotte de dentelle écrue du même travail que la courte écharpe nouée autour de son cou. Il tenait à la main un énorme chapelet dont les grains étaient faits d'une pierre jaune, striée par endroits de blanc. Il s'était frotté les joues avec du parfum haoussa et cette odeur douceâtre écœura Malobali. Il posa sur son jeune frère son regard étincelant et fit lentement :

« Tu sais ce que j'ai trouvé pour toi? Tu vas partir pour Djenné à l'école coranique d'un parent de mon ami Moulaye Abdallah. Quand tu auras goûté de sa chicotte à chaque mot omis lors de la récitation d'une sourate, cela t'améliorera le caractère. »

Malobali balbutia :

« Djenné? Mais je ne veux pas partir pour Djenné... »

Tiékoro ricana :

« Tu ne veux pas, tu ne veux pas! Depuis quand une vermine de ton espèce ose parler ainsi? Tu partiras et bientôt... »

Malobali regarda autour de lui avec désespoir. Quelques mois auparavant, il était un enfant parmi les autres. Puis, il avait appris l'origine de sa mère et à présent, il devait affronter la haine de son aîné. Qu'avait-il fait pour mériter cela?

Il se dirigea vers la case de Nya. S'il ne s'était contrôlé, il se serait roulé par terre en hurlant dans une de ces crises de colère dont il était coutumier. Mais il sentait que ce comportement tournerait à son désavantage, et il s'exhortait au calme. Les autres enfants de la concession le voyant passer ainsi, grave et silencieux, se demandaient qui leur avait changé leur Malobali.

Nya était assise devant sa case. Elle venait de baigner Ali Sunkalo et frottait son petit corps de beurre de karité. Ali Sunkalo était un bambin un peu chétif, sujet à des incontinences d'urine. Aussi sa grand-mère avait-elle entrepris de le soigner et le gardait constamment auprès d'elle, tandis que, de temps à autre, elle consentait à laisser à Nadié Ahmed Dousika et surtout Awa Nya qui, après tout, n'était qu'une fille et encore nourrie au sein. Malobali s'accroupit dans un coin et regarda celle que si longtemps il avait cru être sa mère prodiguer à un autre les mêmes soins qu'à lui. Sa gorge se nouait.

Qui était cause de tous ces bouleversements? Tiékoro, Tiékoro. Il parvint à articuler :

« Ba, est-ce vrai que l'on va m'envoyer à Djenné? »

Nya lui jeta un regard rapide dans lequel il crut lire une expression de culpabilité et fit :

« Rien n'est encore décidé. Fa Diémogo ne voudrait pas que tu partes. Mais Tiékoro pense qu'à partir d'aujourd'hui, les garçons de la famille doivent apprendre à lire et écrire l'arabe. Il dit que l'avenir est dans l'islam... »

Malobali protesta farouchement :

« Je ne veux pas devenir musulman... »

Nya soupira :

« Moi aussi, je dois avouer que cette religion me fait peur, mais Tiékoro dit... »

Tiékoro, Tiékoro! Toujours lui! Encore lui! Malobali ne put en supporter davantage. Prenant ses jambes à son cou, il s'enfuit hors de la concession et courut d'une traite jusqu'au fleuve.

Ségou! Les hautes murailles de terre. L'eau étincelante et par endroits tumultueuse. Sur les rives, les pirogues des Bozos peinturlurées de rouge et de jaune. Ségou. Cet univers qui était le sien. Les jours de marché, il accompagnait Nya, suivie de ses esclaves aux larges calebasses. Les gens chuchotaient :

« Quel bel enfant! »

Ensuite pour conjurer un sort toujours jaloux, ils se hâtaient de murmurer les paroles qui tiennent en respect la maladie et la mort. Chaque après-midi, il courait jusqu'à la place devant le palais du Mansa afin d'écouter les diély. A présent, ceux-ci chantaient la paix retrouvée avec le Kaarta qui venait de donner à Ségou une nouvelle reine. Malobali, bousculant les autres enfants prenait place au premier rang du cercle des spectateurs. Les bala et les tamani s'interpellaient, puis la voix gracile de la flé[1] répondit à celle, ample et majestueuse, de l'homme. C'est de tout cela que Tiékoro entendait le priver? Alors, il s'enfuirait à l'autre bout de la Terre. On le chercherait en vain. On s'affolerait. On pleurerait. Mais ce serait trop tard. Il serait déjà loin.

Malobali n'était pas la seule personne à souffrir du comportement de Tiékoro. Nadié était certainement bien plus malheureuse. Les premiers temps, elle s'était dit qu'il s'agissait d'une humeur excusable, due à l'idolâtrie et à l'admiration des siens, à la fortune et aux honneurs retrouvés. Elle croyait connaître Tiékoro, arrogant, égoïste, sensible à la flatterie, violemment sensuel, mais le cœur bon. Elle était convaincue que tant d'années passées ensemble avaient tissé entre eux des liens que rien ni personne ne pouvait rompre. Il suffisait de se taire, d'attendre, d'être là quand il se ressaisirait. Puis peu à peu, le doute, l'angoisse, la terreur avaient entièrement pris possession d'elle. Tiékoro, elle en était sûre, se détachait d'elle à jamais. A vrai dire, elle ne lui reprochait pas d'accepter l'épouse offerte par le Mansa. C'était là un honneur qu'il ne pouvait refuser. Elle avait d'autres raisons de désespérer. Il ne lui parlait plus. Il préférait la cuisine de sa mère à la sienne. Il évitait ses regards. Un soir n'y tenant plus, elle était entrée dans sa case. Assis dans le vestibule, il prenait son repas servi par une esclave du Mandé[2] que lui avait envoyé Mansa le matin même. La femme était belle, vierge encore puisqu'elle était complètement nue, hormis un col-

1. Flûte.
2. Le Mandé ou Mali, empire qui atteignit son apogée au XIVe siècle, à cheval sur les actuels Guinée et Mali.

lier de perles bleues autour des reins, et des bracelets aux chevilles. Et Nadié s'était rappelé leur première rencontre dans la concession du Maure, leur étreinte. Pourquoi n'avait-elle pas crié, protesté, ameuté le voisinage? Sans doute parce qu'elle l'aimait déjà...

Quand il l'avait vue entrer, Tiékoro s'était exclamé avec colère :

« Mais qu'est-ce que tu veux? »

Incapable de prononcer une parole, sous le regard étonnamment compatissant de l'esclave, elle s'était enfuie.

Nadié tendit son sein à Awa Nya. L'enfant, repue, le refusa et Nadié considéra cette harmonieuse petite outre de soie noire, doublement méprisée. Si à Djenné, Nadié avait l'impression d'être utile, à Ségou elle était convaincue de sa totale inutilité. Sur le plan matériel, ni Tiékoro ni ses enfants n'avaient besoin d'elle. Il lui aurait pris fantaisie de demeurer tout le jour étendue dans sa case que la nourriture, grains, volaille, gibier, poisson, abonderait. Que les étoffes venues d'Europe ou du Maroc s'entasseraient dans les calebasses, avec les bijoux d'or et d'argent, les perles d'ambre et de corail. Que le fruit du travail des esclaves joint à la faveur du Mansa emplirait des cases dans la concession de sacs de cauris et de poudre d'or tandis que des chevaux henniraient dans les enclos. Quant à l'affection Tiékoro ne voulait plus d'elle. Ses deux garçons, traités avec l'attention que l'on réserve aux aînés d'un fils premier-né, ne se souciaient apparemment pas d'elle. Ils dormaient avec Nya qui les baignait et les nourrissait. S'ils tombaient, mille mains se tendaient pour les relever. S'ils pleuraient, mille lèvres s'offraient à les embrasser. Distinguaient-ils encore Nadié de toutes celles qu'ils appelaient mère?

Seule lui restait Awa Nya, car une fille n'appartient jamais qu'à celle qui l'a mise au monde. A ce moment, Nya, inclinant légèrement sa haute stature, s'encadra dans la porte, Ali Sunkalo trottinant derrière elle. Ali Sunkalo se jeta dans les bras de Nadié et dans l'état d'esprit où elle était, cela lui fit l'effet d'un baume. Nya et Nadié ne se haïssaient pas. La première jouait seulement son rôle de mère, soucieuse des intérêts de son fils. Si le conseil de famille l'avait donnée en partage à Diémogo, après la mort de Dousika, ce n'était un secret pour personne que ces deux-là ne vivaient guère comme mari et femme.

Nadié se hâta d'aller chercher un tabouret à l'intention de Nya qui y posa ses lourdes fesses. Après les salutations d'usage, celle-ci se décida à parler, avec lenteur, en choisissant chaque mot :

« Il faut que tu le saches, le mariage de Tiékoro va être célébré bientôt. Comme il s'agit de la propre fille d'une des sœurs du Mansa, la dot a été très importante. Je n'ai pas voulu que la famille royale puisse nous mépriser et prendre Tiékoro comme un indigent. »

Nadié n'ignorait rien de ces tractations et de ces préparatifs de noce. Pourtant elle fut prise d'un tremblement de tous ses membres cependant qu'une sueur froide baignait son corps. Elle parvint à balbutier :

« Pourquoi kokè ne m'en parle-t-il pas lui-même? »

Nya répliqua durement :

« Pourquoi le ferait-il? Quelle obligation a-t-il devant toi? Est-ce que je ne suis pas déjà bien bonne de t'entretenir? »

Abasourdie, Nadié réalisa qu'elle disait vrai. Elle hocha la tête de droite et de gauche comme pour prendre l'univers à témoin. Mais rien ni personne ne semblait se soucier de ce qu'elle éprouvait. Le soleil était étalé comme un jaune d'œuf au milieu de la calebasse du ciel. Les acacias se hérissaient de fleurs sans parfum. Les enfants nus couraient. Derrière les murs, des femmes pilaient le mil. La vie continuait, une vie dans laquelle elle n'avait plus de place. La voix de Nya la ramena sur terre.

« Voilà ce que je suis venue te proposer. Tu peux, bien sûr, demeurer au service de Tiékoro... »

Au mot « service », elle hésita légèrement, puis elle poursuivit avec fermeté :

« Pourtant il y a un woloso[3] que je considère comme mon fils. Il s'agit de Kosa. Je lui ai parlé et il est prêt à t'épouser. Il paiera la dot et vous irez vous installer sur des terres du clan à Fabougou. »

Si Nadié avait été moins submergée de douleur, elle aurait deviné la peur que de tels propos s'efforçaient de dissimuler. Non, elle n'était pas aussi dérisoire et méprisée qu'elle le croyait. Au contraire, chacun redoutait qu'elle ne pèse d'un poids trop lourd dans l'existence de Tiékoro et que les épouses légitimes n'aient raison de prendre ombrage de sa présence. C'est pourquoi on voulait l'éloigner, la jeter dans les bras d'un autre homme. Mais elle souffrait trop pour comprendre pareil calcul. Les ruades de son cœur ébranlaient sa poitrine. Ses dents se serraient comme celles d'un mourant et elle ne pouvait articuler une parole. Elle jeta à Nya un tel regard que celle-ci demeura à son tour sans voix.

Nadié trouva la force de se lever, d'équilibrer Awa Nya dans son dos et de marcher jusqu'à la case de Tiékoro. Brusquement, tous les bruits s'étaient éteints et elle avait l'étrange impression de cheminer dans un jour éclatant, silencieux pourtant

3. Esclave de case, par opposition au captif de guerre.

comme la nuit. Elle entra. Tiékoro achevait de s'habiller, nouant autour de sa taille les cordons de son pantalon bouffant de coton blanc. Il fit rapidement :

« Je suis en retard. Je devrais déjà être au palais... »

Nadié s'appuya au mur et murmura :

« Pardonne-moi, kokè, mais je dois te parler. »

Il répéta avec exaspération :

« Est-ce que tu n'entends pas que je suis déjà en retard? C'est jour du Conseil aujourd'hui? »

En parlant ainsi, Tiékoro lui-même souffrait. Il savait qu'il avait beau ruser, mentir à son corps et à son cœur, il reviendrait immanquablement à Nadié. Or cette dépendance lui faisait horreur. Ah! si Nadié était parente du Mansa, ou fille de haute lignée! Non, elle n'était que Nadié, qu'il avait sauvagement possédée dans l'odeur d'excréments et d'urine du cabinet d'aisances, qui avait connu ses misères intimes, ses humiliations et sa pauvreté à Tombouctou et à Djenné. Aussi l'aimer le ramenait-il cruellement à une part de lui-même et de sa vie qu'il ne demandait qu'à oublier. Devant l'expression désespérée de son visage, il se radoucit :

« Bon, viens me trouver à mon retour du palais. »

Elle insista :

« Quand tu vas chez le Mansa, tu y passes souvent l'après-midi tout entier et une partie de la nuit... »

Il enfila ses babouches et prit un large parapluie venu d'Europe dans un coin de la pièce :

« Mais non, je serai de retour avant la prière de l'icha[4]. Prépare-moi de tes galettes et nous passerons la nuit ensemble. »

4. Prière de l'entrée de la nuit.

Il sortit. Demeurée seule, Nadié ramassa fébrilement les vêtements épars sur le sol, roula la natte sur laquelle il avait dormi avec une autre femme, puis se mit à balayer vigoureusement avec une touffe de feuilles d'iphène. Elle espérait ainsi retrouver la maîtrise de son corps qu'elle avait perdue. Au bout d'un moment, elle put sortir de la case, retourner vers la cour des femmes, se mêler aux activités du jour.

Cependant au palais, le Conseil était au complet. Les princes du sang, les chefs de grandes familles étaient assis sur leurs peaux ou sur leurs nattes. Entouré de ses esclaves et de ses griots, Da Monzon fumait sa pipe, allongé sur l'estrade. Tiékoro, debout, attendit que Tiétigui Banintiéni lui ait donné la parole au nom du Mansa, puis s'inclina légèrement :

« Maître des énergies, j'ai appris que Amadou Hammadi Boubou venait d'envoyer des émissaires à Ousmane dan Fodio à Sokoto pour lui demander s'il pouvait déclarer le jihad, la guerre sainte. Ousmane dan Fodio lui en a donné le droit et a béni des étendards à son intention, un par pays à soumettre. Mais il en a omis deux, ce qui signifie que deux pays échapperont à l'emprise du Macina.

Da Monzon en oublia de tirer sur sa pipe et se redressa :

« Quels sont ces deux pays? »

Tiékoro eut un geste d'ignorance :

« Ousmane ne s'est pas prononcé. Aussi, on peut tout supposer... »

Vingt paires d'yeux le fixèrent et Tiékoro reprit dans le silence général :

« Ousmane dan Fodio est un saint, mais ses fils sont cupides. Je conduirai une délégation chargée d'or, d'ivoire et de cauris jusqu'à Sokoto et je me fais fort de persuader ces derniers que Ségou est un des deux pays que le Peul du Macina doit épargner... »

A ces mots, ce fut un tollé. Le maître de la guerre soutenu par de nombreux princes du sang vociféra que Ségou n'avait point coutume de prier qu'on l'épargne, mais de se battre, de laisser morts et blessés sur le terrain. Tiékoro écouta tout cela avec mépris, puis se tourna à nouveau vers le Mansa comme s'il ne comptait que sur son intelligence :

« Il ne s'agit pas d'une guerre habituelle dont l'objet est la rapine et le meurtre. Il s'agit d'une guerre sainte. Ce Dieu auquel vous refusez de vous soumettre est aux côtés d'Amadou Hammadi Boubou et l'assiste dans chacun de ses combats. Vous ne pouvez gagner contre lui. Vous ne pouvez que négocier votre survie. »

Prononcer de telles paroles devant le Mansa! Mettre en doute la puissance de Ségou! D'autres auraient payé cette audace de leur vie. Mais Tiékoro faisait figure de devin, de mage. Aussi, un silence angoissé s'établit dans la salle du Conseil. Au bout d'un moment, Da Monzon reprit :

« Est-ce que tu ne dois pas te marier, Tiékoro? Vas-tu laisser ta nouvelle épouse pour partir en mission? »

Tiékoro s'inclina :

« Je ferai ce que tu voudras, maître de nos terres et de nos biens. »

Cette formule-là aussi était pleine d'insolence, signifiant que les âmes n'appartenaient qu'à Dieu. Pourtant Da Monzon n'en prenait pas ombrage. Les courtisans chuchotaient qu'il s'était engoué de Tiékoro comme d'une femme et qu'au bout du compte, il le regretterait. Ne voilà-t-il pas qu'il lui donnait une de ses parentes en mariage? Certes les Traoré étaient nobles et riches, mais de là à leur faire tant d'honneur! Nombreux étaient ceux qui avaient pris Tiékoro en grippe à cause de ses airs supérieurs, de ses vêtements étranges et trop recherchés. Patients, ils attendaient sa chute. Ah! cette fois, il tomberait d'encore plus haut que son père!

Le Conseil se dispersa, mais Tiékoro demeura avec Da Monzon et ses griots favoris. Le Mansa était soucieux. Même s'il soutenait les vues de Tiékoro, négocier la paix lui paraissait à lui aussi très humiliant. Puisqu'il avait fait alliance avec les Coulibali du Kaarta, ne ferait-il pas mieux de lever des armées de tondyons et de se jeter sur les Peuls? En même temps, une terreur superstitieuse l'avait envahi. Il se rappelait les paroles de Tiékoro, venant après les prédictions d'Alfa Seydou Konaté :

« Il ne s'agit pas d'une guerre habituelle. Dieu assiste Amadou Hammadi Boubou dans chacun de ses combats... »

Pour un peu, il se serait converti à l'islam, mais la pensée de la colère de ses sujets le retenait. Il s'adressa à Tiékoro :

« Quand partiras-tu? »

Tiékoro réfléchit :

« Dans quelques semaines, la saison d'hivernage sera terminée. Le Joliba ne débordera plus de son lit. Alors je prendrai la route. »

A part lui le chef des griots, qui jalousait la faveur que Da Monzon montrait à Tiékoro, se demandait pourquoi un homme à la veille de se marier manifestait si peu de répugnance à se séparer de sa femme. Qui n'a souhaité demeurer le plus longtemps possible entre les cuisses aimantes d'une vierge? Il y avait là un mystère qu'il fallait éclaircir. Rien ne vaut une histoire de femme pour perdre un homme, et Tiékoro était un homme à femmes.

Tiétigui Banintiéni flairait Tiékoro, le tournait et

le retournait comme un fauve une proie dont il n'est pas familier. Qui était cet homme? Que voulait-il? Que cachait sa conversion à l'islam? Où s'arrêtait la foi? Où commençait la comédie et le calcul? Habitué à jauger les hommes puisqu'il vivait de leur crédulité, Tiétigui s'irritait de cette opacité de Tiékoro. Pas entièrement mauvais, mais pas bon assurément. Attirant. Irritant. Pas de la même espèce que ces soudards et ces courtisans qui entouraient Da Monzon et ne songeaient qu'à remplir leur concession d'or et de cauris, et leurs cases de femmes. Bref, une énigme.

5

Malgré son chagrin, Nadié s'était endormie. Elle sortit sur le seuil de la case pour tenter de deviner l'heure.

Opaque la nuit. Humide. Des trombes d'eau étaient tombées. La terre avait bu à satiété et à présent, comme un enfant gavé, elle renvoyait de lourdes vapeurs vers le ciel. Les arbres se tenaient cois, épuisés par l'ouragan. Ainsi, Tiékoro n'avait pas tenu sa promesse. Il n'était pas rentré. Dans l'ombre du vestibule, les calebasses pleines de galettes qu'elle avait amoureusement pétries symbolisaient son abandon. Une sorte de rage la prit, de folie meurtrière. Pour un peu, elle serait allée le chercher comme ces mégères qui font des scènes à leur mari. Mais voilà, Tiékoro n'était pas son mari. Elle n'avait aucun droit sur lui.

Derrière elle, Awa Nya gémit dans son sommeil. Elle se retourna, prit l'enfant dans ses bras et la serra sauvagement sur sa poitrine. Celle-là au moins lui appartenait. Personne ne pourrait les séparer. Sans trop savoir ce qu'elle faisait, elle sortit dans la cour et ses pieds nus s'enfoncèrent dans la gadoue d'où elle les extirpa avec un léger bruit de succion. Elle marcha droit devant elle et se retrouva hors de la concession. La rue s'enfonçait dans l'obscurité et l'on entendait le murmure des esprits s'interrogeant :

« Où va-t-elle à pareille heure avec son enfant?

– Est-ce que ce n'est pas la fille de Diosséni-Kandian? »

Depuis longtemps, on n'avait pas appelé Nadié ainsi. Depuis que les tondyons venus de Ségou avaient mis le feu à son village, dispersé et détruit sa famille. Brusquement, elle revécut ce passé. Ah! rien de bon ne pouvait lui venir de Ségou! Elle aurait dû le comprendre dès l'instant où elle avait croisé le chemin de Tiékoro. Elle tourna au hasard sur sa droite et longea une ruelle où brillaient les prunelles de bêtes peut-être nées de son imagination. Pourtant elle n'avait pas peur. Le monde des invisibles ne recelait rien de plus horrible que celui des vivants et puis, elle y reverrait son père et sa mère éventrés à coups de hache sous ses yeux. Elle arriva devant la porte sud de la ville qui donnait non pas sur le fleuve, mais sur la brousse, les champs nocturnes de mil gorgés d'eau. Tout autour de Ségou s'étendait à présent un immense camp de réfugiés, car l'enceinte de la cité n'avait pu contenir tous les Bambaras refluant du Macina, du Femay, du Sebera, de Saro et de Pondori. C'était un enchevêtrement de cases de paille comme celles des Peuls nomades, de quadrilatères de boue hâtivement édifiés, voire de huttes faites de branches d'arbres accolées. Chose peu courante à Ségou, des bandes de voyous partaient de ces taudis et s'attaquaient aux demeures des habitants fortunés. On en avait exécuté deux la semaine précédente à l'entrée de la ville afin que ce sang impie ne souille pas la terre de la communauté.

Des silhouettes d'hommes se dessinèrent sous les cailcédrats, puis ils battirent en retraite, effrayés par cette femme qui déambulait dans la nuit avec un enfant.

Nadié allait droit devant elle, aiguillonnée par le désir de mettre la plus grande distance entre Ségou et elle. Ségou, asile d'injustice et de perfidie. Ses pieds clapotaient dans la boue. Les herbes mouillées lui griffaient les jambes. Une pluie fine se mit à tomber, puis un grand vent se leva qui la chassa.

A un moment, Nadié se roula en boule au pied d'un arbre. Quand les vapeurs blanches commencèrent de se mêler à l'encre du ciel, elle se leva et reprit sa marche. Peu à peu, des hommes, des femmes apparaissaient dans les champs. Dans un marigot, ils plantaient du riz. Là, ils fauchaient du mil. Là encore, des femmes s'affairaient autour des fours de terre où elles grillaient les amandes des noix de karité. Un peu en retrait, on apercevait les toits des cases, sombres comme des pelages de bêtes. Oui, le goût de la vie pouvait être celui d'un fruit! Pour elle, hélas! il n'en avait pas été ainsi.

Elle buta contre un puits. Une ouverture circulaire, entourée de branches à demi sèches entrecroisées. Tout d'abord, elle ne pensa qu'à se désaltérer. Elle marchait depuis des heures et bien que le temps fût frais, sa salive formait une pâte amère autour de sa langue. Mais comme elle se penchait pour remonter l'outre de peau de chèvre suspendue à une longue corde de da, elle vit l'eau miroiter. Une bouffée d'air frais lui monta au visage comme un appel et elle se rappela l'histoire que lui contait Siga quand ils vivaient à Tombouctou.

« Elle s'est jetée dans le puits! Elle s'est jetée dans le puits! »

Un corps frêle. Des seins aigus comme ceux d'une fille nubile. Un ventre bombé comme un doux monticule. Mais elle ne laisserait pas d'enfant souffre-douleur puisqu'elle tenait contre elle sa petite fille fragile et vulnérable. Elle détacha Awa Nya de son dos et la fit passer contre sa poitrine entre ses seins, considérant passionnément son visage endormi. Toutes deux se retrouveraient bientôt dans le monde des esprits. Sûrement émue par sa fin, la famille multiplierait les sacrifices à son intention et, bienveillante en retour, elle travaillerait à son bien-être.

Elle se pencha à nouveau au-dessus du puits. En cette saison, l'eau n'était pas loin. On l'apercevait mouvante, grimpant légèrement le long des parois de terre et sa fraîcheur parfumait comme une haleine.

Nadié enjamba la balustrade de branchages. Un instant, l'instinct de vie fut le plus fort. Elle se rappela le corps de Tiékoro contre le sien, l'odeur de sa sueur quand ils faisaient l'amour, les rires cristallins de ses enfants, la morsure du soleil. Elle se raccrocha aux branchages. Mais ils vacillèrent sous son poids et doucement cédèrent. Comme elle tombait vers l'eau noire, freinée et soutenue par ses pagnes, un sentiment de résignation l'emplit. Elle l'avait voulu, elle l'avait voulu. Elle serra les bras autour d'Awa Nya.

On organisa une battue pour retrouver Nadié.

Une quarantaine d'hommes montèrent à cheval et partirent dans toutes les directions. Tiékoro, qui s'était précipité la tête la première contre un cailcédrat dans l'intention de mettre fin à ses jours, délirait dans sa case, veillé par sa mère, entourée des plus grands féticheurs. Les femmes de la concession étaient muettes. Toutes se sentaient concernées. Toutes se sentaient responsables. Il aurait peut-être suffi d'un sourire à Nadié quand elle pilait le mil, d'une parole quand elle prenait place dans le cercle à la veillée pour prévenir le drame de cette disparition, d'un geste de solidarité pour la protéger du désespoir. Or aucune n'avait dit mot.

A Ségou, les conversations allaient bon train. Qu'y avait-il donc chez ces Traoré pour qu'ils soient ainsi affectés de morts violentes, de disparitions, de calamités de toutes sortes? Ceux qui les fréquentaient se demandaient s'il ne fallait pas leur tourner le dos. Ceux qui ne les fréquentaient pas se réjouissaient d'avoir toujours gardé leurs distances. La plupart des gens ne connaissaient pas Nadié et on racontait à son sujet les histoires les plus invraisemblables. Ce serait une Mauresque de Tombouctou, une Marocaine de Djenné qui, pour suivre Tiékoro, avait abandonné son pays natal et sa famille. Dans l'ensemble, on la plaignait, même si l'amour porté à ce paroxysme semblait un sentiment inquiétant. Que deviendrait-on si les femmes n'acceptaient plus les concubinages et les remariages de leurs compagnons?

La nouvelle parvint au palais du Mansa et la princesse Sounou Saro, que l'on avait promise à Tiékoro, en conçut du déplaisir. Allait-elle épouser un homme que le départ d'une concubine jetait la tête la première contre un arbre? Elle alla trouver sa mère qui ne pensait pas autrement. Mais comment faire? La dot avait été payée. Le jour des noces était fixé. Les deux femmes firent venir Tiétigui Banintiéni dont l'esprit ne manquait jamais de ressource. Pendant tout un après-midi, ils tinrent conclave dans une des salles du palais.

Cependant, vers la fin du jour, une partie de la compagnie envoyée à la recherche de Nadié arriva au village de Fabougou.

Le village était en émoi, car on avait tiré du puits le corps d'une jeune femme inconnue et, plus cruel encore, celui d'une fillette de quelques mois. Le devin avait prédit d'effroyables catastrophes. C'était le signe avant-coureur de la destruction de la région par les Peuls d'abord, puis par des hordes d'hommes plus terribles encore.

Oui, les dieux et les ancêtres abandonnaient les Bambaras. Tiéfolo, qui guidait l'expédition, mit pied à terre et s'agenouilla à côté de Nadié. Elle n'avait pas séjourné dans l'eau assez longtemps pour être déformée et son visage était paisible, plein de sa coutumière douceur. Il se rappela comment il avait fait sa connaissance quelques mois auparavant lorsqu'il était venu annoncer à Tiékoro la mort de leur père. Il venait d'être libéré de prison et souffrait de ses coups et de ses blessures. Elle s'était accroupie près de lui, préparant de ses mains habiles un emplâtre de feuilles qu'elle avait posé sur ses plaies. Elle l'avait interrogé :

« Tu as mal? »

Et puis, elle lui avait fait boire une potion tiède et amère, soutenant sa tête d'une main.

« Qu'est-ce que c'est? »

Elle avait souri :

« Dors... Curieux! Tu crois que les femmes confient leurs secrets? »

A présent, elle était morte. Elle avait osé mettre fin à ses jours. Commettre l'acte le plus abominable. Qu'adviendrait-il de son esprit? De celui de sa fille? Il essaya d'imaginer ses dernières heures, l'excès de sa douleur, de sa solitude, de ses peurs. Coupables, ils l'étaient tous. Pas seulement Tiékoro.

Derrière son dos, le chef du village de Fabougou interrogea :

« Tu la connais? C'est une de vos femmes? »

Il releva la tête :

« Oui, c'est la femme de mon aîné. »

Comme elle avait commis le crime des crimes,

celui d'attenter à ses jours, personne ne pouvait la toucher impunément. Le grand prêtre-féticheur désigna en hâte deux fossoyeurs. Ils l'enveloppèrent d'une natte et allèrent la mettre en terre loin des champs cultivés du village.

6

« Tu as la tête plus dure que la queue d'un âne...

– Ce n'est pas cela. Je veux apprendre à lire. Pourquoi dois-je chanter en même temps les louanges de votre Dieu? Il n'est pas le mien... »

Là-dessus Siga, ramassant sa tablette et son écritoire, fit mine de se lever, mais Sidi Mohammed le retint :

« Une tasse de thé? »

Il se rassit répétant, boudeur :

« Explique-moi. Pourquoi doit-on apprendre à lire dans le Coran? »

Sidi Mohammed leva les yeux au ciel :

« Ne blasphème pas, veux-tu? »

Puis, pour couper court à l'argument, il alla donner l'ordre de préparer du thé. Sidi Mohammed habitait la casbah des Filala à Fès et était bourrelier de son état. Il savait que ses ancêtres étaient venus comme esclaves du temps de Yacoub el-Mansour et il les croyait d'origine mossi[1]. A force de voir passer Siga chaque matin devant son échoppe se dirigeant vers le souk Elkettan, il lui avait adressé la parole et s'était lié d'amitié avec lui. Sans être riche, il vivait à l'aise du fruit de son travail et habitait une agréable maison d'un étage en briques soigneusement tra-

1. Ethnie occupant l'actuelle Haute-Volta.

vaillées et ornées de mosaïques avec une cour et un portique carrelé. Pour Siga, l'amitié de Sidi Mohammed était précieuse. En fait, il divisait sa vie en deux parties, celle qui précédait sa rencontre avec Sidi Mohammed et celle qui la suivait.

Une fois le thé avalé, Siga se leva :

« Il faut que je rentre... »

Sidi Mohammed haussa les épaules. Vraiment, il ne comprenait pas son ami, son acharnement au travail, le caractère presque monacal de sa vie. Sans protester, sachant que ce serait inutile, il ramassa son burnous de laine et l'accompagna dans la rue jusqu'à la porte Bab el-Mahrouk.

Vers 1812, la ville de Fès pouvait sembler à l'apogée de sa splendeur. Elle se composait de deux cités distinctes, Fès Jdid[2] bâtie par Yacoub ben Abd el-Maqq el-Merini et Fès el-Bali[3] qui se déroulait en suivant la pente de la vallée de l'oued Fès. Dès le début, Siga avait été confondu d'admiration devant cette ville joyau. D'un coup, il avait compris le sens du mot relativité et que Ségou, à ses yeux la plus belle cité du monde, n'était qu'une bourgade. Des monuments de marbre, des palais de pierre, des mausolées, des médersas, des mosquées rivalisant d'ingéniosité et d'harmonie, avec leurs toits de tuiles posés délicatement sur l'enchevêtrement des piliers, des jardins aux vasques faites d'une matière transparente et précieuse. Au cœur d'un parc feuillu, la Qarawiyyin[4] ouvrait ses dix-huit portails recouverts de plaque de bronze ciselé, de dessins et d'inscriptions. Ses coupoles octogonales, ses chapiteaux, les voûtes de ses arcades, les frises de ses portails étaient l'expression raffinée d'un génie dont

2. Fès la nouvelle.
3. Fès l'ancienne.
4. L'Université de Fès créée en 860.

on pouvait douter qu'il soit celui de l'homme. Avec un profond sentiment d'humilité, Siga regardait les étudiants arabes, berbères, espagnols, juifs convertis, noirs du Soudan se presser à ses portes et comprenait la fascination que peut excercer l'instruction. Un jour, il osa pénétrer dans le patio et, éperdu, considéra la floraison polychrome des murs, or, pourpre, turquoise, saphir, émeraude...

Siga et Sidi Mohammed se séparèrent près de la porte Bab el-Mahrouk, Siga devant se rendre chez son maître qui habitait non loin du palais royal dans Fès Jdid, une somptueuse demeure datant du temps des Mérinides. Moulaye Idris, maître de Siga, parent d'Abdallah de Tombouctou, était certainement un des hommes les plus riches de Fès. Il possédait des ateliers de tissage, tissage de soie, tissage de brochés dont on faisait les ceintures des costumes féminins, ou des tentures, ou des étendards figurant dans l'escorte du sultan. Il employait aussi nombre de brodeurs qui embellissaient les pièces d'étoffe destinées aux nappes et aux coussins et tous ces trésors se vendaient dans les souks de la Qaïceria... C'était un croyant d'apparence sévère, ce qui ne l'empêchait pas de tenir fort à l'argent et, année après année, d'épouser de très jeunes femmes. Il traitait Siga avec justice, sans bonté, tandis qu'une sorte de mépris perçait malgré lui dans ses propos.

Siga entra à l'intérieur de la maison, passant sous la porte aux vantaux sculptés et longea le bassin, revêtu d'un carrelage de majolique qui occupait le patio central. Moulaye Idris semblait le guetter et sortit vivement d'une des pièces du rez-de-chaussée pour le héler.

Il s'entretenait avec deux Arabes aux traits tirés, au teint hâlé, aux vêtements couverts de la poudre roussâtre du désert, de toute évidence deux caravaniers. Il proposa avec une bonté assez inhabituelle :

« Assieds-toi, Ahmed, assieds-toi. »

Siga obéit, un peu intrigué. Pendant quelques instants, un serviteur fit circuler les coupes de thé vert et des dattes fraîches. Puis Moulaye Idris rompit le silence :

« Nos deux amis ici présents arrivent de chez toi, de Ségou. Ils ont un message à ton intention. Que la volonté d'Allah soit faite, Ahmed, ton père est mort. »

Siga ne sut que dire et douta même d'éprouver du chagrin. Ségou était si loin! Par ailleurs, il n'avait jamais éprouvé grande affection pour Dousika qui ne s'était jamais soucié de lui, le traitant comme un serviteur de Tiékoro. Puis il pensa à l'affliction de Nya, au désordre dans la famille et fut ému. Moulaye Idris poursuivit avec la même bonté :

« Veux-tu rentrer à Ségou? Je mettrai à ta disposition l'argent et les montures nécessaires. »

Siga haussa les épaules et murmura :

« A quoi bon? Même les cérémonies du quarantième jour ont eu lieu à présent, j'imagine, si l'on tient compte du temps du voyage...

– Mais peut-être ta mère aimerait-elle que tu la consoles? »

Ta mère? Nya avait été la meilleure des marâtres, mais elle n'était pas une mère. Siga secoua la tête. Peu après, il demanda la permission de monter à sa chambre. Ainsi Dousika était mort! A présent, Siga éprouvait de l'irritation que l'autre s'en fût allé si tôt, sans attendre qu'il ait donné sa pleine mesure. Jamais il ne saurait ce que valait ce fils, considéré tout au plus comme un bâtard. Et un flot d'amertume emplit son cœur.

A Fès, il avait découvert la férocité des divisions sociales. Certes à Ségou, il y avait des nobles, des artisans et des esclaves. Chacun se mariait à l'intérieur de sa caste. Pourtant lui semblait-il, il n'y avait pas de mépris de l'une à l'autre. Même Tombouctou où l'arrogance des Armas et des ulémas l'avait frappé ne pouvait se comparer à Fès. Cette ville était un conglomérat de groupes sociaux antagonistes, s'excluant mutuellement du pouvoir. Les chorfa[5] détestaient les bildiyyin[6], qui avec eux méprisaient le peuple, lui-même divisé en factions. Loin derrière venaient les étrangers, les harratin[7] et les esclaves noirs. Siga avait découvert la notion de race, encore imprécise à Tombouctou. Parce qu'il était noir, il était automatiquement méprisé, assimilé aux contingents d'esclaves grâce auxquels un siècle plus tôt le sultan Moulaye Ismaïl avait tenu à merci Arabes, Berbères, Turcs, chrétiens... Jusqu'à sa rencontre avec Sidi Mohammed, il n'avait pas un ami. Il n'avait pas franchi le seuil d'une maison hormis celle de Moulaye Idris. Il n'avait pas échangé un sourire. Partagé un verre. Voilà pourquoi il s'était trouvé pris d'une rage de prouver de quoi était capable un Bambara, un fils de Ségou. Il fallait d'abord apprendre à lire. Et à écrire. Et puis s'initier à toutes ces merveilleuses techniques afin d'en rapporter la connaissance au pays. Non seulement chaque jour Siga essayait ses doigts gourds à la calligraphie, mais encore il observait les maçons, les zelligeurs, les sculpteurs sur plâtre, les ébénistes, les lanterniers et leurs chefs-d'œuvre de métal ciselé. Grâce aux relations de Moulaye Idris, il avait passé quelques mois chez un tanneur de la célèbre famille des Oulad Slaoui et s'était initié au complexe processus de fabrication des maroquins. A Ségou, on ne

5. Les nobles.
6. Les descendants de juifs convertis.
7. Les métis de Noirs et de Berbères.

manquait ni de bœufs, ni de vaches, ni de moutons, ni de chèvres... Aussi, tout cela n'était-il pas possible? On frappa à la porte. C'était la première épouse de Moulaye Idris, Maryam, qui lui avait toujours témoigné une grande bonté, même si elle était parfois hautaine.

« J'ai appris que tu as perdu ton père? Que la volonté d'Allah soit faite. Ne reste pas là à te morfondre. Viens écouter un joueur de viole... »

Siga obéit. A vrai dire, il n'aimait guère la musique qu'on jouait à Fès, mais il était sensible à l'attention de son hôtesse. Il la suivit le long du balcon couvert qui faisait le tour de la maison donnant sur le patio, lui-même entouré d'une spacieuse galerie rehaussée d'arcs et de colonnades. Le joueur de viole se tenait près du bassin central. Les femmes de la maison enveloppées de leurs voiles étaient déjà présentes et l'on faisait circuler de petits plateaux de dattes, des gâteaux au miel et au sucre de canne.

Un petit garçon au teint noir, mais les cheveux fauves et bouclés, se tint debout devant Siga et, riant de toutes ses dents, lui tendit une lettre. Siga la déplia et déchiffra péniblement :

Es-tu aveugle? Ne vois-tu pas que je t'aime?

Stupéfié, il dévisagea l'enfant qui rit de plus belle et s'enfuit.

Dès l'aube, Siga était à l'œuvre au souk Elkettan où son patron possédait une boutique de cotonnades, celles qu'il faisait tisser grâce aux fils envoyés de Tombouctou par Abdallah. Ce n'était pas une mince affaire : disposer la marchandise en mettant en valeur les plus belles pièces, aguicher le client à la criée, discuter, enlever le morceau. Pas une minute à soi! Heureusement Sidi Mohammed, dont l'échoppe se trouvait non loin près du carrefour des Semmarin, lui envoyait des tasses de thé et parfois un café très fort à résidu boueux qu'on avalait avec des tranches de citron. Laissant – une fois n'est pas coutume – son magasin sans surveillance, Siga poursuivit l'enfant à travers les ruelles couvertes de claies de roseaux déjà encombrées. L'enfant courait avec l'intention évidente de se faire rattraper, comme par jeu. Il entrait chez les vendeurs de babouches, chez les bijoutiers, chez les oiseleurs ou s'accrochait à pleines mains aux burnous des passants. Brusquement il s'arrêta et Siga le saisit au collet :

« Qu'est-ce que cela veut dire? Qu'est-ce que cela veut dire? »

L'enfant devint sérieux, fixa Siga de ses yeux mordorés comme ceux des chats, puis fit :

« C'est ma sœur, ma sœur Fatima... »

Siga regarda autour de lui avec terreur :

« Ta sœur? Où est-elle? »

L'enfant débita :

« Ce soir, fais-toi accompagner de ton ami Sidi Mohammed et viens chez nous. On marie ma sœur Yasmin. Dans tout ce monde, on ne remarquera pas que vous êtes des étrangers... »

Là-dessus, il jeta une adresse et s'enfuit.

Pendant un moment, Siga resta debout, les bras ballants comme un imbécile à tourner la tête de droite et de gauche. Puis, il courut chez Sidi Mohammed, manquant renverser dans sa hâte deux ou trois porteurs d'eau charroyant sur leur flanc des outres en peau de bouc. Sidi Mohammed mettait la dernière main à un harnachement de chevaux destiné à la famille du sultan, car il était connu comme un des meilleurs artisans de sa spécialité. Siga lui tendit le billet qu'il avait reçu et lui conta en haletant son aventure. L'autre ne sembla pas surpris et fit seulement :

« Eh bien, ce n'est pas trop tôt! »

Depuis qu'il était à Fès, Siga n'avait eu commerce qu'avec les prostituées des maisons publiques. Il était trop orgueilleux pour se faire rabrouer par une femme à cause de sa couleur. Deux ou trois prostituées qui habitaient non loin de la porte Bab el-Chari'a le recevaient bien volontiers. Là, il prenait son plaisir sans pratiquement voir la femme qui gémissait et se cabrait sous lui. Soudain, il apprenait que dans cette ville étrangère, presque hostile, une jeune fille l'avait remarqué parmi tant d'hommes riches, instruits, beaux, sûrs d'eux-mêmes, et il aurait souhaité l'en remercier à genoux. Comment était-elle cette inconnue? Quels yeux? Quel sourire? Pendant ce temps, Sidi Mohammed grattait sa tignasse crépue :

« Cette adresse-là ce n'est pas très loin d'ici, dans Zekkak er-Roumane. Ce nom-là, je dirai que c'est celui de la fille d'une marieuse, Zaïda Lahbabiya, fille naturelle, j'entends bien, car les marieuses n'ont pas le droit de se marier. »

Toutes ces paroles n'avaient pas de sens pour Siga, peu au fait des mœurs secrètes de Fès. Tout ce qui comptait pour lui, c'est qu'une inconnue l'aimait et avait eu l'audace de le lui dire. Finalement Sidi Mohammed lui rendit son billet en disant :

« Tâche de te faire beau et reviens me trouver ici vers six heures. »

Peut-on décrire la journée que passa Siga? Il flottait sur un nuage. Il échafaudait les projets les plus déraisonnables. Il chantait de vieux airs de Ségou qu'il croyait oubliés. Il aurait voulu prendre l'univers à témoin et hurler : « Une femme m'aime! Une femme m'aime! Moi! Moi! »

Un instant, une inquiétude l'effleura : et si elle

était laide, vieille ou bossue? Bien vite, il la chassa.

Vers le milieu de l'après-midi, il ferma boutique. C'était la fin de l'hiver. Les pauvres s'enveloppaient de burnous de laine grossière tandis que des élégants paradaient dans des vêtements de drap importés d'Europe, la tête coiffée d'un bonnet rouge sombre, lui-même entouré d'un volumineux turban qui faisait deux fois le tour de leur crâne. Les enfants, quant à eux, étaient emmitouflés dans des pièces de lainage de couleur violente, et si les fillettes étaient tenues à la maison près de leur mère, on rencontrait partout des foules de petits garçons, leurs planchettes sous le bras. Siga décida de se rendre aux étuves. C'était là un détail de vie auquel il avait pris goût. Passer de la salle froide à la salle chaude où des mains habiles vous lavaient, puis à la troisième salle où l'on transpirait dans une agréable promiscuité tandis que le pauvre ne se distinguait plus du riche, dans l'odeur de fumier des chaudières, était tout bonnement grisant! Parfois des étudiants de la Qarawiyyin se mettait à déclamer :

« O Fès, c'est à toi que l'on cherche à ravir toute beauté. Est-ce ton zéphyr ou bien un souffle qui nous repose? Est-ce ton eau fraîche et limpide ou de l'argent qui coule? Ton territoire est une terre que sillonnent les fleuves ainsi que les groupes d'hommes, les souks et les chemins. »

On s'entretenait avec des inconnus, rapprochés par la seule nudité. Cette fois cependant, Siga ne s'attarda pas, car il craignait trop d'être en retard à son rendez-vous. Lui qui ne prêtait aucune attention à ses habits se vêtit cette fois avec la plus grande élégance. Une veste serrée à manches bleu sombre, une chemise de fine toile, un caftan marron et un burnous de laine noire agrémentée de broderies de même couleur. Comme il sortait de sa chambre, Maryam qui donnait des ordres à ses servantes s'exclama :

« Eh bien, où vas-tu? »

Devant son embarras, elle eut un sourire. Courant à sa chambre, elle en ressortit bientôt et l'aspergea de parfum.

Le mariage à Fès n'était pas une petite affaire. Si la dot n'avait peut-être pas la même importance qu'à Ségou, c'était tout de même une débauche de présents, ducats, pièces d'étoffes de soie et de lin, lourds brochés, bracelets et colliers d'or et surtout d'argent, filigranés par les meilleurs orfèvres. Quand Sidi Mohammed et Siga arrivèrent chez la mystérieuse Zaïda Lahbabiya, la fête venait à peine de commencer. Le patio et le rez-de-chaussée étaient remplis d'hommes cependant que les femmes se tenaient encore au premier étage. L'air résonnait du bruit des trompes et des violes, de rires et des chants de louange des poètes.

Quelle belle demeure que celle de cette Zaïda! A coup sûr, sa profession de marieuse, si Sidi Mohammed ne s'était pas trompé, devait rapporter gros! Un patio d'amples dimensions. Entre le rez-de-chaussée et l'étage, un entresol. Les garde-fous des galeries faits de motifs géométriques disposés en oblique. Des dalles de marbre blanc et des linteaux décorés de rosaces délicatement moulurées. Personne ne s'étonna de l'apparition parmi les invités de Sidi Mohammed et de Siga. Il est vrai que dans cette assemblée d'hommes, riant et bavardant, une chatte n'aurait pas reconnu ses petits. Bientôt, Zaïda Lahbabiya apparut, sa qualité de marieuse lui donnant droit de recontrer les hommes à visage découvert. C'était une Noire à peine métissée d'Arabe, de haute taille, les yeux étincelants, et somme toute assez effrayante. Elle était violemment fardée et ses cheveux noirs très courts étaient agrémentés de pièces d'argent. Ses larges mains et ses pieds étaient bleuis au henné et de son corps se dégageait un parfum de poivre mêlé de menthe, doux et excitant à la fois. Elle fixa Siga dans les yeux et le cœur de ce dernier se liquéfia. Cette mère redoutable savait-elle la raison de sa présence? Alors n'allait-elle pas le faire jeter dehors comme un manant? Ou pire, l'apostropher publiquement? Que dirait-il pour sa défense? Mais déjà Zaïda s'éloignait, sans s'arrêter, comme une pirogue lourdement chargée descendant le fleuve. D'une certaine manière, Siga s'en rendit compte, c'était elle la véritable reine de la fête. Ce n'était point sa fille, ni son futur gendre ni les parents de ce dernier. Elle distribuait avec ostentation des ducats à un orchestre qui venait de s'installer dans le patio. Elle frappait dans ses mains et des servantes portaient des plateaux de viande de mouton et de couscous. Elle esquissait des pas de danse. Brusquement une main se posa sur celle de Siga. Il reconnut le garçon qui l'avait abordé le matin, accoutré de ses plus beaux habits, les cheveux soigneusement peignés et partagés par une raie de côté. Le garçon posa son doigt fluet sur ces lèvres et lui fit signe de le suivre.

Pour Siga, l'amour fut pareil aux premières pluies de l'hivernage. La saison sèche s'est étirée interminablement. La terre est craquelée ou poudreuse. L'herbe est rousse. Les arbres desséchés n'en peuvent plus. Et puis des nuages s'accumulent au-dessus des champs. Bientôt ils crèvent. Les enfants nus courent au-dehors pour recevoir les premières gouttes, encore espacées et brûlantes. Et puis tout pousse, le riz, le mil, les courges. Le poisson emplit les nasses. Les bergers abreuvent leurs troupeaux. Comment avait-il pu vivre sans Fatima?

Siga se réveillait la nuit pour se poser cette question. Elle ne le quittait pas le jour au souk, pendant ses leçons de lecture, à l'étuve, pendant les repas. D'ailleurs, il n'avait plus goût à rien. A la nourriture. A la boisson. Au travail. Pour la première fois, Moulaye Idris dut lui faire une observation sur la tenue du magasin et Maryam se plaignit du désordre dans sa chambre. Quant à Sidi Mohammed, il lui déclara qu'il n'apprendrait jamais à lire. Fatima ne ressemblait en rien aux femmes dont Siga avait quelquefois rêvé. Noire comme sa mère et son jeune frère, mais les cheveux soyeux et les yeux gris. Petite, si petite. Avec un corps menu, à peine renflé aux fesses et aux seins. Comment tirer tant de délices d'une si dérisoire étendue de chair? Et pourtant les créatures corpulentes que Siga avait chevauchées à satiété ne lui avaient jamais procuré tout ce plaisir. Il est vrai qu'il s'agissait cette fois d'un plaisir du cœur. D'un plaisir de l'âme. Siga ne se lassait jamais d'entendre Fatima lui conter :

« J'étais venue acheter des babouches au souk Essebat et je reprenais le chemin de la maison, mon paquet sous le bras. Et puis, je t'ai vu...

– Tu m'as vu et tu m'as aimé. Comme cela? Pourquoi?

– Parce que tu avais l'air triste, parce que tu avais l'air seul. »

A cet endroit du récit, à chaque fois, Siga couvrait Fatima de baisers.

Il n'y avait qu'une ombre à ce tableau : ces rendez-vous en cachette dans la maison d'une amie complaisante à El-Andalous.

Car Fatima vivait dans la terreur de sa mère.

L'ancêtre de Zaïda Lahbabiya était venue comme esclave au Maroc, au temps du sultan Moulaye

Abdallah, l'année même du grand tremblement de terre qui avait ravagé Fès. Au sein de la vieille famille fassie[8] dont elle portait le nom, elle avait servi d'habilleuse, préparant chaque mariée pour son départ vers la maison nuptiale. Puis cette activité était devenue une profession spécifique, complétée par des activités de broderies, en attendant le retour du printemps et des noces. Les privilèges des marieuses s'étaient transmis désormais de mère en fille. En outre, elles organisaient l'exposition du nouveau-né et récitaient, lors des circoncisions, des formules connues d'elles seules. Actuellement, sous le règne de Moulaye Slimane, la « corporation » des marieuses, toutes descendantes d'esclaves noires, comptait sept patronnes dont la plus puissante était Zaïda. Zaïda était riche. Elle possédait tant de bijoux qu'elle les louait à prix fort aux familles qui n'avaient pas de quoi parer leurs épousées. Elle connaissait le sultan et elle était souvent reçue au palais. Quand elle allait par les rues de Fès el-Bali, tout le monde la reconnaissait et la saluait par son nom.

Siga interrogeait Fatima :

« Que crains-tu? Qu'elle me trouve trop humble pour toi? Je suis le fils d'un noble de Ségou et ma famille peut lui faire parvenir une caravane chargée d'or, si elle le veut. »

Fatima secouait vivement la tête.

« Il ne faut pas qu'elle sache. Jamais. Jamais. »

Or Siga avait envie de crier cet amour à la face du monde. Il avait envie d'avoir des enfants. Il avait envie de s'installer dans une jolie maison de la casbah des Filala à deux pas de son ami Sidi Mohammed. Pourquoi cela lui était-il interdit?

Siga équilibra les pièces de cotonnade tandis

8. Originaire de Fès.

qu'une fois de plus sa pensée parcourait le même triangle. Pourquoi Fatima refusait-elle de le présenter à sa mère? Etait-ce parce qu'il était noir? Impossible, elle était aussi noire que lui. Etait-ce parce qu'il était mauvais musulman? En ce cas, il se sentait prêt à aller se vautrer cinq fois par jour à la mosquée d'Abou el-Hassan. Etait-ce parce qu'elle le croyait un gueux? En ce cas, il ferait parvenir un message à fa Diémogo afin de prouver le contraire. Brusquement, un parfum frappa ses narines, parfum étrange de poivre mêlé de menthe tandis qu'une voix un peu rauque adoucissant sensuellement les rudes consonances de l'arabe :

« Eh bien, il m'en a fallu du temps pour te retrouver! »

Siga se retourna tout d'une pièce, puis faillit littéralement s'évanouir ou prendre ses jambes à son cou, car devant lui se tenait, vêtue d'une lourde robe noire, le visage à moitié couvert d'un voile de fantaisie, les cheveux chargés de sequins, Zaïda, Zaïda Lahbabiya en personne, la mère de Fatima. Dans sa terreur, il laissa tomber le coupon de cotonnade qu'il tenait et elle rit d'un beau rire de gorge, qui faisait tressauter sa poitrine :

« Je te fais tant d'effet que cela? »

Siga n'était pas un enfant. Il sentait bien que ce n'était pas la manière dont une mère offensée s'adresse au galant de sa fille. C'était d'une entreprise de séduction qu'il s'agissait. Trop de femmes de mauvaise vie l'avaient dévisagé ainsi, avaient soupesé le poids de son corps et tenté de deviner les dimensions de son pénis. Cela ajouta à son épouvante. Il balbutia :

« Que désires-tu? »

Zaïda rit plus fort :

« Est-ce que tu ne le sais pas? L'autre jour, au mariage de ma fille, tu as disparu bien vite. Quand je t'ai cherché, pfut, tu étais parti... Ensuite, il m'a fallu remuer ciel et terre pour te retrouver. »

Siga répéta avec l'horrible impression d'être stupide :

« Dis-moi ce que tu veux. J'essaierai de te satisfaire... »

Zaïda s'approcha au point de le toucher :

« Je suis sûre que tu y parviendras. Tu connais déjà mon adresse. Ce soir, je t'attendrai... »

7

COMBIEN d'hommes ont fait l'amour en même temps à une mère et à sa fille et éprouvé autant de plaisir dans les bras de l'une et de l'autre?

Bien sûr, il ne s'agissait pas du même plaisir. Quand Siga quittait Fatima, il se sentait plus heureux, plus léger, poli, affiné par cet échange comme une pierre précieuse dans la main d'un bijoutier. Quand il s'extirpait de la couche de Zaïda, il se haïssait et la haïssait, s'irritant rétrospectivement de son avidité et grommelant : « Si elle continue, elle va m'arracher les couilles! »

Il vivait dans des affres constantes, craignant que la mère n'apprenne ses relations avec la fille et que la fille n'apprenne ses relations avec la mère. Comme il dormait peu et épuisait toute sa semence, il était fatigué, distrait, négligent. A présent, continuellement, Moulaye Idris le tançait. Un jour même, il le fit appeler dans son bureau :

« Ecoute-moi, depuis plusieurs années que tu es ici, je n'avais eu qu'à me féliciter de tes services. Or, depuis quelque temps, tu as changé au-delà de toute expression. Je te donne un dernier avis. Si cela continue, je me verrai dans l'obligation de te renvoyer à Tombouctou auprès d'Abdallah. »

Que faire? Rompre avec Fatima? Il n'en était pas

question. Rompre avec Zaïda? Il n'en avait pas la force.

C'est que Zaïda, outre ses exceptionnelles qualités au lit, était un personnage fantastique. Elle débordait d'histoires réelles ou imaginaires. A l'en croire, le sultan Moulaye Slimane, amoureux fou d'elle, avait voulu la prendre dans son harem. A l'entendre, un manuscrit sur peau de gazelle de la Qarawiyyin contenait des poèmes à sa louange. Selon ses dires, son portrait figurait dans le palais d'un seigneur de Cordoue en Espagne. Tout irrité qu'il fût, Siga ne se lassait pas de l'entendre parler. Il mourait de rire en retombant entre ses cuisses largement ouvertes et leurs premières étreintes avaient toujours un goût ludique. Que faire?

Revenant du Mellah[1], où il avait livré du broché à un riche commerçant qui mariait sa fille, il s'assit dans les jardins Lalla Mina. A quelques pas, un bateleur s'accompagnant d'un tambourin chantait une romance. Plus loin, deux gueux faisaient danser des singes accoutrés de chiffons rouges. Spectacle familier auquel Siga ne prêtait plus aucune attention. Soudain, un vieillard prit place à côté de lui, vêtu comme un pauvre d'un mauvais burnous et d'un bonnet sans oreillette. Il lui tendit sa tabatière, que Siga refusa d'un geste, et après s'être mis une petite prise dans les narines, il fit observer :

« Tu as l'air bien malheureux, jeune homme! »

Siga eut un soupir. Dans les moments de grande affliction, c'est connu, l'individu se confie au premier venu. Siga n'échappa pas à la règle et vida son sac. Quand il se tut, l'homme hocha la tête :

« Que c'est beau, la jeunesse! Moi aussi, avant d'être décati comme tu me vois à présent, j'ai connu

1. Quartier juif de Fès.

une situation semblable. Je me trouvais à Marrakech chez mon oncle... »

Se reprochant de s'être laissé aller à se confier, Siga décida de couper court à ce récit insipide et se levait déjà quand le vieillard le retint :

« Fuir, c'est tout ce que tu peux faire! »

Siga se rassit :

« Fuir. Mais Fatima?

– Enlève-la. Emmène-la avec toi... Mets le Sahara entre la mère et toi... »

La proposition ne manquait pas d'un certain culot! En même temps, Siga s'apercevait que ce vieillard ne faisait que dire tout haut ce qu'il n'osait pas exprimer. Il murmura :

« Partir? Mais je n'ai pas terminé mon apprentissage. »

L'homme eut un rire :

« Tu me fais penser à quelqu'un que la mort viendrait chercher et qui lui dirait : « Attends, je n'ai pas fini mon apprentissage. » La vie, la vie est un apprentissage sans fin.

Siga se prit la tête entre les mains. Partir! Retourner à Ségou. Pourtant Fatima accepterait-elle de le suivre? Sinon, faudrait-il réellement l'enlever? Cela supposait des complicités dans cette ville étrangère. Il se tourna vers le vieillard pour exprimer ses objections. Il avait disparu. Alors il comprit que c'était un ancêtre qui, sous ce déguisement, lui avait indiqué la voie à suivre, et un grand calme l'envahit.

Il se leva. Voilà qu'au moment de quitter Fès, il se rendait compte à quel point il l'aimait. Il ne s'était jamais attaché à Tombouctou, mais Fès lui avait envahi le sang comme une femme. Partout il garderait sa nostalgie. Il passa devant l'antique mosquée du Minaret rouge, traversa les jardins de Bou Jeloud et regagna lentement Fès el-Bali. Des voix d'enfants psalmodiaient les premières sourates et toute la ville s'étendait à ses pieds, devant une chaîne d'altières montagnes. Avait-il mis à profit le temps qu'il y avait passé? Peut-être avait-il été exclu de sa vie intime parce qu'il ne partageait pas sa religion. Il ne se prosternait pas dans ses mosquées. Il ne fréquentait pas ses médersas. Il ne s'était jamais mêlé aux foules franchissant le seuil de la Qarawiyyin pour écouter les grands commentateurs des hadiths, venus du monde entier, en particulier de l'Andalousie.

Quand il rejoignit Fatima, il la trouva en larmes, sa mère l'avait encore battue. Siga la couvrit de baisers. Puis l'ayant soûlée de plaisir, il décida de tâter le terrain. Accepterait-elle de le suivre? Mais Fatima, qui n'avait pas quinze ans, n'était qu'une enfant. Elle avait pu faire écrire une lettre à un homme pour lui déclarer son amour, car il y avait dans ce geste un caractère à la fois romantique et pervers qui était bien de son âge. De là à lui demander davantage! De là à espérer qu'elle pourrait prendre sa vie en main!

Siga décida d'agir seul et dressa rapidement un plan. Depuis des années qu'il travaillait pour Abdallah de Tombouctou, puis pour Moulaye Idris, il n'avait jamais reçu de salaire, étant nourré et logé. Il fallait donc percevoir ces arriérés. Grâce à eux, il fallait charger une caravane de cotonnades, de soieries ornées de fils d'or, de brochés et de tissu brodés. Le monde changeait. A Ségou, même ceux qui n'étaient pas musulmans voudraient acquérir pareilles nouveautés. Les femmes céderaient à cette mode. Il ouvrirait une grande maison de commerce. Outre les tissus, il ferait la soudure avec le sel de Tombouctou et le kola. Mieux encore, il ouvrirait une tannerie.

Que fallait-il pour cela? Un espace découvert où

l'on pourrait creuser des bassins et des fosses. A Ségou, l'espace ne manquait pas. Le Joliba fournirait l'eau en abondance. Le soleil travaillerait au séchage. On pourrait fabriquer ces babouches de cuir souple jaune ou blanc que Fès exportait à travers tous les pays musulmans. Siga se vit employant des dizaines de garankè[2] car lui-même, fils de noble, ne pouvait s'abaisser à travailler le cuir. Ah! il prouverait à tous de quoi était capable le fils-de-celle-qui-s'était-jetée-dans-le-puits!

Au moment où il comptait déjà ses sacs d'or et de cauris, Siga se retrouva près de la médersa des Chaudronniers et de son humble minaret, les pieds dans les détritus que les habitants jetaient partout abondamment. Il pressa l'allure et se rendit dans la boutique de Sidi Mohammed. Celui-ci était en grande conversation avec un client qui lui commandait une selle pour un pur-sang dont il parlait comme d'une femme. Siga cacha son impatience. Enfin, le détestable bavard s'en alla et tout à trac, Siga fit part de sa résolution. Il y eut un long silence, puis Sidi Mohammed se décida :

« Zaïda est une fine mouche, je dirais même que c'est la créature la plus intelligente qui ait nom de femme. Si tu disparais avec sa fille, elle saura que deux plus deux font quatre. Elle ameutera le sultan et on arrêtera tous les voyageurs et toutes les caravanes se dirigeant vers Ségou. En moins de deux jours, tu seras de retour ici, les fers aux pieds. »

L'objection ne manquait pas de justesse. Siga fixa Sidi Mohammed avec désespoir.

« As-tu une autre idée? »

Sidi se gratta vigoureusement la tête comme il aimait le faire. Cet homme matois cachait la finesse

2. Artisan bambara qui travaille le cuir.

de son esprit sous des airs de brute. Finalement, il laissa tomber :

« Une autre route. Tu dois prendre une autre route... »

Siga écarquilla les yeux :

« Une autre route? Tu en connais d'autres, toi? »

Sidi Mohammed se versa lentement du thé, but à petits coups la moitié de sa coupe, puis fit :

« La mer.

– La mer? Où vois-tu la mer à Fès? »

Sidi Mohammed soupira, comme découragé par tant de stupidité :

« A Fès, il n'y a pas la mer, mais à quelques kilomètres d'ici, près de Kénitra, et puis j'y ai un oncle... Là, tu trouveras des bateaux pour te conduire dans toutes les parties de la Terre. »

Siga rentra à petits pas chez Moulaye Idris.

Quand le soir tombait, assombrissant les murs blanchis à la chaux, les habitants aimaient s'assembler sur les places, jusqu'à ce que le grand appel du muezzin *Allah Akbar* les ramène à l'intérieur des maisons pour la dernière prière. Les marchands d'amandes, de menthe, d'épis de maïs grillés essayaient de tirer profit des heures qui restaient avant la nuit et à chaque porte, des conteurs publics chantaient la fondation de Fès. Siga fit un crochet jusqu'à Bab el-Guissa où, comme chaque jour, un poète déclamait les vers d'Abou Abdallah el-Maghili devant une foule recueillie : « O Fès! qu'Allah fasse revivre ton sol par l'humidité. Qu'il l'arrose de la pluie du nuage généreux. O paradis de ce monde! Toi qui surpasses Hims par ton panorama splendide et admirable... »

En l'écoutant, ses joues se couvrirent de larmes. Il allait partir, reprendre la route! Pourtant, il pleurait aussi sur sa faiblesse, car il savait qu'à minuit, il courrait retrouver le lit de Zaïda.

Siga sortit de la cabane de blanchisseur où il était terré depuis la veille. D'après ses calculs, ses amis, ou plutôt ceux de Sidi Mohammed, ne devaient pas tarder. Avaient-ils réussi leur coup? Il savait que le principal obstacle au succès de l'entreprise était Fatima elle-même. Elle prendrait peur, elle s'affolerait, elle refuserait de les suivre! Si Siga avait eu un féticheur à ses côtés, il lui aurait payé n'importe quel prix pour en avoir le cœur net.

Tout avait bien marché jusque-là. Avec une hauteur princière, Moulaye Idris lui avait versé son dû, puis reprenant d'une main ce qu'il avait donné de l'autre, il s'était engagé à lui livrer de la belle marchandise. A vrai dire, il semblait satisfait du départ volontaire d'un garçon qui ne le servait plus à sa convenance. Seule sa femme Maryam s'était étonnée :

« T'es-tu entendu avec Abdallah? »

Siga était parvenu à cacher son dessein à Zaïda, lui prodiguant chaque nuit les caresses les plus violentes et endormant ainsi toute méfiance. Sidi Mohammed et ses amis devaient s'emparer de Fatima alors qu'elle revenait de l'école coranique. Comme la coutume du rapt simulé avant le mariage ne s'était pas entièrement perdue, personne ne songerait à intervenir. Puis le petit groupe sauterait sur des chevaux attachés sous les oliviers du Lemta et sortirait par la porte Bab el-Guissa. Simple comme un jeu d'enfant!

Pourtant Siga avait peur. Il croyait Zaïda capable de tout. De remuer ciel et terre pour le retrouver et le punir de sa perfidie. Tant qu'elle vivrait, il ne serait jamais en repos. Il marcha jusqu'à la rivière, l'oued Fès, qui jointe à une dizaine de sources alimentait Fès en eau courante. Sur l'autre rive, s'élevait un verger d'orangers, pour l'heure sans fleurs ni fruits, contre le ciel gris d'un hiver finissant. Puis, il retourna vers la cabane et s'accroupit par terre. Il n'était pas loin de maudire l'amour qui avait jeté tant de désordre dans sa vie rangée. En même temps, il savait que seul ce désordre donnait du sens à l'existence. Ainsi, il allait rentrer à Ségou. Quels changements y trouverait-il? Le père était mort. Tiékoro était-il rentré de Djenné? Siga s'apercevait que sa rancune à l'égard de son frère n'avait pas désarmé. L'imbécile possédait une femme qu'il ne méritait pas! En pensant à Nadié, le cœur de Siga s'emplit de douceur. Il avait commandé à son intention une pièce de broché où des passementiers devaient incorporer des fils d'or et d'argent ainsi que des paillettes de métal. Epouse légitime ou non, il entendait l'honorer!

Il crut entendre un piétinement de chevaux sur la route, et sortit en hâte. Mais ce n'était qu'un groupe d'âniers poussant leurs bêtes lourdement chargées, revenant des abattoirs. Il rentra de nouveau à l'intérieur et las de se ronger les sangs, il déroula sa natte et tenta de dormir. Dans les heures d'émotion, les anciens cauchemars reprenaient possession de l'esprit de Siga. Aussi, à peine avait-il clos les yeux que le cadavre de sa mère, dégoulinant d'eau, vint prendre sa place près du puits.

Le corps frêle. Les seins aigus comme ceux d'une fille nubile. Le ventre bombé comme un doux monticule. Le cercle apitoyé et terrorisé des femmes. Pourtant cette fois, le décor avait changé. Au lieu de la concession de Dousika, on se trouvait dans une étendue détrempée par la pluie où pointaient çà et là des arbustes aux feuilles vernissées. L'ouverture du puits béait dans sa ceinture de branchages et le féticheur, accroupi, suppliait la Terre de ne pas s'irriter, de continuer à donner ses fruits.

« Que cette mort mauvaise, inféconde, ne te détourne pas de nous! »

Mêlé aux curieux, Siga s'approcha. Et ce ne fut pas seulement un corps qui lui apparut. Mais deux. Elles étaient deux. Deux femmes jeunes, fragiles, et entre elles était étendue une petite fille. Siga joua des coudes pour se placer au premier rang, mais implacablement, comme à dessein, le cercle le repoussait. Il ne parvenait pas à distinguer le visage des femmes, ni celui de l'enfant dont il apercevait seulement les pieds potelés et les ongles nacrés. Quoi de plus absurde que la mort d'un enfant? Qu'un fruit vert qui tombe avant un fruit mûr?

« Pourquoi se sont-elle tuées? »

On n'en savait rien. Elles appartenaient à l'espèce dangereuse des femmes qui aiment trop. Qui placent leurs sentiments au-dessus des règles de vie en société.

« Laquelle des deux a emmené son enfant avec elle?

– Elle a bien fait. Une fille n'appartient jamais qu'à sa mère. »

Le murmure des voix féminines s'éteignit. Siga joua plus fort des coudes et parvint à apercevoir l'arrondi d'une joue, la blancheur des dents sous les lèvres retroussées. Nadié. C'était Nadié. Un cri de terreur s'arrêta à la base de sa gorge. Puis, par une reptation lente, il monta, parvint à franchir le barrage de sa luette et fusa. Nadié. C'était Nadié. Comme il se dressait, impuissant et torturé, une main le secoua. Il ouvrit les yeux sur une ombre épaisse. Des rires s'élevèrent :

« Eh bien, en voilà une façon d'accueillir ta femme! »

L'ombre se dissipa et émergèrent les visages rigolards de Sidi Mohammed et de quelques hommes en bonnet de laine. Siga gémit :

« Elle est morte, elle est morte! »

Les hommes rirent à gorge déployée :

« Mais non, elle n'est pas morte... »

Et ils s'écartèrent pour faire place à Fatima informe, enveloppée de couvertures comme un ballot, encore effrayée, mais jubilante.

Il fallut bien des minutes à Siga pour que les ombres se dissipent, pour qu'il se persuade que ce n'était qu'un rêve et reprenne pied dans le réel. Néanmoins, l'impression était si forte qu'elle annulait toute joie et flottait comme un mauvais présage. Sous les regards réprobateurs du groupe et surtout de Fatima, il alla se verser une forte rasade d'eau-de-vie.

Sidi Mohammed et ses compagnons avaient apporté des galettes de blé dur, des olives et des oignons. Tout le monde se restaura.

Bon, la première partie du plan avait réussi. Restait la seconde. Il s'agissait de remonter en barque jusqu'à l'oued Sébou, puis jusqu'à l'Atlantique. La voie était sillonnée de navires depuis le temps où le commandeur des croyants Abou Inan y avait lancé des vaisseaux de guerre. Quant à l'Océan, d'aucuns affirmaient qu'il était noir de mâts, se dirigeant dans toutes les directions, vers l'Espagne, et le long des côtes d'Afrique, jusqu'à disait-on l'embouchure du Joliba.

Quand Siga se retrouva seul avec Fatima, il n'éprouva pas la joie qu'il avait escomptée. Le souvenir de son rêve le bouleversait encore. C'était comme si l'esprit de Nadié, avant de s'enfoncer au pays des invisibles, avait voulu dire un adieu à ceux qui l'avaient aimée. En outre, il s'en rendait compte, Fatima n'était qu'une gamine qu'il faudrait tenir par la main à travers la vie. Pour l'heure, elle regrettait déjà Ali, son petit frère :

« Le pauvre, avec qui va-t-il jouer quand je ne serai plus là? Et puis, il oubliera de faire ses prières. Comme toi d'ailleurs, Ahmed, tu es un mauvais musulman... Tu grilleras dans le feu éternel. »

Celui qui n'a jamais vu la mer reçoit en la découvrant un grand coup au cœur. Sa respiration s'arrête sous ces effluves. Devant ce grand suaire déroulé, il prend aussitôt la dimension de l'infini et de la mort. Siga, qui avait vu le lac Débo en se rendant à Tombouctou, croyait n'être pas surpris. Et pourtant! Ses yeux interrogeaient l'horizon. Qu'y avait-il au-delà de cette courbe grise? Sans doute les pays d'autres hommes à peau claire comme les Arabes, à peau blanche comme les Espagnols et qui méprisaient les hommes à peau noire. Siga avait eu le temps de comprendre qu'une peau noire faisait de vous une créature à part. Pourquoi? Il avait beau tourner et retourner cette question dans sa tête, il n'entrevoyait pas de réponse. Les Bambaras étaient aussi forts, orgueilleux, créatifs qu'un autre peuple. Etait-ce simplement le fait de la religion? Si c'était cela, par esprit de défi, il s'accrochait à ses dieux, à ses ancêtres. Contre vents et marées, il resterait un buveur d'alcool, un fétichiste. Fatima et Siga étaient allés de Kénitra à Salé, autrefois port actif échangeant avec l'Espagne des huiles, du cuir, des laines, des céréales, pareille à présent à un grand cimetière de pierres grises. Evitant Rabat sur l'autre rive du fleuve qu'on leur avait dit grouillante de trafiquants d'esclaves, ils étaient descendus à Mohammedia.

Siga avait laissé Fatima à l'auberge, car depuis le matin elle pleurait. Elle réalisait soudain qu'elle n'aurait pas le mariage de ses rêves : un trousseau somptueux, du mobilier, une esclave attachée à son service. Siga avait beau lui répéter qu'il lui offrirait tout cela à Ségou, il commençait de se demander de quel œil elle regarderait leurs concessions de banco, leurs calebasses, leurs nattes et le peu de raffinement de leurs habits. Eh non, ils ne possédaient pas tous les biens matériels des fassi! Il soupira et se dirigea vers le quai. Dans des entrepôts à toits bas s'entassaient des sacs de blé ou de riz, des paniers de dattes et d'olives. Il y avait aussi des poteries dites « fekkarines » en terre vernissée bleue que des hommes, torse nu, enveloppaient délicatement dans la paille.

Les amis de Sidi Mohammed n'avaient pas menti. L'Océan était couvert de navires dont des marins lavaient les ponts à grande eau. Siga avisa un Noir assis sur un tas de cordages et lui exposa son projet. Pour toute réponse, l'homme se frappa le front :

« Tu es fou. Aucun bateau ne va jusque-là. Tu prétends descendre plus loin que l'embouchure du fleuve Sénégal et de là, entrer à l'intérieur des terres? Pourquoi n'as-tu pas pris une caravane? »

Siga fit sèchement :

« C'est mon affaire. Connais-tu un navire qui va vers le sud? »

Le marin indiqua un brick d'assez méchante apparence.

Le capitaine Alvar Nuñez était né en Andalousie, avait roulé sa bosse le long des côtes d'Afrique, tâté du trafic négrier, mais depuis que ces satanés Anglais arraisonnaient tous les navires de traite, il s'était reconverti dans un commerce plus légitime. Il regarda avec surprise ce Noir de belle allure, vêtu à la manière des gens de Fès, s'exprimant parfaitement en arabe et l'interrogea :

« Qu'est-ce que tu fais si loin de chez toi? Raconte... »

Mais Siga n'avait aucune envie de parler de lui-même. Il exposa sa requête. Il était prêt à payer le prix qu'il faudrait pour être conduit à l'embouchure du fleuve Sénégal ou du fleuve Gambie. Alvar Nuñez tira son brûlot de sa bouche :

« Il y a quelques années, je n'aurais pas donné cher de ta liberté dans ces coins-là. A présent tout est changé. Je ne suis ici qu'à la suite d'une avarie. En réalité, je vais à Bonny[3] chercher de l'huile de palme. Tu as de la poudre d'or, dis-tu? »

Siga descendit d'un bond l'échelle qui menait au quai. Non, les dieux et les ancêtres ne l'abandonnaient pas! Voilà qu'à peine arrivé à Mohammedia il trouvait un navire et un capitaine qui ne semblait pas un trop mauvais bougre. Pour fêter l'événement, il entra dans une taverne où des hommes de toutes couleurs, Arabes basanés, Espagnols à chair blanche, Noirs, juifs au teint blafard ingurgitaient ces liqueurs qui permettent d'oublier les soucis quotidiens : eau-de-vie, rhum, vin, genièvre... Il y avait aussi quelques femmes fardées, le visage découvert. Siga s'assit à une table et allumait une pipe quand un homme se précipita vers lui :

« Jean-Baptiste! Ma parole, tout le monde te pleure, te croyant mort... »

Désagréablement surpris par ces propos, mais s'efforçant de n'en rien laisser voir, Siga frappa le bois de la main :

« Je ne suis pas Jean-Baptiste, mais je vais tout de même t'offrir à boire! »

L'homme prit place. Il semblait confondu et conta son histoire. Avec son maître Isidore Duchâtel, un Français complètement fou qui voulait transformer

3. Ville située près du delta du Niger dans l'actuel Nigeria.

le cap Vert en un immense Jardin d'essai, il allait chercher des graines de fleurs, des bourgeons d'orangers et de citronniers et des plants de mûrier dans la région de Beni Guareval. Il avait connu à Gorée un esclave bambara du nom de Jean-Baptiste qui ressemblait trait pour trait à Siga. Siga haussa les épaules :

« Jean-Baptiste! Les musulmans nous affublent de leurs noms et les chrétiens aussi. Quel était le nom que son père lui avait donné? Le sais-tu? »

L'homme eut un geste d'ignorance :

« Tala, je crois, ou Sala... »

Siga se pencha vers lui et demanda avec passion :

« Naba, est-ce que ce n'était pas Naba? »

8

A TRAVERS la morsure du soleil, Naba sentit la pensée de son frère voleter autour de son visage, puis se poser sur son front, douce et caressante comme une aile de papillon. Il tira sur sa pipe de maconha. Après quelques bouffées, son esprit devenait léger, poreux et, se détachant de son corps, allait à la rencontre des faits et des gens.

C'est ainsi qu'il avait rencontré l'âme de son père alors qu'elle se détachait de son corps, et qu'il avait fait un bout de chemin avec elle avant qu'elle ne s'enfonce dans l'invisible. De même, il savait que, pour le moment, la famille était éprouvée. Mais il ne savait pas qui elle pleurait. Tout se jouait autour d'un puits. Une forme frêle. La terre détrempée de l'hivernage.

Il tira à nouveau sur sa pipe pour deviner quel frère pensait à lui.

Ce n'était pas Tiékoro, l'aîné bien-aimé, car son esprit battait la brousse, au plus profond de la douleur, et ne songeait à rien. Ce n'était pas Tiéfolo, car il ne se passait pas de jour sans qu'ils soient ensemble. Alors, ce devait être Siga, le fils de l'esclave, le fils-de-celle-qui-s'était-jetée-dans-le-puits, toujours un peu exclu. Où était-il? Pas à Ségou. Naba perçut la muraille liquide d'un océan que le souffle de l'air rendait plus haute encore.

Au-dessus de sa tête dans le vert sombre des feuilles, des fruits s'offraient, des oranges. L'avant-veille, il s'était rendu dans son jardin. Les fruits ne se distinguaient pas encore des feuilles. Aujourd'hui, brusquement, un peuplement de soleils. Ah! oui, cette terre était grasse et fertile. Elle ne demandait qu'à enfanter comme une femme. Naba se mit debout et regarda autour de lui. Une végétation épaisse cédait la place aux champs de canne à sucre, couverts du voile mauve de la floraison. Très loin, comme dessinée en pointillé par la distance et la chaleur, on apercevait la silhouette des « chapadas », ces montages aux sommets aplatis à coups de pilon. Naba leva les bras au-dessus de sa tête et cueillit délicatement une orange, une seule. Le lendemain, il reviendrait prendre possession de la récolte.

Manoel Ignacio da Cunha, propriétaire de cette fazenda[1] dans la province de Pernambouc, non loin de Recife, ville du nord-est du Brésil, n'avait pas acheté Naba, ayant son content d'esclaves du sucre, mais Ayodélé la petite Nago qu'il protégeait. Naba avait été pris dans un lot par un Hollandais qui tâtait de l'élevage dans le sertão[2] et ne craignait pas les fortes têtes. Quelques mois plus tard, cependant, il avait mystérieusement apparu dans la fazenda de Manoel, à l'heure du repas, et était allé droit à la Nago qu'on avait entre-temps baptisée Romana. D'un coup, Manoel, superstitieux et conseillé par sa femme, n'avait plus touché Romana que pourtant il adorait et qui était grosse de lui.

Que s'était-il passé dans le sertão? Naba n'en avait rien dit puisqu'il ne parlait pratiquement pas. Il allait et venait, coiffé d'un large chapeau de paille,

1. Plantation de café ou de canne à sucre.
2. L'intérieur aride du Brésil.

vêtu d'un pantalon de coton qui s'arrêtait à hauteur des genoux et d'une vareuse informe, une pipe de maconha à la bouche. Les esclaves disaient qu'il était fou, un peu sorcier, pas méchant, mais capable de déchaîner les forces mauvaises. Comme il possédait une extraordinaire connaissance des plantes, ils le consultaient quand un enfant avait le ventre enflé, une femme un ulcère purulent, un homme une maladie de la verge. Protégé par cette réputation de folie, Naba agissait comme bon lui semblait. Il avait défriché un quadrilatère à l'est du moulin et des champs de canne à sucre, et l'avait transformé en jardin potager et en jardin fruitier. Les tomates, les aubergines, les carottes, les choux, les papayes, les oranges, les citrons, tout poussait. Comme s'il savait que la terre ne lui appartenait pas, à chaque récolte, il déposait sous la véranda, à l'intention de la senhora, deux paniers pleins à ras bord. Le reste, Ayodélé le vendait à Recife où on manquait toujours de vivres frais, suspendu que l'on était à l'arrivée des navires en provenance du Portugal. En outre, depuis que la cour de João IV du Portugal, après les troubles causés par Napoléon, s'était réfugiée à Rio, toute la nourriture filait par là.

Car Naba avait repris Ayodélé, comme si rien ne s'était passé en son absence, comme si elle n'avait pas dormi des mois dans l'Habitation, comme si l'enfant qu'elle portait n'était pas de Manoel. Les esclaves ne cessaient d'en discuter. Est-ce qu'il ne voyait pas que ce premier-né-là était un mulâtre, bien différent des négrillons que sa propre semence avait plantés ensuite? Du coup, ils haïssaient Ayodélé qui, après avoir été la putain du maître, se donnait des airs respectables et, qui plus est, se mêlait d'organiser dans la fazenda une confrérie baptisée « Seigneur Bon Jésus des aspirations et de la rédemption des hommes noirs », sur le modèle de celle qui existait à Bahia. Les femmes surtout étaient sans pitié.

Naba emprunta le sentier qui, coupant à travers les champs de canne, menait au parc et à l'Habitation, au sommet du morne[3], où vivaient Manoel, sa femme Rosa, la sœur de sa femme Eugenia, venue vivre avec eux après que la syphilis eut emporté son mari, une bonne quinzaine d'enfants légitimes et illégitimes, blancs et mulâtres, une douzaine d'esclaves domestiques, un padre, curé chassé de son église à cause de sa passion pour les négresses impubères, et un maître d'école venu de Rio pour apprendre la calligraphie aux enfants. Il ne pouvait attendre pour montrer à Ayodélé la première orange de la saison. Il fallait qu'elle partage avec lui ce moment unique où la graine enfouie dans la vulve chaude de la terre, après un silencieux labeur, apparaissait potelée, parfaite, comme un nouveau-né enfin révélé à l'impatience de ses parents.

L'Habitation de Manoel pouvait passer pour somptueuse. C'était un édifice de pierre, couvert de tuiles, avec un étage surmonté d'un galetas. Le rez-de-chaussée était occupé par le salon jaune qu'on appelait ainsi à cause de la couleur de ses rideaux de soie et dont un assez beau tapis d'Aubusson couvrait le sol, deux salons plus petits, l'un vert, l'autre bleu qui contenait un piano qu'Eugenia et Rosa tapotaient parfois et qu'on appelait salon de musique, ou salon chinois, selon l'humeur, parce qu'il abritait un canapé chinois incrusté de nacre, une salle de billard où Manoel entretenait des planteurs de ses amis et une vaste salle à manger, meublée de façon assez fruste de tabourets et d'escabeaux autour d'une grande table ornée de chandeliers. Le vestibule était pavé de carreaux

3. Colline.

noirs et blancs qui revêtaient aussi les murs jusqu'à mi-hauteur. Un escalier de bois menait aux chambres du premier étage, une échelle fort raide aux pièces du galetas où couchaient les esclaves favorites de Manoel. Pourtant, malgré la qualité des meubles faits de bois de jacaranda, des bronzes et des tapis, tout cela avait un air de saleté dû peut-être à l'exubérance du climat tropical. L'odeur des tinettes cachées sous l'escalier et qu'un esclave vidait quand elles débordaient s'insinuait partout, sous le parfum des herbes que les petits esclaves brûlaient toute la journée dans les diverses pièces que traversaient, tels des fantômes, Rosa et Eugenia, en robes noires de coupe monastique, un long voile noir aussi, accroché au peigne de leurs chignons luisants, et les épaules drapées dans des châles de même couleur. Les esclaves affirmaient que Manoel couchait avec l'une et l'autre femme, ce qui expliquait l'expression sombre et tourmentée de leurs visages.

Ayodélé se tenait dans la cuisine, entourée d'une nuée d'enfants parmi lesquels Naba reconnut les siens. Elle préparait des pamonhas[4] dont on respirait déjà le fumet, et releva la tête au bruit des pas. Personne mieux qu'Ayodélé ne savait que Naba n'était pas fou. Personne mieux qu'elle ne savait la bonté, la finesse et la générosité de son cœur. Il était dans sa vie la force tranquille, la digue contre laquelle ruaient ses passions. Elle lui sourit tandis qu'il lui montrait l'orange, comme une pépite venue d'Ouro Prêto[5] et interrogea :

« La récolte sera bonne cette année? »

Il hocha affirmativement la tête. Elle insista :

4. Gâteaux au maïs.
5. Ville située dans le sud du Brésil dans la région aurifère.

« Est-ce que cela nous rapportera beaucoup d'argent? »

Il sourit à son tour :

« Pourquoi calcules-tu, Iya[6]? Ne peux-tu pas laisser les dieux le faire pour nous? »

Elle ne releva pas le reproche et fit :

« Je demanderai la journée au maître pour descendre à Recife... »

Puis elle houspilla les enfants qui, profitant de son inattention, trempaient leurs doigts déjà poisseux de jus de canne dans la pâte.

L'esclavage, cela vous transforme un humain, soit en loque, soit en bête féroce. Ayodélé n'avait pas seize ans quand elle avait été arrachée aux siens, ce qui fait qu'elle n'avait, à présent, guère plus de vingt ans. Pourtant, son cœur était celui d'une vieille, plus vieille que sa mère qui l'avait mise au monde et même plus vieille que sa grand-mère. Son cœur était amer. Il était comme le cahuchu, le bois qui pleure, que les seringueiros[7] transperçaient de leurs pointes dans les forêts. Sans Naba, peut-être serait-elle devenue folle, ou elle aurait fini par mettre fin à ses jours, lasse de porter son enfant dans la haine et le mépris d'elle-même. Sans dire un mot, il lui avait signifié qu'elle n'était qu'une victime et cet amour l'avait gardée en vie. Mais l'amour d'un homme ne suffit pas. Il y avait tout le reste. Le pays d'abord, haïssable à force de beauté. Des palmiers royaux défiant le ciel d'un bleu opaque. Sur les lacs, des profusions de fleurs aquatiques, nénuphars à la transparence verte, orchidées aux lèvres sanglantes et déchiquetées. Les hommes, ensuite. D'une part, les esclaves se vautrant dans leur passivité. De l'autre, les maîtres rongés de

6. « Maman », en yoruba.
7. Ouvrier qui « saigne » les artères à caoutchouc dans la forêt.

syphilis, grattant leurs croûtes et leurs plaies de leurs ongles démesurés.

Depuis quelque temps cependant, Ayodélé entretenait un espoir. Elle avait entendu parler de ces sociétés d'affranchissement que les esclaves à Bahia comme à Recife organisaient dans le but de retourner en Afrique. Aidés de ganhadores[8], de Noirs et de métis affranchis, ils constituaient des caisses dans lesquelles ils versaient l'argent qu'ils arrivaient à épargner. Lorsque l'un d'entre eux avait en caisse une somme représentant la moitié de la valeur exigée par son maître pour lui accorder la liberté, il recevait de l'ensemble des adhérents le prix de son rachat. Ensuite, il s'efforçait d'obtenir pour lui et sa famille des passeports portugais, ce qui n'allait pas sans pots-de-vin et tractations de toutes sortes. Un certain nombre de familles étaient déjà reparties ainsi et s'étaient fixées dans divers ports du golfe du Bénin, en particulier à Ouidah. Reis par reis, Ayodélé avait rassemblé le produit des ventes de fruits et de légumes de Naba et elle avait pris contact avec le ganhador José. Il ne restait plus qu'à conclure l'affaire.

La ville de Recife devait son nom aux rochers qui défendaient l'entrée de son port et même de ses plages. Elle avait passé entre les mains des Français, des Hollandais, et finalement, elle demeurait aux mains des Portugais qui d'ailleurs l'avaient fondée au XVIe siècle. Chacun de ses occupants successifs lui avait laissé un peu de lui-même et en résultat, elle était une juxtaposition d'édifices se réclamant de styles différents.

Ayodélé se dirigea vers le quartier Nago Tedo.

8. « Nègre qui gagne de l'argent. »

C'était un amas de cases de terre, groupées en concessions sous des toits de paille et on se serait cru sans peine à Ifé, Oyo[9] ou Kétou dans le golfe du Bénin. Là, au flanc de la ville, ne vivaient que des Noirs, Nagos pour la plupart, mais aussi haoussas, bantous, anciens esclaves affranchis, et des métis, exerçant mille métiers, ferblantiers, potiers, porteurs d'eau, porteurs de chaises, charbonniers dont les femmes, accroupies aux carrefours, vendaient des pâtisseries, des fruits et des légumes. Les enfants nus ou en haillons grouillaient dans les rues défoncées et boueuses. L'air sentait, outre l'huile de palme dans laquelle baignait toute la cuisine, le piment et la maniguette.

La case du ganhador José tranchait sur les autres par un pathétique effort de recherche. Elle était faite de terre, elle aussi, mais se composait de trois pièces et d'une véranda. La première pièce était une boutique, car le ganhador José faisait commerce de charbon. La deuxième était un salon contenant un canapé à deux chaises avec des dentelles fixées aux dossiers par des rubans à la mode portugaise. La troisième, une chambre à coucher avec un lit à moustiquaire. José lui-même était un personnage fort particulier, un Nago d'Oyo. A cause de son extrême beauté, les Portugais l'avaient utilisé comme une femme et lui avaient finalement communiqué leur vice. Aussi vivait-il entouré d'une cour de minets frétillant du derrière. En même temps, cela lui avait permis de gagner de l'argent et de vivre en semi-liberté. Quand on le voyait, on hésitait à lui attribuer le sexe masculin tant il était mince, couvert de dentelles, avec, au cou et aux oreilles, des breloques et des pendentifs. Il charbonnait de khol le pourtour de ses beaux yeux angoissés car,

9. Villes de l'actuel Nigeria, autrefois puissants royaumes.

conscient de sa dégradation, le ganhador José était triste et avait au cœur la haine des Blancs.

José chassa deux adolescents demi-nus qui lui polissaient les ongles et désigna une chaise à Ayodélé. Comme ils venaient tous deux de la même ville, elle interrogea anxieusement :

« Tu as des nouvelles du pays? »

José eut un soupir :

« J'ai pu monter à bord d'un bateau et discuter avec le capitaine. Tout va très mal chez nous. »

Les dents d'Ayodélé se serrèrent de haine :

« Quand tout cela finira-t-il? Quand les nôtres pourront-ils repousser les Blancs à la mer? »

José secoua la tête :

« Il ne s'agit pas de cela. D'ailleurs, les Anglais ont mis fin à la traite. Bientôt, il n'y aura plus un négrier sur la mer. Non, à présent, un autre danger vient du nord...

– Du nord?

– Oui, les Peuls ont envahi nos villes. Ils y mettent le feu. Ils tuent nos femmes et nos enfants... »

Ayodélé resta bouche bée de saisissement, puis elle s'exclama :

« Les Peuls? Est-ce que ce ne sont pas nos voisins de toujours?

– L'islam! Tu le sais, à présent, ils se sont convertis à l'islam. Eh bien, ils pensent qu'ils ont mission de nous convertir tous par le fer et le feu. Jihad, ils appellent cela jihad. »

Pendant un instant, ce fut le silence. Enfin José reprit :

« Bon, parlons de ton affaire. La société d'affranchissement a accepté... »

Un tel bonheur envahit Ayodélé qu'elle ne put prononcer une parole, pas même un remerciement. José poursuivit :

« Pourtant, certains ont fait des objections. Ton mari est un Bambara de Ségou. Es-tu sûre qu'il veuille te suivre dans le golfe du Bénin?... »

Ayodélé haussa les épaules :

« Ségou ou Bénin, n'est-ce pas l'Afrique? N'est-ce pas ce qui compte? Quitter cette terre d'enfer! »

José eut un geste qui pouvait tout signifier.

A cette époque, on comptait environ une dizaine de familles qui étaient parvenues à surmonter les insurmontables obstacles et à prendre place à bord d'un navire appareillant pour un des ports du golfe. José savait que cela lui était à jamais interdit. Comment réagiraient les siens, la communauté, son père, sa mère, ses frères, ses sœurs, s'il revenait parmi eux avec ce vice que les Portugais lui avaient mis dans le sang? Sûrement qu'on le lapiderait! Sûrement qu'on disperserait ses membres aux carrefours afin qu'il ne souille pas la terre que foulaient les hommes! Il n'était plus un Nago. Il n'était plus un humain. Il n'était qu'une loque, une pédale.

Pendant ce temps, Naba était allé livrer la récolte de fruits chez le Hollandais Ian Schipper, fidèle client d'Ayodélé, que les déboires de son pays n'avaient pas conduit à quitter Recife. Ian Schipper habitait rue de Cruz, une bâtisse tout en hauteur avec aux fenêtres des jalousies de bois. Comme à chaque fois, le spectacle du port avec ses jagandas[10], ses navires aux lourdes voiles ravissait Naba. Il demeura longtemps face à la mer d'abord étale, rageant brusquement et roulant sur elle-même pour former une barre de plusieurs mètres de haut. Comme il reprenait sa route, un homme s'approcha de lui. Un Noir de haute taille, le crâne rasé de près et vêtu d'une longue robe blanche flottante. Après

10. Sorte de radeaux.

avoir regardé de droite et de gauche, il lui tendit un feuillet qui, déplié, révéla une succession de caractères arabes, et souffla :

« Allah t'appelle, mon frère. Viens ce soir prier avec nous à Fundão... »

La folie prenait un lourd tribut parmi les Noirs de Pernambouc, esclaves, ganhadores ou affranchis. Aussi, Naba ne prêta aucune attention à cet homme singulier et roula le feuillet dans sa vareuse. Pourtant, il aima ce tracé cabalistique et se promit de le reproduire.

Quand il arriva chez le ganhador José, où Ayodélé lui avait demandé de venir la chercher, il les trouva en grande conversation, devant un verre de cachaça[11]. José renseignait son interlocutrice sur la récente révolte de Bahia. Le plan en avait été intelligemment conçu. Les esclaves révoltés devaient allumer des incendies en divers points de la ville pour distraire l'attention de la police et de la troupe et les attirer hors des casernes. Ensuite, ils devaient profiter de la confusion pour attaquer les cantonnements, y prendre des armes et massacrer tous les Portugais. Une fois maîtres de la ville, ils comptaient opérer leur jonction avec les esclaves des fazendas de l'intérieur. Seule une dénonciation *in extremis* avait fait échouer ce beau plan.

José baissa la voix :

« On raconte que ce sont des musulmans qui ont fomenté tout cela et qu'ils avaient l'intention de massacrer aussi tous les Africains catholiques... »

Ayodélé haussa les épaules :

« Catholiques, est-ce que nous le sommes jamais? Nous faisons semblant, voilà tout... »

Le ganhador José rit. Pourtant, ils partageaient tous deux la même inquiétude. Les esclaves « mu-

11. Alcool très fort de canne à sucre.

sulmans » projetaient de massacrer les « catholiques »; n'était-ce pas le signe que les dissensions de la terre africaine étaient transplantées dans le monde de l'esclavage? Or le seul ennemi, n'était-ce pas le maître, le Portugais, le Blanc?

Naba dormit très mal cette nuit-là.

A chaque fois qu'il allait sombrer dans l'inconscience, le visage de Nya, sa mère, lui apparaissait, baigné de larmes, puis celui de l'inconnu qui l'avait abordé dans les rues de Recife, couvert de sang, exhibant une plaie au front. Quand il tentait de se lever, des mains invisibles le retenaient au sol, s'enfonçaient durement dans sa chair. Finalement, il s'éveilla avec un goût de cendre dans la bouche et alla dans le jardinet attenant à la senzala[12] fumer une petite pipe de maconha. Pourtant, l'herbe, qui avait la vertu magique de le détendre, était inopérante cette nuit-là. Des dangers s'approchaient, il le sentait, pareils à des formes dont on ne distingue pas nettement les contours.

Il entendait des sanglots, des bruits de fouet. Il respirait l'odeur d'urubu de la mort.

Comme il demeurait là à fixer la nuit, son deuxième fils Kayodé vint le rejoindre. C'était un garçonnet très doux, qui adorait son père. Il réclama tout de suite une histoire et Naba le cala sur ses genoux. S'il avait laissé Ayodélé donner des prénoms yorubas aux enfants, ce qui offusquait beaucoup les esclaves, il ne leur parlait jamais autrement qu'en bambara et il commença un récit puisé dans l'inépuisable geste de Souroukou.

« Souroukou tomba dans un puits. Elle voulait

12. Nom donné à la case de l'esclave par opposition à l'Habitation du maître.

voir si elle ne s'était pas cassé une dent en tombant. Mais elle avait été tellement abrutie par sa chute qu'elle se trompa et mit sa main dans son anus. « Oh! s'écria-t-elle, il ne me reste plus une seule dent! »

L'enfant rit aux éclats, puis interrogea :

« Tu parles combien de langues, baba[13]? »

Naba sourit dans l'ombre :

« On peut dire que j'en parle trois. Deux sont celles de mon cœur, le bambara et le yoruba. La troisième est celle de notre servitude, le portugais. »

L'enfant réfléchit et demanda :

« Et moi, combien de langues parlerai-je? »

Naba caressa le petit crâne couvert de cheveux pierreux :

« J'espère que tu ne parleras jamais que les langues de ton cœur... »

Puis il berça l'enfant et le ramena vers sa paillasse :

« Dors à présent... »

La senzala se composait de deux pièces au sol de terre battue. Comme Ayodélé économisait reis par reis tout le gain de Naba, elle ne contenait que le strict minimum. Un placard fourre-tout que Naba avait fabriqué pour les ustensiles de cuisine, poêles et casseroles noircies par l'usage, une table, avec un balai à son pied. Dans la deuxième pièce, des hamacs achetés aux Indiens et quelques paillasses.

Ayodélé dormait dans un hamac avec son dernier-né, Babatundé. L'autre hamac était occupé par Abiola, le fils aîné, le fils de Manoel. Naba se retirait sur la pointe des pieds quand, à la lueur fumeuse

13. « Papa » en yoruba.

du quinquet, il s'aperçut que ce dernier ne dormait pas non plus. Il s'approcha et fit doucement :

» Eh bien, toute la famille a bu du café, cette nuit! »

L'enfant ferma les yeux. C'est qu'il haïssait Naba. Il haïssait ses frères noirs qui lui rappelaient que sa mère était une esclave et lui-même à moitié un nègre. Il haïssait ce prénom d'Abiola dont on l'affublait alors qu'il aurait aimé porter son nom de baptême Jorge. Jorge de Cunha. Car il était le fils du maître. Pourquoi ne vivait-il pas dans l'Habitation avec les fils de ce dernier? Pourquoi le forçait-on à demeurer dans cette cabane de boue séchée sur une armature de tiges souples? Et voilà qu'il entendait parler de retour en Afrique, vers cette terre barbare où l'humain se vendait comme du bétail quand on ne le dévorait pas à belles dents! Jamais, jamais! Il s'opposerait de toutes ses forces à ce plan!

Naba n'insista pas, car il connaissait les sentiments d'Abiola.

Plus d'une fois il avait voulu aborder ce sujet avec Ayodélé, mais il craignait de lui faire mal. Est-ce qu'elle n'avait pas déjà assez souffert de sa liaison avec Manoel? Et puis, un enfant, c'est comme une plante. Avec beaucoup d'amour, il finit par pousser droit, tout droit vers le soleil.

Naba sortit à nouveau dans la nuit, tachetée à intervalles réguliers par les formes plus sombres des senzalas. Pas un bruit. L'odeur très douce de vesou du moulin, rabattue par le vent et sauvage, celle de la terre, indomptée même entre les pieds des cannes à sucre. Quelle était cette forme noire au faîte de l'arbre à pain?

Etait-ce la mort?

Etait-ce l'urubu de la mort?

9

MANOEL tourna la tête, fronçant les sourcils pour mieux prendre la mesure de son petit interlocuteur. Mulâtre assez noir, avec de beaux cheveux bouclés et une large bouche un peu mauve qui, plus tard, serait sensuelle et, pour l'instant, n'était que tremblante d'effroi. Il insista :

« Es-tu sûr de ce que tu racontes? »

L'enfant inclina la tête :

« Si vous ne me croyez pas, faites fouiller la maison. Vous trouverez les papiers que je vous dis. C'est un musulman et il connaît ceux de Bahia. »

Il aurait été question d'un autre que Manoel aurait écarté ces accusations d'un coup d'épaule. Les esclaves de sa fazenda faisaient la prière le matin, le midi et le soir, accompagnaient les maîtres au rosaire et au Salve Regina, allumaient des cierges, brûlaient des rameaux bénits et répétaient avec ferveur : « Je crois à la sainte Croix! »

Mais il s'agissait de Naba, de celui qui lui avait pris une femme dont il avait encore le désir. Aussi il murmura :

« Va me chercher le feitor[1]... »

L'enfant ne bougea pas et Manoel l'apostropha :

1. Le contremaître de la plantation.

« Eh bien, est-ce que tu ne m'as pas entendu? »
L'enfant tomba à genoux :
« Si j'ai dit la vérité, est-ce que vous me garderez auprès de vous? Je suis votre fils, maître, pourquoi est-ce que vous ne me gardez pas auprès de vous? »
Manoel fut surpris, vaguement flatté. Il croyait l'enfant complètement acquis à sa mère et assura :
« Bien sûr, bien sûr, ta place est ici... »
L'enfant détala.
Manoel Ignacio da Cunha était représentatif d'une génération de Portugais. Appartenant à une véritable famille d'aventuriers qui avait essaimé en Asie, à Madère et au cap Vert, se trouvant trop à l'étroit sur ce quart de péninsule, il était arrivé à Pernambouc et n'avait d'abord été qu'un simple agriculteur portant sa canne au seigneur du moulin, puis il s'était enrichi. Il envisageait à présent d'aller vivre à Recife et de laisser sa fazenda à la garde d'un homme de confiance. Profondément troublé par les propos d'Abiola, il monta auprès de sa femme Rosa et la trouva au lit, aussi jaune que l'oreiller venu des Indes sur lequel elle reposait. Elle l'écouta avec attention cependant que son cœur sautait de joie dans sa poitrine, toute chargée de médailles bénites, de reliquaires et de scapulaires. Enfin, elle tenait l'occasion de se venger d'Ayodélé :
« Je ne crois pas que ce soit lui. Il n'est qu'un pauvre fou inoffensif. C'est elle, c'est elle. J'ai remarqué en effet qu'elle s'absentait bien cinq fois dans la journée, c'est qu'elle allait à son sabbat... »
Manoel reconnut là les élucubrations d'une femme jalouse, mais après ce qui venait de se passer à Bahia, où des musulmans avaient planifié une des révoltes les mieux conçues des dernières années, on ne pouvait être trop prudent. Il redes-

cendit au rez-de-chaussée et se heurta au feitor, son chapeau de paille à la main. Le feitor Joaquim était son âme damnée, son homme de confiance, chargé, en fait, de faire marcher la fazenda. Il écouta son maître avec ahurissement et protesta :

« Il n'est pas musulman. Sorcier, je ne dis pas. Et puis, comment fomenter une révolte puisqu'il ne parle à personne? »

Puis, les deux hommes se regardèrent. Le feitor, lui aussi, avait à se plaindre d'Ayodélé qui, un soir où il lui avait frotté les seins, l'avait giflé. Ils se comprirent sans parler. Joaquim descendit vers les senzalas.

La fouille de la case de Naba révéla bien un feuillet couvert de mots arabes et des feuilles d'arbres portant ces mêmes caractères.

Accompagné de trois robustes esclaves, le feitor alla procéder à l'arrestation de Naba qu'on trouva dans son verger, sa pipe de maconha à la bouche. Il n'opposa aucune résistance et se laissa mettre les fers aux pieds.

Quand cette nouvelle se répandit dans la fazenda, elle causa une grande consternation. Tout le monde s'accorda à innocenter Naba, rappelant comment il avait soigné celui-là, soulagé celui-ci. Mais on accabla Ayodélé. C'était elle! Est-ce qu'elle n'avait pas tenté de mettre sur pied, en liaison avec des gens de Bahia, la confrérie du « Seigneur Bon Jésus des aspirations et de la rédemption des hommes noirs », dont le but véritable était la libération des esclaves? Est-ce qu'elle ne fricotait pas avec des sociétés d'affranchissement à Recife? Des dizaines d'hommes et de femmes vinrent trouver le feitor ou Manoel lui-même pour jurer sur la croix qu'on l'avait vue le nez dans la poussière, égrenant un chapelet musulman de cinquante centimètres et de quatre-vingt-dix-neuf grains de bois, terminé par une grosse boule.

Le feitor et Manoel s'entendirent pour ne prêter aucune attention à ces délations. L'arrestation de Naba posait un grave problème. Ce n'était pas un esclave. Du moins pas un esclave de Manoel, même s'il vivait sur sa fazenda. Devait-on le considérer comme un homme libre? Non, puisqu'il avait un acquéreur, un Hollandais qui l'avait payé en bonne monnaie et qui se trouvait quelque part dans le sertão. Alors, il était un fugitif? Dans ce cas, pourquoi pendant tant d'années Manoel avait-il toléré sa présence sur ses terres? Tout cela étant trop compliqué à démêler, Naba fut enfermé dans le cachot attenant à l'Habitation en attendant d'être expédié à Recife, le matin suivant.

Pendant que tout cela se passait, Ayodélé ne se trouvait pas sur la fazenda. On était dimanche, jour de repos. Aussitôt après la messe à la chapelle, toujours âpre au gain, elle avait chargé un char à bœufs de paniers de légumes et d'oranges et était partie les vendre dans les fazendas voisines. Puis elle s'était arrêtée pour laver les hardes de ses enfants dans l'eau claire du rio Capibaride qui serpentait à travers champs avant de rejoindre le rio Beberibe et de s'en aller irriguer Recife. De retour chez elle, elle trouva la case vide et les enfants en larmes. Une voisine compatissante la mit au courant.

Elle courut comme une folle jusqu'à l'Habitation et se jeta devant Manoel, assis dans un hamac sous la véranda.

Il regarda cette femme, qui l'avait tant nargué, en pleurs à ses pieds et déclara :

« Hé! je n'y peux rien. C'est ton propre fils qui l'a dénoncé. Ensuite nous avons trouvé des preuves. »

Ayodélé se roula par terre :

« Maître, prends-moi, puisque c'est ça que tu veux! »

La phrase irrita Manoel. Il n'entendait pas en effet que l'on dise qu'il se vengeait, mais qu'il rendait la justice. Il se fit cassant :

« Est-ce que tu veux que je te fasse donner le fouet? »

Elle supplia et comme elle relevait la tête vers lui, il songea combien il était stupide de ne pas profiter de son offre :

« Alors, permets-moi de descendre à Recife pour préparer sa défense. »

Il faillit rire. Une esclave, une négresse qui parlait à peine le portugais prétendait se faire entendre des tribunaux royaux? Il haussa les épaules et dit :

« Va au diable, si tu veux! »

Le procès de Naba eut lieu dans une atmosphère houleuse.

Depuis une dizaine d'années, une série de révoltes d'esclaves et d'Africains émancipés se produisaient, tant à Bahia, qu'à Recife et dans les fazendas de l'intérieur. Elles divisaient l'opinion. Pour la majorité des Brésiliens, elles n'étaient que la manifestation des sentiments cruels et pervers des Noirs. Pour d'autres, ce n'était que justes représailles contre des maîtres inhumains. Pour une poignée d'intellectuels et de libéraux enfin, c'étaient les nobles manifestations d'êtres opprimés contre l'usurpation de leur liberté. En fait les arrivées massives de prisonniers, résultant de guerres et de troubles dans le golfe de Bénin, venaient donner une force nouvelle aux sentiments de révolte des esclaves, principalement des musulmans qui, à chaque arrivée de bateaux, parvenaient à être tenus au courant des progrès et des conquêtes de leurs coreligionnaires.

Enfin pour couronner le tout, ne venait-on pas d'apprendre que dans une île des Antilles, à Saint-Domingue, les esclaves avaient pris les armes et mené une véritable guerre de libération contre les Français? Du coup, toutes les théories sur les Noirs « grands enfants inoffensifs », s'effondraient. Ces naïfs que l'on parquait à l'arrière des chapelles afin que leur odeur n'incommode ni curés ni fidèles, et qui chantaient en chœur :

Je me couche avec Dieu, je me lève avec lui
Avec la grâce de Dieu et du Saint-Esprit
Si je viens à mourir, illuminez-moi
Avec les torches de la Sainte-Trinité.

Ces naïfs, ces « grands enfants » soudain effrayaient leurs maîtres.

Naba apparut dans le prétoire, portant cette chemise de gros coton et ce pantalon de nankin dont on vêtait les prisonniers, et sembla ne rien comprendre à ce qui se passait autour de lui.

Quand on lui présenta le saint livre en demandant de jurer là-dessus, il demeura silencieux. A la question : « Es-tu musulman? » il se borna à rire. Quand on lui donna à choisir entre un chapelet catholique et un chapelet musulman, il demeura immobile. De même entre une image de saint Gonçalves de Amarante et une calligraphie arabe. Par ailleurs, il fut impossible d'établir une quelconque relation avec les musulmans ou Malés[2] de Bahia, ville où Naba n'avait jamais mis les pieds. On alla jusqu'à examiner son sexe et ceux de ses fils

2. On appelait ainsi les esclaves Haoussas ou de toute autre origine, musulmans pour la plupart.

pour voir s'ils étaient circoncis. Certes, il l'étaient; mais c'était simplement une coutume africaine. En désespoir de cause, les juges orientèrent le procès vers une affaire de magie noire et les témoignages furent accablants. Or, si Naba ne se défendait pas, ce n'était pas parce qu'il ne comprenait pas que sa tête était en jeu. Mais parce qu'il était las. Depuis la chasse fatale qui l'avait séparé des siens, il n'avait plus goût à rien. Les fruits et les plantes, Ayodélé, ses fils eux-mêmes ne lui avaient pas redonné goût à l'existence. Il lui manquait la terre de Ségou, l'odeur du Joliba quand les eaux sont basses et que la berge s'émaille de coquillages d'huîtres, le to de sa mère agrémenté d'une sauce aux feuilles de baobab, l'incendie de la brousse au milieu du jour. Autrefois, à Saint-Louis, il avait voulu se laisser mourir. On l'avait sauvé. A présent, il n'en pouvait plus. Quand il songeait à Ayodélé, il éprouvait un peu de remords. Puis il se disait qu'elle était jeune et belle. Un homme la consolerait. Il n'était tenté de vivre qu'en pensant à ses fils : Olufémi, Kayodé, Babatundé[3], le dernier surtout, né après la mort de Dousika et réincarnation de l'ancêtre. Pourtant, de quelle utilité est un père esclave? Quel modèle peut-il offrir à ses enfants? Jamais il ne prendrait la main de Babatundé dans la sienne pour le mener à la chasse au lion à l'arc.

Le lion jaune au reflet fauve
Le lion qui délaissait les biens des hommes
Se repaît de ce qui vit en liberté...

Jamais il ne ferait de lui un karamoko. Alors à quoi bon?

A quoi bon vivre sans liberté? Sans orgueil de

3. Ce prénom yoruba signifie : « Papa est revenu. »

soi-même? Autant mourir. Pendant le procès, le ganhador José ne resta pas inactif. Il fit agir la société d'affranchissement à laquelle il appartenait, qui adressa une pétition à João IV à Rio pour implorer sa clémence. Malheureusement, quand cette lettre atteignit le roi, on venait de découvrir une autre révolte. Celle d'Antonio et Balthazar, tous deux esclaves de Francisco des Chagas, tous deux Haoussas. La fouille de leurs cases avait révélé quatre cents flèches, de la corde destinée à faire des arcs, des fusils, et des pistolets. João demanda donc aux tribunaux la plus grande sévérité et donna l'ordre que tout esclave rencontré dans la rue ou hors de chez son maître après 9 heures du soir soit mis en prison et condamné à recevoir cent coups de fouet.

Dans l'ignorance de tous ces événements, jusqu'au dernier moment Ayodélé garda bon espoir. Le souvenir de ses années de vie avec Naba passait et repassait dans sa tête. Depuis le jour où il s'était approché d'elle avec son sac d'oranges dans la maison des esclaves de Gorée, jusqu'à sa disparition vers le sertão et sa réapparition dans la fazenda de Manoel. Alors il n'avait pas regardé la calebasse de son ventre. Il lui avait souri et, dépliant son mouchoir, il lui avait montré deux goyaves d'un rose jaunâtre. Puis pour elle, il avait bâti la maison à la lisière des champs de canne à sucre.

Naba qui avait couvert sa honte.

Naba qui l'avait réconciliée avec elle-même.

Il faisait chaud dans ce prétoire. Les juges parlaient une langue à laquelle elle ne comprenait rien, ce portugais des gens instruits qui ne ressemble nullement au jargon mêlé de mots africains qu'employaient Manoel et le feitor. Elle ne distinguait pas le visage de Naba et c'était comme si elle l'avait déjà perdu, séparés qu'ils étaient par des fauteuils, des bancs, des hommes, des prêtres, des juges.

A un moment, le ganhador José, qui se tenait près d'elle, lui prit le bras et elle sut que le verdict avait été rendu. Ils sortirent dans la rue incendiée de lumière où des arbres trop rares répandaient leur ombre.

Il n'y avait rien à dire.

Où allaient-ils? Elle s'effondra sur le pont Santo Antonio, un glissement très doux, presque furtif, comme celui d'un animal qui a tenu jusqu'à l'extrême limite de ses forces. Un animal ou un esclave. Parfois, à la fazenda, un homme, une femme s'écroulait ainsi, sans une plainte. Comme on se trouvait non loin de l'hôpital Santa Casa de Misericordia, le ganhador et ses amis la transportèrent jusque-là.

Il n'y avait rien à dire. Il n'y avait rien à faire. Un sorcier, ou un musulman, peu importe, avait été condamné à mort. Pour la plus grande gloire de Dieu.

Un Noir avait été condamné à mort. Pour la plus grande paix des Blancs.

Pendant longtemps, la vie pour Ayodélé ne fut qu'un rectangle bleu de ciel, un goût d'eau de mélisse, de temps en temps la douleur d'une saignée au bras, les cornettes blanches des religieuses, pareilles à de grands oiseaux marins. Puis un jour, elle reconnut les visages de ses enfants. Olufémi. Kayodé. Babatundé. Où était Abiola? Alors elle se souvint et pleura.

Réapprendre la vie quand il n'y a plus de raisons de vivre. Parler du lendemain quand il n'y a pas d'avenir. Voir le soleil se lever quand il n'y a plus de jour. Un matin, un prêtre vint la voir, père Joaquim, un de ces mystiques qui se plaisent dans la compagnie des déshérités et des hérétiques. Il lui donna le repentir de ses fautes. Bientôt, elle ne se fit appeler que Romana. Bientôt elle communia.

La première fois qu'elle communia, elle eut une vision. Le ciel s'entrouvrait et la Vierge Marie, tenant dans ses bras l'Enfant Jésus, lui lançait une rose. Père Joaquim et les religieuses furent contents.

Enfin, elle fut assez vaillante pour quitter l'hôpital. C'est alors que père Joaquim et les religieuses l'informèrent. Compagne d'un féticeiro[4] qui avait défrayé la chronique, elle était déclarée indésirable au Brésil et condamnée avec ses trois enfants à la déportation en Afrique.

Le navire sur lequel elle prit place, l'*Amizade*, avait jeté l'ancre à la pointe de l'île das Cobres. On y embarquait, outre Romana, des Malés qui, une fois de plus, avaient fait couler le sang à Bahia et des familles noires qui étaient parvenues à acheter affranchissement et passeports. Sur le pont se trouvaient entassés des corps, des malles, des ballots, des bouteilles, des instruments de musique, des cages d'oiseaux, tout l'attirail de la misère. Les enfants, que les religieuses avaient ôtés aux ganhador José à cause de l'abomination de son péché et placés pendant la maladie de leur mère à l'orphelinat de Santa Casa, regardaient la côte du Brésil, l'or des plages contrastant avec la frange vert sombre des palmiers. A l'exception de Babatundé, trop jeune, ils avaient le cœur gros. Où était leur père? Qui avait changé leur mère? Ils ne la reconnaissaient plus dans cette femme austère, le visage creusé, toute vêtue de noir et qui ne parlait que de Dieu.

4. « Sorcier », mot brésilien.

10

INVISIBLE aux yeux des humains ordinaires, l'urubu de la mort se posa sur un arbre de la concession et battit des ailes. Il était épuisé. Il avait survolé des kilomètres d'océan, luttant contre les embruns et les souffles de l'air, puis d'épaisses forêts qu'il devinait grouillantes de mille formes de vie rageuses et violentes. Enfin il avait contemplé sous ses pieds l'étendue fauve du sable et compris que le terme de son voyage approchait. Puis, les murailles de Ségou s'étaient dessinées.

Il avait une mission à accomplir. Naba était mort loin de chez lui. Son corps, reposant en terre étrangère, n'avait pas reçu les rites funéraires. Alors il convenait d'avertir les siens qu'il risquait d'errer pendant les temps à venir dans cette lande désolée des esprits maudits, incapable de se réincarner dans le corps d'un enfant mâle ou de devenir un ancêtre protecteur, bientôt un dieu. L'urubu lissa son plumage et reprit son souffle. Puis il regarda autour de lui.

C'était le matin. Le soleil tardait à répondre à l'appel des premiers coups de pilon des femmes et somnolait encore à l'autre bout du ciel. Les cases grelottaient, serrées les unes contre les autres. Mais déjà la volaille caquetait, les moutons bêlaient et de sous les auvents des cuisines en plein air la fumée s'élevait en tourbillons blanchâtres. Les femmes esclaves commençaient de préparer la bouillie du matin tandis que les hommes se dirigeaient vers les cases d'eau, affûtaient leurs dabas contre des pierres et se préparaient à partir vers les champs. L'urubu considéra avec curiosité cette animation, tellement différente de celle des fazendas où, bien avant le jour, les chars à bœufs, précédés du gémissement déchirant de leurs essieux, montaient vers le moulin à sucre, chargés d'hommes en guenilles. Là-bas, le travail de la terre était dégradation. Ici, les hommes ne demandaient à la terre que les produits nécessaires à la vie. Le paysage aussi était différent. Là-bas, somptueux et baroque comme une de ces cathédrales que les Portugais édifiaient pour adorer leurs dieux. Ici, dénudé, l'herbe souvent rase comme le pelage d'un animal, et pourtant harmonieux. L'urubu sautilla sur une branche basse pour se placer en face de la case de Koumaré le forgeron-féticheur attitré de la famille de Dousika. Ce calcul fut judicieux, car Koumaré sortit pour deviner ce que serait le jour et ne manqua pas d'apercevoir l'animal tapi dans le feuillage.

Koumaré savait depuis quelque temps que l'exécution de la volonté des ancêtres concernant l'un des fils de Dousika arrivait à son terme. Un jour qu'il lançait ses cauris sur son plateau divinatoire, ceux-ci l'en avaient averti. Mais il avait eu beau les solliciter, il n'en avait pas appris davantage. La venue de l'oiseau lui signifiait que tout était consommé. Il retourna dans sa case, mâcha ses racines pour se rendre poreux à la parole des invisibles, puis prit dans une calebasse trois tiges de mil sèches. Revenant au pied de l'arbre, il les planta dans le sol, y colla son oreille et attendit les instructions. Celles-ci ne tardèrent pas. Au-dessus de sa tête, l'urubu avait fermé les yeux. Il allait se reposer tout le jour. Koumaré revint vers sa case. D'un geste, il écarta sa première femme qui s'approchait pour lui offrir une calebasse de bouillie et, s'étant enveloppé d'une couverture venue d'Europe, car la saison était fraîche, il sortit de la concession.

Ségou changeait. A quoi cela tenait-il? A cet afflux de marchands proposant des objets autrefois rares et coûteux, maintenant presque usuels? Robes musulmanes, caftans, bottes, tissus d'Europe, objets d'ameublement marocains, tentures et tapisseries venues de La Mecque... C'était l'islam qui rongeait Ségou comme un mal dont on ne pouvait arrêter les progrès. Ah! les Peuls n'avaient pas besoin de s'approcher plus près : leur haleine avait déjà tout empuanti! Plus nécessaire leur jihad! Partout des mosquées du haut desquelles les muezzins lançaient sans vergogne leur sacrilège appel. Partout des crânes rasés. Sur tous les marchés, les gens se disputaient des talismans et des poudres, toute une pacotille enveloppée de caractères arabes et par là même considérée comme supérieure. Et le Mansa qui ne prenait aucune mesure contre la nouvelle foi!

Koumaré entra dans la concession de feu Dousika, à présent à la charge de Diémogo. Il devait obtenir de ce dernier un coq blanc et un mouton de même couleur et découvrir sous quel arbre le cordon ombilical de Naba avait été enterré. Diémogo s'entretenait avec le chef d'un groupe d'esclaves partant défricher une terre du clan, jusqu'alors laissée en jachère et posa un regard inquiet sur le féticheur. Quelle nouvelle calamité l'amenait?

C'est que la famille était déjà douloureusement éprouvée. Depuis la mort de Nadié, Tiékoro n'était pas sorti de sa case, faible et souffreteux comme un vieillard. Du coup, la princesse Sounou Saro, sa promise, se sentant humiliée, avait fait renvoyer par les griots royaux la dot et les présents qu'elle avait déjà reçus. Du coup son ambassade au sultanat de Sokoto avait été donnée à un autre. Du coup Nya, affectée et par la récente tragédie et par les déboires de son fils, ne se portait pas bien non plus. Les traits creusés, amaigrie, elle semblait indifférente à tout et, sans sa direction, les choses allaient à vau-l'eau. Car il ne fallait pas compter sur les autres femmes qui avaient toujours été soumises à la bara muso de Dousika. Diémogo s'approcha de Koumaré et celui-ci, l'entraînant à l'écart, le mit brièvement au courant :

« Les ancêtres m'ont envoyé un messager. Un des fils de Dousika a besoin de mes services... »

Diémogo frémit :

« Tiékoro? »

Koumaré le regarda sévèrement :

« Ne cherche pas à connaître des secrets trop lourds pour toi. Il me faut un coq de couleur blanche, un mouton sans tache et dix noix de kola... Fais porter tout cela à ma concession avant la nuit. »

Puis, il s'en alla à la découverte de l'arbre nécessaire à son rituel. Comme il se dirigeait vers le fond de la concession, il passa devant une case où entraient et sortaient des esclaves, l'air affairé. C'était celle de Nya qui venait d'être prise d'une violente douleur dans la région du cœur et s'était affaissée inconsciente. En lui-même, Koumaré admira la force de l'amour maternel, l'intuition qui l'accompagne et qui égale la connaissance que donne le commerce des esprits.

Entourée de femmes, coépouses, esclaves, Nya reposait sur sa natte, les yeux clos. Par intervalles, elle haletait comme une bête. Deux guérisseurs étalaient des emplâtres de feuilles sur son front, lui frottaient les membres de lotion ou encore essayaient d'introduire un peu de liquide entre ses lèvres. Dans un coin, deux devins maniaient leurs cauris et leurs noix de kola. A la vue de Koumaré, maître incontesté, ils se levèrent avec respect et l'un d'eux murmura :

« Aide-nous, Komotigui[1]... »

Koumaré fit d'un ton apaisant :

« Sa vie n'est pas en danger... »

Puis il s'accroupit auprès de la patiente.

Il savait tout ce que Nya avait souffert depuis son veuvage. Le conseil familial, partageant les épouses de Dousika, l'avait donnée à Diémogo qu'elle n'avait jamais estimé et qu'à tort ou à raison elle considérait comme un ennemi des intérêts de ses fils, de Tiékoro, en particulier. Et pourtant, désormais, elle lui devait soumission et obéissance en tout. Elle ne pouvait lui refuser son corps. Et voilà que, outre tous ces soucis, elle était mystérieusement avertie de la mort de Naba! Koumaré décida d'intercéder en sa faveur auprès des ancêtres afin d'adoucir tant de souffrances. En attendant, il tira d'une corne de bouc une poudre qu'il plaça dans ses narines. Au moins, elle connaîtrait un sommeil sans rêves.

Puis il ressortit. Dans le fond de la concession, près de l'enclos où piaffaient les chevaux, s'élevait un groupe d'arbres que dominait un baobab, aux branches couvertes d'oiseaux. Koumaré en fit trois fois le tour, murmurant des prières. Non, le cordon ombilical n'était pas là. Alors, une aigrette blanche surgit, rasant le sol, puis s'élevant dans l'air comme une flèche, alla se poser sur un tamarinier solidement adossé au mur de la concession, quelques

1. « Maître du Komo », c'est-à-dire grand prêtre.

mètres plus loin. Koumaré salua le messager des dieux et des ancêtres.

Nya dormit tout le jour. Un sommeil profond comme celui de l'enfance. Quand elle rouvrit les yeux, la nuit était tombée. Elle retrouva sa douleur intacte mais silencieuse comme une présence dont on ne se débarrassera jamais.

Son fils Naba était mort, elle le sentait, même si elle ignorait le lieu et les circonstances de cette mort. Elle revit le bébé, l'enfant qu'il avait été, toujours dans le sillage de son aîné. Puis le chasseur. Son cœur tremblait quand Tiéfolo l'entraînait avec lui dans la brousse. Souvent, ils y demeuraient des semaines entières. Puis un jour, des coups de sifflet annonçaient leur retour. On dépeçait les bêtes encore fumantes, antilopes, gazelles, phacochères... dont la tête et les pattes étaient expédiées chez Koumaré qui avait fabriqué les flèches tandis qu'elle recevait la part symbolique, le dos des animaux. Ce temps n'était plus. Ce temps ne serait jamais plus. Quelle douleur pour une mère d'ignorer quelle terre recouvrait le corps de son fils! Elle se retourna sur le côté et les femmes qui la veillaient s'affairèrent!

« Veux-tu un peu de bouillon de poule?

– Ba, laisse-moi te masser!

– Ba, te sens-tu mieux? »

Elle acquiesça d'un geste. A ce moment, Diémogo entra dans la pièce et tout le monde se retira. Diémogo et Nya ne s'étaient jamais aimés, le premier pensant qu'elle avait trop d'influence sur Dousika. Si le conseil de famille les avait faits mari et femme, c'était précisément pour résoudre ces tensions, pour les forcer à oublier les individualités et ne songer qu'à la famille, au clan. Jusque-là cependant, ils avaient réduit leurs contacts au minimum, Diémogo ne passant la nuit avec elle qu'afin d'éviter de l'humilier trop gravement.

Or voilà qu'il se sentait à son égard plein d'une pitié qui ressemblait à l'amour. Elle était encore belle, Nya. Belle avec cette arrogance des Coulibali dont le totem est le mpolio[2]. Il posa la main sur son front :

« Comment te sens-tu? »

Elle eut un sourire fugitif :

« Mon heure n'est pas venue, kokè. Demain, je te préparerai encore ta bouillie... »

Elle ne l'avait pas habitué à tant de douceur, le recevant toujours comme un ennemi. Pour la première fois peut-être, il regarda son corps avec concupiscence. Ses seins encore fermes. Ses hanches larges. Ses longues cuisses dessinées sous le pagne. Tout cela qui avait été la propriété de son aîné et qui maintenant lui revenait. Car il était le maître à présent. Des terres. Des biens. Des bêtes. Des esclaves. Son cœur qui ignorait généralement l'orgueil s'enfla et une griserie l'envahit qui se confondit avec le désir.

A présent, la nuit était épaisse. Tous les bruits de la concession s'étaient tus, hormis les pleurs d'un enfant, repoussant le sommeil qui signifie la fin des jeux. Très loin, un tam-tam résonnait. Surpris de la vigueur de son membre, Diémogo s'approcha de Nya. C'était comme si un autre s'était coulé à l'intérieur de sa peau, prenant possession de son cœur et de son sexe. Il s'étendit et souffla :

« Laisse-moi dormir auprès de toi. La chaleur d'un homme est encore le meilleur remède. »

Elle se tourna vers lui, s'offrant avec un naturel qu'il ne lui avait jamais connu. Avec un peu de

2. Poisson du Joliba.

timidité, il effleura ses seins, et les trouva brûlants, pleins de son attente. Alors, il entra en elle.

Ainsi, cette nuit-là, grâce à Koumaré, l'âme errante de Naba retrouva le chemin du ventre de sa mère.

Troisième partie

LA MAUVAISE MORT

1

Saloperie de temps! Il pleuvait depuis des semaines, voire des mois. Les arbres ne cessaient d'élever leur cime plus près, toujours plus près d'un ciel bas, noirâtre comme le couvercle de la marmite d'une mauvaise ménagère tandis qu'ils enfonçaient leurs racines toujours plus loin dans le ventre de la terre grasse, molle, boueuse. Le matin ressemblait au midi ou au soir puisque le soleil ne se levait pas. Sans force, il ne répondait pas à l'appel des pilons des femmes et restait vautré derrière d'épais paravents de nuages. Malobali entra dans une des cases hâtivement construites avec des branchages et interrogea ses compagnons :

« Est-ce qu'il ne faudrait pas tout de même reprendre la route? »

L'un des hommes leva la tête vers lui :

« Paix, Bambara! Ce n'est pas toi qui diriges l'escorte, que je sache?... »

Après tout, c'était vrai. Avec un soupir, Malobali se rassit, fouilla dans ses vêtements à la recherche d'une noix de kola et n'en trouvant pas, s'enquit :

« Quelqu'un a-t-il un peu de tabac ou une noix de kola!... »

Un des hommes lui tendit une tabatière.

Malobali et ses compagnons étaient vêtus de vestes d'étoffe agrémentées de toutes sortes de gris-gris et d'amulettes musulmanes dans leurs triangles de peau, de pantalons de coton portant à hauteur de ceinture des lanières de queues d'animaux et étaient chaussés de hautes bottes de cuir, autrefois rouges, à présent sordides et maculées de taches. Comme ils étaient à l'intérieur, ils avaient ôté leurs coiffes de peau de singe retenue par une courroie incrustée de cauris. C'est qu'ils constituaient un corps de troupe de l'Asantéhéné, chef suprême du royaume ashanti. Malobali aspira le tabac, puis s'étendit sur le sol, se roulant en boule pour tenter de trouver le sommeil. Autour de lui, l'air chargé d'humidité s'épaississait encore des effluves de sueur et de crasse de tous ces corps mal lavés. Pourtant Malobali ne méprisait pas ses compagnons parce qu'ils étaient sales : il était pareil à eux. Il avait presque oublié le temps où il était un enfant choyé dans la case de Nya, le fils d'un noble, d'un puissant. Il n'était plus qu'un mercenaire qui, en échange de vivres, du logement et, occasionnellement, d'une part de butin, louait ses services à l'Asantéhéné. Il n'était certes pas le seul dans ce cas. Les armées du souverain comptaient 60000 hommes, captifs, tributaires, étrangers de toute origine, n'appartenant pas au peuple ashanti. Ces armées avaient asservi tous les Etats voisins du pays ashanti, Gonja et Dagomba au nord, Gyaman au nord-est, Nzema au sud-est, et avaient même franchi le fleuve Volta pour aller soumettre Akwamu et Anlo. Le seul peuple qui s'opposait encore à l'hégémonie ashanti, les Fantis, puissamment soutenus sur la côte par les Britanniques, venait d'être défait.

Malobali n'arriva pas à trouver le sommeil. Il se releva et s'approcha de son ami Kodjoe, celui-là même qui lui avait tendu sa tabatière :

« Lève-toi, espèce d'animal. Viens faire un tour

avec moi. Nous trouverons peut-être une bête à tuer... »

Kodjoe ouvrit un œil :

« Est-ce que la pluie a cessé?

– Penses-tu! Est-ce que la pluie cesse jamais dans ce pays de malheur? »

La voix d'un homme s'éleva :

« Si tu n'aimes pas ce pays, Bambara, quitte-le. Personne ne te retient. Retourne chez toi! »

Ce n'était là qu'une plaisanterie. Sans répondre, Malobali et Kodjoe sortirent. Autour d'eux, la forêt était si dense qu'il y faisait presque noir. Toutes sortes de plantes s'enchevêtraient depuis les fougères géantes et les bambous, campés sur un tapis de mousse et de champignons, jusqu'aux irokos, dont le faîte formait une voûte rarement interrompue. A chaque pas, on butait sur des lianes montant à l'assaut des troncs en arabesques compliquées et des plantes grimpantes dotées de vrilles et de crampons, dangereux comme autant de pièges. Au début, Malobali avait haï cet univers ténébreux à odeur de mort et de pourri. Aujourd'hui, il l'oppressait encore, car il croyait y surprendre à chaque détour la forme maléfique d'un génie en courroux. Lui qui aurait voulu ne croire à rien se surprenait à marmonner les prières qui écartent maladies ou morts subites. Kodjoe se baissa pour ramasser d'énormes escargots à chair violette dont on était très friand dans la région, mais qui répugnaient profondément à Malobali. Kodjoe était un Abron du royaume de Gyaman, tombé un siècle plus tôt sous domination ashanti. Cependant, sa mère était une Goro et elle lui avait aussi appris à parler une langue très proche de celle de Malobali. C'était ce qui les avait tout d'abord rapprochés. Puis ils s'étaient découverts une identité de vues, une sorte de mépris, presque de haine pour le genre humain.

Kodjoe s'assit sur une racine, énorme excroissance s'enfonçant quelques pas plus loin dans l'humus, et releva la tête vers Malobali :

« Il faut que je te dise. Si nous atteignons Cape Coast, je ne reviendrai jamais à Kumasi... »

Malobali se laissa tomber à côté de lui et s'exclama :

« Tu es fou?

– Non. J'ai préparé tout un plan là-dedans... »

Il se frappa le front de manière éloquente, avant de poursuivre :

« L'avenir est sur la côte. Avec les Anglais, les Blancs. Est-ce que ce n'est pas à cause d'eux que les Fantis ont pu tenir tête si longtemps aux Ashantis? Ils ont des armes, ils ont des navires qui marchent sur la mer, ils ont de l'argent, ils connaissent de nouvelles plantes... L'Asantéhéné Osei Bonsu tremble devant eux et cherche à gagner leurs bonnes grâces... »

Molabali fixa son compagnon avec stupeur :

« Ne me dis pas que tu veux te mettre à servir ces Blancs? »

Kodjoe cueillit une baie sauvage et se mit à la ronger :

« Je veux apprendre leurs secrets... Je veux apprendre à écrire... »

Malobali haussa les épaules :

« Alors fais-toi musulman, tu écriras tout aussi bien! »

Sentant que le dialogue n'était pas possible, Kodjoe se leva et reprit sa marche. Pendant un moment, Malobali le suivit sans mot dire, plongé dans ses réflexions. Puis il lança :

« De toute façon, ils ne s'occuperont pas de toi, tes Anglais, si tu ne te convertis pas à leur religion... »

Kodjoe tourna la tête et fit :

« Eh bien, je me convertirai!... »

Or, Malobali ne pouvait entendre ce mot de « conversion » sans songer aussitôt à Tiékoro, le frère haï. C'était Tiékoro qui avait imprimé ce cours à sa vie. C'était Tiékoro qui l'avait chassé de Ségou aussi sûrement que s'il lui en avait intimé l'ordre.

Après le suicide de Nadié, Tiékoro avait été lui-même quelque temps entre la vie et la mort. Puis il s'était guéri. Mais voilà qu'au lieu de se remettre à vivre avec humilité, il s'était paré de son épreuve, prenant l'univers à témoin. Ah! comme il avait souffert! Et pourquoi avait-il souffert? Parce qu'il était un misérable pécheur. Mais il était résolu désormais à faire pénitence. Entièrement vêtu de blanc, un chapelet à la main ou enroulé autour du poignet, il s'installait sur sa natte qu'il ne quittait que pour se rendre à la mosquée. Très vite, les gens avaient commencé à affluer autour de lui, celui-ci demandant une prière, celui-là un conseil, celui-là encore un simple attouchement de mains. Sa réputation de sainteté avait grandi sans qu'on sût comment, gagné Djenné, Tombouctou, Gao... Elle avait même atteint les oreilles d'Amadou Hammadi Boubou qui avait pris le titre de cheikh et venait de se faire bâtir une ville baptisée Hamdallay. Il l'avait donc invité à venir y séjourner afin de discuter de la meilleure manière de convertir les Bambaras à l'islam.

Un matin, Tiékoro prêchait à une poignée de fidèles, comme il avait pris coutume de le faire : « Dieu est Amour et Puissance. La création des êtres procède de son amour et non d'une quelconque contrainte. Détester ce qui est produit par la Volonté divine agissant par amour, c'est prendre le contrepied du Vouloir divin et contester sa sagesse. »

Le son de cette voix avait éveillé en Malobali une telle colère doublée d'une telle nausée qu'il avait enfourché un cheval et quitté Ségou. D'abord il envisageait seulement de se rendre à Tenenkou auprès de sa mère. Celle-là aussi, il avait un compte à régler avec elle! Et puis, il avait rencontré des marchands de noix de kola redescendant vers Salaga et il s'était mêlé à eux. De fil en aiguille, il s'était trouvé enrôlé dans l'armée de l'Asantéhéné.

Se convertir! Renier les dieux de ses pères et à travers eux toute la civilisation, toute la culture qu'ils avaient élaborée, cela paraissait à Malobali un crime qui ne pouvait mériter de pardon. Jamais il ne le commettrait, même sous la torture. Est-ce que Siga n'était pas revenu de Fès avec sa foi ancestrale intacte? En pensant à Siga, le cœur de Malobali s'adoucissait. Peut-être aurait-il dû consulter cet aîné avant de se lancer dans l'aventure? Bah! il était trop tard pour avoir des regrets.

Ils atteignirent une petite clairière, plantée d'ignames et de patates douces. C'était le premier signe de vie humaine qu'ils rencontraient depuis quatre jours qu'ils avaient quitté Kumasi. Ils se précipitaient pour fouiller sans scrupules ces tubercules qui ne leur appartenaient pas quand une jeune fille apparut, une corbeille à la main. Toute jeune, les seins petits mais ronds, les jambes interminables. De sa voix fluette, elle intima :

« Laissez cela. Ou alors donnez-nous des cauris... »

Malobali se mit à rire :

« Pourquoi dis-tu *nous,* quand je te vois seule par ici? »

La fillette indiqua un sentier de la main :

« Notre village n'est pas loin.

– Alors pourquoi as-tu si peur? »

Pendant que Kodjoe s'asseyait en ricanant sur

une racine, Malobali s'approcha de la fille. Jolie. Une peau d'un noir de jais. Le long des joues le dessin délicat des scarifications tribales. Quelque part, le désir remua en Malobali :

« Comment t'appelles-tu ? »

Elle hésita, puis se décida :

« Ayaovi...

Puis, tournant les talons, elle s'enfuit. Malobali se jeta à sa poursuite. Tout d'abord Ayaovi n'avait inspiré à Malobali que le désir vague et aisément contrôlé qu'il éprouvait devant toute fille jeune et bien faite. Or cette poursuite l'exacerba. Ayaovi courait et ses fesses nues tressautaient tandis que l'eau inondant ses omoplates donnait à sa peau un relief particulier. Elle disparut derrière un arbre, réapparut entre deux fougères, trébucha sur une liane. Malobali se jeta sur elle dans un lit d'humus. Quand il la tint sous lui, réalisant son extrême jeunesse à la gracilité de ses formes, son premier mouvement fut de la laisser aller, quitte pour une belle peur.

Or, elle se mit à l'insulter, un flot si rapide que son oreille encore mal habituée au twi[1] ne distinguait que des sons informes. Cela l'irrita. Il allait la gifler pour la faire taire quand, relevant sa tête agile comme celle d'un serpent, elle lui cracha en plein visage. C'en était trop. Il ne pouvait que la punir et il n'avait qu'un moyen à sa disposition. Comme il lui écartait rudement les jambes, il songea qu'elle devait être impubère et réalisa l'énormité de sa faute. Mais elle posait sur lui un regard de défi, surprenant chez un être si jeune. Alors, il la pénétra. Elle hurla et Malobali sut que jusqu'à son dernier jour, il entendrait encore ce cri lui vriller les oreilles. Un cri d'enfant terrorisée qui agonise. Un

1. Twi : langue parlée par les Ashantis.

cri d'enfant qui prend les dieux à témoin de la cruauté des adultes.

Sous son membre brusquement inerte, il sentit se répandre un petit lac de sang. Il faillit se lever, la supplier de lui pardonner, mais une force mauvaise dont il ignorait lui-même l'origine l'envahit. Non sans mal, il acheva de la pénétrer. Ensuite il demeura immobile, n'osant pas la regarder. Une main lui tapota l'épaule. C'était celle de Kodjoe qui souffla :

« Tu penses aux amis? »

Il lui laissa la place.

Contrairement à toutes celles qui avaient été menées les années précédentes, en particulier contre les Fantis, l'expédition dont faisait partie Malobali était entièrement pacifique. Il s'agissait d'escorter à Cape Coast un Blanc du nom de Wargee. Ce Wargee était arrivé à la cour de l'Asantéhéné après un incroyable périple qui l'avait mené d'Istanbul à Tripoli, puis à Murzuk, de Kano à Tombouctou, puis de Djenné à la ville marchande de Salaga, avant de l'avoir conduit à Kumasi, capitale du pays ashanti. L'Asantéhéné Osei Bonsu, connu pour sa grande courtoisie à l'égard des étrangers, le faisait conduire à la côte sous bonne garde afin de lui éviter tout désagrément. Là, les Anglais s'occuperaient de l'aider à retourner chez lui. D'où venait ce Wargee? Pourquoi se trouvait-il en Afrique? Ni Malobali ni ses compagnons ne s'en souciaient. Ils se bornaient à remplir leur mission et, d'un commun accord, se tenaient à l'écart de cet homme.

Pour Malobali, qui n'avait auparavant jamais vu de Blancs, si l'on excepte les Maures qu'il croisait sur toutes les routes commerciales, Wargee et ses pareils formaient une espèce particulière, indéchiffrable et intrigante comme celle des femmes ou des animaux. Il ne comprenait pas ceux qui les admiraient à cause de leurs réalisations extraordinaires, car il flairait dans tout cela un danger, bien supérieur à celui des Peuls et de tous les musulmans réunis.

Quand Malobali et Kodjoe revinrent vers leur case, il faisait nuit noire. Les autres soldats avaient allumé un feu qui fumait plus qu'il n'éclairait, et qui ne dégageait aucune chaleur, car le bois était humide. L'un d'eux interrogea :

« Eh bien, qu'est-ce que vous avez rapporté? »

Kodjoe vida son sac : quelques escargots repliés dans leur épaisse coquille noirâtre, quelques patates douces. Il y eut un rire :

« Voilà un bon repas en perspective!... »

Kodjoe s'assit et fit mystérieusement :

« Peut-être bien aussi que nous avons trouvé meilleur gibier... »

Du coup, ceux qui somnolaient se réveillèrent, ceux qui étaient vautrés au fond de la case se rapprochèrent tandis que Kodjoe commençait de décrire par le détail les charmes d'Ayaovi. Cela fit enrager Malobali que la honte de son acte oppressait encore. Aussi jeta-t-il brutalement :

« Tais-toi, Kodjoe. Il y a des choses dont on ne doit pas se vanter! »

Puis il sortit à nouveau. Derrière son dos, il entendit les commentaires :

« Le Bambara est fou!... »

Depuis qu'il avait quitté Ségou, la vie de Malobali avait été un tissu d'actes répréhensibles. Ce n'était point parce qu'il tuait ou emmenait en captivité les ennemis de l'Asantéhéné. Non, la guerre était la guerre et il était payé pour cela. Mais parce que, trop souvent, ses armes se retournaient contre des innocents. Avec Kodjoe et quelques autres, il entraît dans les villages ashantis eux-mêmes, où les paysans paisibles arrachaient de leurs pieds des croûtes boueuses pendant que les femmes pilaient le plantain du fou-fou[2]. Ils violaient, volaient, incendiaient pour le plaisir d'égaler les dieux, remplaçant le bonheur et le calme de l'instant précédent par le désespoir. Un jour, ils avaient assassiné un vieillard simplement parce qu'ils lui trouvaient la figure trop laide sous la morve de sa peur. Tout d'un coup, son attitude passée le dégoûtait.

Alors que faire? Retourner à Ségou?

La pluie, qui s'était un moment arrêtée, avait recommencé à tomber en larges gouttes brûlantes et rafraîchissantes à la fois. Malobali revit le visage d'Ayaovi. Quel âge pouvait-elle avoir? Pas plus de dix ou onze ans. D'habitude, une fois le viol consommé, Malobali ne songeait plus à ses victimes. Pourquoi cette honte, ce remords? Il se mit à marcher au hasard sous la pluie et dans l'obscurité se heurta à un homme. Il reconnut le safohéné, capitaine de l'escorte. Celui-ci s'exclama :

« Ah! c'est le Bambara! Préviens les hommes que nous reprendrons la route à l'aube... »

Malobali persifla :

« Eh bien, ce n'est pas trop tôt! Encore un peu et nous pousserions racines ici comme des plantes... »

La réflexion ne plut pas au capitaine, que le comportement de Malobali avait déjà fort souvent irrité. Il fit volte-face et dit sèchement :

« Sache que c'est moi qui donne des ordres ici. Le Blanc que nous avons mission d'accompagner est un vieillard. Il éprouve beaucoup de difficultés à avancer dans la forêt... »

2. Sorte de pâte préparée dans un mortier.

Il est vrai que ce n'était pas une petite affaire! Les soldats devaient couper à grands coups de hache les herbes, les lianes et les racines géantes qui entravaient la marche. Parfois aussi, ils enfonçaient jusqu'aux genoux dans le sol spongieux, et seules les cordes qui les reliaient les uns aux autres les empêchaient de s'embourber entièrement. Sans parler des reptiles et des insectes, aussi avides que des sangsues, qui s'accrochaient au visage, au cou et aux épaules. En d'autres temps, Malobali n'aurait guère prêté attention à cette rebuffade. Pourtant ce soir-là, elle lui fit l'effet d'une véritable humiliation. Il rentra dans la case.

A présent, les hommes faisaient rôtir les tubercules de patates dans la cendre et, ayant enfilé en brochette la chair épaisse des escargots, ils la grillaient sur la braise. Les gourdes de vin de palme circulaient.

Malobali alla s'asseoir dans un coin, le dos à la cloison humide. Combien de temps encore supporterait-il cette existence grossière et bornée? mangerait-il cette nourriture fruste? écouterait-il ces plaisanteries vulgaires?

Comme Kodjoe s'approchait de lui, il souffla :

« Hé l'ami, raconte-moi ton beau plan... »

Kodjoe eut un rire :

« Je savais bien que mon histoire t'intéresserait! Ecoute, il y a plusieurs possibilités. Dans le fort de Cape Coast, il y a une garnison, des hommes bien entraînés qui ne demandent qu'à attaquer les Ashantis. Nous pouvons leur offrir nos services...

– C'est-à-dire trahir? »

Kodjoe balaya ce mot de la main :

« Dans la ville et autour de la ville, il y a des prêtres, missionnaires qu'on les appelle, qui ont des champs où ils emploient des gens à qui ils apprennent aussi à lire et à écrire. On m'a même dit qu'ils envoient des gens étudier chez eux en Angleterre. Si tu veux, on peut tenter de ce côté-là... »

Comme Malobali ne semblait pas très enthousiaste, Kodjoe poursuivit :

« Ou bien on peut faire du commerce... »

Ce fut au tour de Malobali de railler :

« Et de quoi? Les Anglais ne veulent plus d'esclaves... »

Kodjoe haussa les épaules :

« Mais il reste les Français, les Portugais, les Hollandais... Il s'agit de ruser, c'est tout... Ou alors, on peut commercer avec de l'huile de palme. Les Blancs s'en servent pour faire leur savon... Ou des peaux. Ou des défenses d'éléphant... »

Malobali écoutait tout cela avec stupeur, se demandant comment Kodjoe, qu'il avait cru aussi frivole et jouisseur que lui, avait pu élaborer tout cela. Du coup, il éprouvait pour lui une sorte de respect dont il était bien peu coutumier. Par contraste, il se sentait obtus et son mépris de lui-même augmentait. Il se tourna contre la cloison de boue et de branchages dont les interstices grouillaient d'insectes et il tenta de trouver le sommeil. Or, il ne trouva qu'Ayaovi. Quelle action stupide et gratuite! Au moment de la pénétrer, son membre s'y était presque refusé et il avait dû le cingler comme un cheval paresseux en pensant à ses insultes. Il imagina son retour au village paternel, ses pleurs, sa confession haletante. D'après ses descriptions, les siens comprendraient qu'il s'agissait des hommes de l'Asantéhéné et, terrifiés, se garderaient bien d'intervenir. Alors ce crime-là aussi demeurerait impuni. Ah! oui, changer de vie! S'installer sur la côte! S'installer sur la côte, pourquoi pas?

Malobali se rencoigna contre la cloison. Sur les feuilles du toit, les gouttes de pluie piétinaient doucement.

2

En juin 1822, la ville de Cape Coast était considérée par certains comme la plus belle de cette partie du littoral africain appelé côte de l'Or. Ses rues larges et bien entretenues étaient bordées de somptueuses maisons de pierre appartenant aux commerçants anglais installés là depuis des décennies tandis que la population locale occupait une sorte de banlieue qui ne manquait pas totalement de charme, avec ses cases de boue séchée sous les palmiers et les cocotiers. Cependant la construction la plus impressionnante était sans aucun doute le fort. Il avait changé dix fois de propriétaire, passant entre les mains des Suédois, puis des Danois, puis des Hollandais avant d'être fermement tenu par les Anglais. Ceinturé par un mur épais, il avait la forme d'un triangle dont deux côtés faisaient face à la mer et surveillait les alentours à travers les yeux noirs et fixes de ses soixante-dix-sept canons que l'air marin rongeait, mais qui savaient encore faire feu. Jusqu'à une date récente, les Anglais y entreposaient les esclaves en partance pour les Amériques et n'en sortaient guère que pour commercer avec la population côtière, en particulier les Fantis, lors de l'arrivée des navires. Peu à peu, ils avaient gagné en importance et s'étaient institués les défenseurs des Fantis contre leurs ennemis de l'intérieur, les

Ashantis. Cela n'avait pas empêché ces derniers de vassaliser la région et d'y installer un résident. Depuis qu'ils avaient aboli la Traite, les Anglais rongeaient leur frein à l'intérieur du fort, attendant que la Couronne décide des relations qu'elle entendait entretenir avec les nouveaux maîtres ashantis. Pourquoi n'attaquait-on pas ces barbares? Pourquoi n'occupait-on pas toute la région pour commercer librement?

C'était bien l'avis du nouveau gouverneur du fort, MacCarthy, et quand on lui signala l'arrivée d'une petite troupe de guerriers ashantis, il songea presque à faire tirer le canon. Ce qui le retint, c'est qu'on indiquait la présence dans leurs rangs d'un Blanc âgé et vêtu d'un uniforme de la Compagnie royale d'Afrique. Méfiant, il donna l'ordre à ses gardes de ne laisser pénétrer que ce vieillard, un interprète et le safohéné. Malobali et Kodjoe cherchèrent, quant à eux, une taverne où se restaurer. Sortant de l'humidité de la forêt, l'air de la mer paraissait sec par contraste, déposant sur les lèvres une pellicule qui avivait la soif et, curieusement, emplissait les yeux de l'eau salée des larmes. La taverne était une construction de brique qui parut fort élégante à Malobali entre ses bosquets de cocotiers, et qui surtout offrait la plus belle quantité d'alcools : du gin, du rhum, du schnaps, des vins français.

Le tenancier était un mulâtre, espèce qui commençait à proliférer sur toute la côte depuis que les Européens y étaient nombreux. Les premiers temps, les Danois, les Suédois ou les Anglais contractaient des sortes de mariages avec les femmes africaines et envoyaient leurs enfants, les fils surtout, étudier dans leurs pays. Puis, la coutume devenant trop courante, ils se bornaient dans le meilleur des cas à verser des pensions aux mères.

Le tenancier remplit les calebasses à ras bord et s'enquit :

« Mais qui est ce Blanc que vous accompagniez? »

Malobali haussa les épaules, laissant Kodjoe expliquer :

« Il paraît qu'il est né dans un pays qu'on appelle Kisliar et qu'il a été vendu comme esclave...

– Tiens, tiens, on vend donc les Blancs comme esclaves? »

Kodjoe rejoignit Malobali à la table où il avait pris place. La taverne s'ouvrait sur une plage de sable blanc, jonchée çà et là de troncs de cocotier pourris, des débris de barques de pêche. Au loin, un navire européen avait jeté l'ancre et une flottille d'embarcations appartenant aux commerçants de la place l'entourait. On apercevait, entassés, les ballots de drap rayé rouge, vert, blanc, bleu, les enfilades de bracelets de laiton ou de corail, les fûts d'alcool, toutes ces choses en apparence futiles pour lesquelles les hommes se battaient. Kodjoe fit signe au tenancier de s'approcher pour remplir à nouveau les calebasses et, comme l'homme se courbait vers eux, il interrogea :

« Toi qui es une moitié de Blanc, tu connais les affaires des Blancs? »

L'autre rit :

« Ça dépend...

– Parlons de travail par exemple. Nous en avons assez de l'armée... »

L'autre regarda la mer en fronçant les sourcils :

« Tout le monde afflue sur la côte et veut travailler pour les Blancs. Cela devient difficile. Il y a bien la mission. Vous me paraissez un peu grands pour être des catéchistes. Mais vous pouvez toujours essayer. »

Malobali s'efforçait de faire taire ses répugnances quand l'homme lui fit observer :

« Tu n'es pas un Ashanti, toi. Tu m'as tout l'air d'un Peul... »

Or Malobali détestait qu'on lui rappelle cette moitié de Peul en lui qui le rattachait à une mère qui l'avait abandonné, croyait-il. Il se renfrogna tandis que Kodjoe lui scufflait pour l'apaiser :

« Eh bien, ainsi tu trouveras peut-être plus facilement du travail! »

En effet, les intrigues des Anglais et des Fantis étaient telles que le simple nom d'Ashanti était haï de la rivière Ankobra à la Volta! D'autant plus que l'Asantéhéné n'y allait pas de main morte avec les pays soumis : lourdes taxations, tracasseries, humiliations de toutes sortes.

Kodjoe et Malobali décidèrent d'aller jeter un coup d'œil sur place.

Sous l'impulsion des méthodistes, un vent de zèle missionnaire soufflait sur Cape Coast. Le prosélytisme, autrefois circonscrit à l'intérieur du fort et à la douzaine d'enfants mulâtres que le personnel y produisait bon an mal an, s'attaquait à présent à la population locale. Une énorme église de pierre grise s'élevait au centre de la ville cependant que la mission, plus discrète, se cachait à moitié sur la route d'Elmina. A vrai dire, elle ne payait pas de mine! Ce n'était qu'une baraque rectangulaire à toit de paille, précédée d'un jardinet où poussaient, pathétiques, des légumes et des fleurs. Sous un auvent, une poignée de garçons mesurait et coupait des billes de bois tandis qu'un chœur de voix grêles psalmodiait un chant incompréhensible et qu'une armée de porcs noirs fouillaient du groin dans la terre.

Intrigué sans doute par la présence de deux guerriers ashantis à sa porte, le missionnaire sortit sous la véranda. Stupéfaction, c'était un mulâtre! Vêtu d'une épaisse robe de drap noir, avec au cou une sorte de chapelet terminé par une énorme croix de bois. Mais mulâtre!

Malobali et Kodjoe échangèrent un regard. Non, ils n'avaient rien à faire avec cette moitié de Noir. La cause était entendue : ils tournèrent les talons.

Quelle ivresse il y a à se promener dans une ville sous l'uniforme d'une armée conquérante! Les marchands protégeaient leurs biens; les hommes, leurs femmes qui, elles, ne pensaient qu'à se donner. Les enfants se précipitaient hors des concessions avec des cris suraigus et des battements de mains. Pourtant tout cela qui, autrefois, avait enchanté Malobali le laissait maintenant indifférent. Regardant autour de lui, il n'était nullement impressionné par Cape Coast, méprisant presque cette ville sans passé ni traditions. C'était le bon vouloir des Blancs qui l'avait fait naître, les Portugais appréciant ce mouillage qu'ils appelaient Cabo Corso, les autres Européens se battant à leur suite pour y planter leur fort. Alors Cape Coast s'étalait sans mur d'enceinte, ouverte, offerte comme ces filles que les Blancs prenaient, engrossaient et abandonnaient, sans mystère avec ses angles droits et ses bâtiments commerciaux. A la vérité, était-ce une ville? Non, ce n'était qu'un entrepôt, à tout jamais marqué du sceau infamant du trafic en hommes. Comme le capitaine avait dispersé la compagnie, Malobali et Kodjoe se rendirent chez le résident de l'Asantéhéné, Owusu Adom, chargé d'exécuter les décisions du pouvoir ashanti. Owusu Adom était de sang royal, puisqu'il était le neveu de l'Asantéhéné, et, à ce titre, vivait entouré d'une large cour. Il possédait son tabouret, symbole sacré de son autorité, et dans le logement de fortune qu'il occupait s'affairaient des porteurs d'éventails, des porteurs de sceptres, des porteurs de queues d'éléphant, des porteurs de hamacs, des porteurs d'épées, des linguistes, des eunuques, des cuisiniers, des musiciens qui s'efforçaient de recréer l'atmosphère du palais royal où il avait grandi. Son capitaine, Amacom, indiqua aux deux hommes un baraquement où s'entassait déjà le reste de la troupe. Tout le monde était joyeux, car Amacom avait fait servir des calebasses de vin de palme et des bassines de fou-fou, avec une soupe à l'huile rouge. Malobali, tout en se lavant les mains, se moqua :

« Et voilà la fin de nos beaux projets! »

Kodjoe leva les yeux au ciel :

« Est-ce que tu crois que je me décourage aussi vite? Il doit bien y avoir des missionnaires qui sont deux moitiés de Blanc. S'il n'y en a pas, nous essaierons autre chose. »

Cependant, c'était jour d'audience à la cour de l'Asantéhéné à Kumasi.

L'Asantéhéné Osei Bonsu qui avait succédé à son frère aîné Osei Kwamé, que le Conseil avait déposé à cause de ses sympathies pour l'islam, était un homme de petite taille, mais très robuste, avec de magnifiques yeux étincelant d'intelligence. Il était assis sur son trône avec, à côté de lui, posé également sur un trône, le tabouret d'or, symbole du royaume ashanti, décoré de trois cloches et de trois clochettes d'or et de laiton. Osei Bonsu était vêtu d'un kenté, somptueux pagne tissé qui lui laissait une épaule nue, les pieds chaussés de larges sandales, car à aucun moment ils ne devaient toucher la terre. Ses bras et ses chevilles étaient encerclés d'énormes bracelets d'or finement travaillés et représentant les animaux les plus divers. Des colliers, des pectoraux, également en or, et une profusion d'amulettes musulmanes dans leurs étuis de cuir paraient son cou lisse et droit comme un tronc d'arbre. Il était flanqué de grands prêtres tandis que deux serviteurs agitaient autour de lui de larges éventails de plumes d'autruche. Osei Bonsu écoutait avec la plus profonde attention les paroles du chef des linguistes qui lui transmettait les propos d'un chef de village de la région de Bekwai respectueusement prosterné dans la poussière au pied de l'estrade.

C'est qu'une grave offense avait été commise.

Une fillette impubère avait été violée alors qu'elle se rendait au champ de ses parents dans la forêt. En d'autres circonstances, peut-être les parents de la petite victime se seraient-ils tus, car le coupable était un soldat de la très puissante armée de l'Asantéhéné. Mais cette fillette, Ayaovi, était leur unique enfant, née après la mort de six frères et de trois sœurs, la seule que les dieux leur aient permis de garder en vie. Ils exigeaient que justice soit faite. Quand le chef des linguistes se tut, les grands prêtres donnèrent leur verdict sans attendre. Ce crime était une offense à la terre elle-même. S'il n'était pas puni, celle-ci n'aurait pas de répit. Les chasseurs ne pourraient plus capturer de proies, les récoltes ne s'épanouiraient plus. Ce serait le chaos.

Qui était le coupable?

Le kontihéné, commandant en chef des troupes, s'avança. D'après la description qu'en faisait l'enfant, il s'agissait d'un soldat qui ne ressemblait pas à un Ashanti, mais à un de ces mercenaires venus du nord, Peuls, Haoussas. Il se trouvait dans la région de Bekwai environ une semaine auparavant. A la lumière de ces faits, le kontihéné en vint vite aux conclusions. Il ne pouvait s'agir que de Malobali, le Bambara qui faisait partie de l'escorte de Wargee.

Alors, il fallait le ramener à Kumasi pour être châtié.

Du temps d'Osei Tutu, fondateur du royaume, un tel crime aurait été puni de mort. Mais Osei Bonsu avait introduit une certaine mollesse dans les mœurs et avait une devise : « Ne jamais se servir de l'épée quand la voie de la négociation demeure ouverte. » Il donna l'ordre qu'asile soit donné à la famille plaignante dans une aile du château et, pour exprimer sa sympathie, demanda à son trésorier de lui remettre un dommafa[1] de poudre d'or. Les prêtres et les anciens louèrent hautement la bienveillance royale.

Le royaume ashanti, dont Kumasi était la capitale, était appelé également le royaume de l'or. A la saison des pluies, l'eau détrempant la terre faisait apparaître des pépites que les agents de l'Asantéhéné n'avaient plus qu'à ramasser à la pelle. Le royaume abritait aussi des mines inépuisables, Obuasé, Konongo et Tarkwa, ce qui valait à son souverain le surnom de « Celui qui s'assoit sur l'or ». Et cependant, malgré cette extraordinaire prospérité, symbolisée par la profusion d'ornements qui couvraient sa personne, Osei Bonsu était triste et soucieux. Les Anglais, les Anglais!

Après avoir acheté des esclaves par bateaux entiers, voilà qu'ils supprimaient la Traite! Pourquoi? Que voulaient-ils à présent? Qu'allait-il faire de ses captifs de guerre? Allait-il les laisser croître au milieu de son peuple pour l'étouffer comme une mauvaise herbe dans un champ? Allait-il les tuer comme des bêtes malfaisantes? Par ailleurs, il avait beau multiplier les gestes de bonne volonté à leur égard, ils persistaient à favoriser toutes les rébel-

1. Mesure ashanti pour peser l'or.

lions dirigées contre lui. Pourquoi voulaient-ils la destruction de son royaume?

Comme à chaque fois qu'il se sentait de cette humeur, Osei Bonsu décida d'interroger les dieux et les ancêtres. Etait-on coupable de quelque négligence? Non, chaque jour, on arrosait de sang les tabourets royaux. Lors du récent festival de l'Odwira, la viande des poulets et des moutons, cuite sans sel ni piment, avait été offerte avec la chair de l'igname, éclatante et tendre comme celle d'une jeune femme. Puis les portes, les fenêtres et les arcades du palais avaient été enduites d'un mélange de jaune d'œuf et d'huile de palme... Osei Bonsu envoya quérir le musulman Mohammed al-Gharba. Car s'il ne se sentait nullement tenté de se convertir à l'islam comme son frère aîné, il n'en avait pas moins la plus haute estime pour la science des musulmans et leur accordait une place considérable tant autour de lui que dans le royaume.

Certains faisaient partie de son conseil privé. D'autres avaient fonction d'ambassadeurs dans les pays musulmans du Nord. D'autres rédigeaient sa correspondance avec de lointains souverains et commerçants. Quant à Kumasi, un de ses quartiers était occupé par des musulmans et portait le nom d'Asanté Nkramo.

On ne savait trop de quelle région venait Mohammed al-Gharba. De Fès, selon certains. L'opinion générale voulait qu'il ait évolué dans l'entourage du sultan Ousmane dan Fodio. Ce n'était pas un vulgaire devin ou un gribouilleur d'amulettes. S'il déchiffrait le présent et l'avenir et faisait bénéficier Osei Bonsu de cette clairvoyance, c'était au nom d'Allah et pour le convaincre de Sa puissance.

Osei Bonsu se tourna vivement à son entrée :

« Je viens d'apprendre que les Anglais ont envoyé un autre gouverneur au fort de Cape Coast. Ils ne m'en ont pas informé et celui-ci ne m'a pas envoyé les présents d'usage... »

Mohammed eut un soupir :

« Fils du Soleil, tu es trop bon. Cette race anglaise est fausse et perverse. Tout ce qu'elle veut, c'est le pouvoir, l'accès à ton or, le monopole de ton commerce. Il n'est pas possible de discuter avec elle. Attaque, attaque et détruis avant qu'il ne soit trop tard... »

Osei Bonsu frémit :

« Trop tard? »

Mohammed dit doucement, tentant de diminuer la gravité de ses paroles :

« C'est écrit, maître. Les Anglais déferont la puissance ashanti et mettront la main sur le tabouret d'or... »

Des propos si audacieux méritaient la mort. Osei Bonsu savait cependant qu'il ne s'agissait pas là d'impertinence et qu'il devait se fier à son conseiller. Il murmura :

« Entre en prière, Mohammed, et demande à ton dieu de se tenir à nos côtés. Si tu parviens à le fléchir, à le gagner à notre cause... »

Là, il s'arrêta. Car, en effet, que pouvait-on offrir à un homme qui ne vivait qu'en esprit? Un sentiment d'impuissance et de découragement envahit le souverain. Puisque c'était écrit, à quoi bon lutter? Advienne que pourra...

Cependant, tout le monde ne partageait pas cette triste humeur. La petite Ayaovi était heureuse. Depuis trois jours que avec ses parents, elle était arrivée de Bekwai, elle vivait dans un enchantement constant. Quelle belle ville que Kumasi! Son père lui avait montré l'emplacement de l'arbre kumnini, arbre qui tue le python, planté des siècles plus tôt par le fondateur du royaume. C'était du temps d'Osei Tutu. Kumasi, qui ne s'appelait pas encore ainsi, n'était qu'une bourgade. Mais l'arbre kumnini y avait déployé sa ramure et indiqué à tous les Ashantis qu'elle devait être leur capitale. Quant au palais, c'était à lui seul une véritable ville avec ses bâtiments, ses arcades, ses cours plantées d'arbres s'élevant jusqu'au ciel.

Devant tant de beauté, la petite Ayaovi en oubliait presque son chagrin. Sa honte. Cette cruelle blessure à son ventre. Après tout, elle n'avait que onze ans. Sautillant d'un pied sur l'autre, elle se mit à chanter une complainte de jeux qu'elle affectionnait avec ses compagnes, là-bas, au village. Puis elle se tut. De pareils enfantillages ne convenaient plus à sa position. Bientôt elle aurait un mari. Et, quel mari! Ayaovi revit le visage de Malobali. Brutal, sans doute, et déformé par le désir. Mais beau, si beau. Non, ce n'était pas simplement un de ces soudards qui traversaient la région, fusil à l'épaule, sabre d'abattage sur la hanche et gourdin au poing. Il ne ressemblait en rien à son compagnon. A preuve, elle avait déjà oublié ses traits à celui-là! Malobali seul comptait. Ah! que les hommes envoyés à sa poursuite fassent diligence et le ramènent au plus vite!

Parfois Ayaovi était un peu inquiète. N'avait-elle pas menti sous serment en n'accusant qu'un seul homme? Elle se rappela les paroles du prêtre, égorgeant la bête :

Terre,
Etre suprême
Je m'appuie sur toi
Terre
Ne permets pas que le mal triomphe.

Oui, elle avait menti. Bah! elle secoua ces pensées. Après tout, elle n'avait que onze ans! Elle se faufila à travers la cour pleine de soldats jusqu'à une des portes et regarda sur la grande place les grands tulipiers et leurs fleurs écarlates, les palmiers royaux et, à peine moins arrogants, les kapokiers qui couvraient le sol de fibres grisâtres. Sur les talons d'Ayaovi, sa mère était sortie. Depuis la tragédie, elle ne connaissait pas de repos, se reprochant d'avoir mal gardé son enfant. N'est-ce pas elle que ces soudards auraient dû violer? Elle qui n'ignorait rien du corps d'un homme, et non sa fragile fillette, à peine sortie de l'enfance?

Son mari la rabrouait. Pourquoi pleurait-elle? Ce n'était pas la première fois que des hommes abusaient des fillettes impubères. Alors, le coupable était tenu d'offrir un mouton. On le sacrifiait à la Terre que le prêtre aspergeait de sang, afin d'obtenir son pardon. Puis à la puberté de la fille, on accomplissait les rites et le mariage était célébré. Voilà tout! Bientôt, Ayaovi aurait un mari, et quel mari! Un guerrier des armées royales! Sûrement l'Asantéhéné lui ferait don de quelque terre qu'on planterait de palmiers à huile. Et le chœur des filles accompagnant les mariés chanterait :

Que Dieu te donne des garçons et des filles!
Qu'il te donne l'âge mûr!

Ah! Les ancêtres savent toujours ce qu'ils font. De tout mal sort un bien.

3

« SAUVE-TOI, Bambara, sauve-toi. Ils viennent t'attraper! »

Ce cri déchira le demi-sommeil de Malobali. Il se redressa à demi. La voix répéta :

« Sauve-toi, Bambara, sauve-toi! »

Le corps encore lourd, l'esprit à moitié hors du corps, Malobali rampa vers ses vêtements qu'il avait jetés dans un coin de la pièce. Contre lui, la femme se réveilla et protesta :

« Mais où vas-tu? »

Il la fit taire d'une bourrade et, ayant enfilé son pantalon, il se rua vers la sortie. C'était l'aube. Le ciel était gris entre les palmes des cocotiers. On entendait, monotone, le ressac de la mer. Un brouhaha de voix s'élevait dans une des cours, signifiant à Malobali qu'il n'avait pas rêvé. Un kapokier s'adossait au mur de la concession. Malobali, s'accrochant aux branches basses, se jucha sur cette enceinte et de là, avec souplesse, sauta dans la rue. Puis il se mit à courir.

Un homme qui court pour sa vie n'a aucune notion de ce qui l'entoure. Il n'est qu'un assemblage de muscles qui se déploient, un souffle qui se mesure, un cœur au galop. Malobali courait et rien ne comptait autour de lui. Il courait, et à l'alignement rectiligne des cases succéda un paysage de cocotiers droits ou brisés à mi-hauteur par le vent et reposant sur le sable. Il courait et les rues firent place à un chemin mal entretenu où deux ou trois hommes pouvaient aller de front. Il courait et le soleil apparut pour planter ses échardes dans son crâne et ses omoplates.

Enfin, à bout de forces, il roula dans le sable. Depuis combien de temps courait-il? Et pourquoi courait-il? Il n'aurait su le dire. A quelques mètres de lui, il apercevait la mer, encore vert pâle, bientôt étincelante et qui semblait le narguer. Il essuya la sueur qui ruisselait sur son front et lui picotait les yeux comme des larmes. Au bout d'un moment, il essaya de mettre de l'ordre dans ses pensées. Pourquoi viendrait-on l'arrêter? Qu'avait-il fait?

Il s'était soûlé, mais pas plus que d'habitude. Il n'avait pas fait de tapage. Quant à la femme qui l'avait reçu dans sa couche, c'était une femme à tout le monde qui avait aimé la couleur de son or. Alors?

Les Fantis, rompant la trêve, avaient-ils déclaré la guerre aux Ashantis avec la bénédiction de leurs protecteurs, les Anglais? Dans ce cas, pourquoi se sauverait-il? Il convenait au contraire de rejoindre le reste des troupes et de prendre les armes. Malobali était d'un caractère trop aventureux et déterminé pour se satisfaire de la fuite. Il reprit le chemin de Cape Coast. Pourtant, prudemment, il se défit de ses habits de soldat, gardant seulement son pantalon bouffant et un poignard contre son corps. Deux routes partaient de Cape Coast, l'une menant au fort d'Elmina à l'ouest, le plus ancien, autrefois possession portugaise, puis possession hollandaise, à l'est au fort de Mouri à moitié abandonné; l'autre rejoignant la rivière Pra et menant au pays ashanti. Malobali décida d'aborder la ville par la route venant d'Elmina, peu fréquentée, vu les relations entre les occupants des deux forts. Il arrivait à l'entrée de la ville quand il vit un petit groupe d'hommes en sortir. Il reconnut des guerriers ashantis et allait se précipiter vers eux, les héler, se faire reconnaître, quand la prudence, cette fois encore, le retint. Coupant à travers une étendue broussailleuse, il alla se poster plus loin à un carrefour.

Une douzaine de soldats entouraient Kodjoe, les mains liées derrière le dos, les jambes entravées comme un malfaiteur ou un condamné qu'on mène au bourreau. Le sang qui coulait d'une plaie à sa tête avait séché sur ses joues et formait une croûte répugnante, rougeâtre contre sa peau noire. Il semblait ahuri, hébété.

Malobali ne le fut pas moins. Pourquoi arrêtait-on Kodjoe? Qu'avait-il fait? Puis il comprit. Le viol. La gamine de la clairière. Ce ne pouvait être que cela.

Dominant leur frayeur, ses parents avaient dû faire appel à la justice de l'Asantéhéné qui jamais ne sommeillait. Le premier mouvement de Malobali fut de se porter au secours de son ami. Mais que pouvait-il faire, demi-nu, contre ces hommes en armes? Il resta accroupi au milieu des herbes. Puis le sentiment de son impuissance se mêlant à celui de sa honte le submergea et il vomit longuement. Une colonie de fourmis voraces émergeait de la terre.

Que faire à présent?

Il n'était plus en sécurité en ville. S'il se présentait chez le résident, il ne manquerait pas de connaître le sort de Kodjoe. Un sentiment de fatalisme l'envahit. Eh bien, n'était-ce pas cela qu'il avait souhaité? Un changement de sa vie? Les dieux moqueurs le remettaient nu comme un enfant.

Quand Sira avait accouché de lui là-bas à Ségou, il n'était pas plus vulnérable.

Vers midi, la faim commença à lui dévorer les entrailles. Au cours de sa vie aventureuse, il avait appris à poser des pièges aux oiseaux, à allumer du feu entre deux pierres, à fabriquer du sel avec la cendre. Il aiguisait des branches de bois quand une voix le fit sursauter :

« Que les dieux m'enlèvent la vue si ce n'est pas le Bambara qui est là! »

Malobali sauta sur ses pieds. Il avait devant lui un vieillard édenté, les jambes couvertes d'ulcères, mais qui en dépit de cela paraissait parfaitement robuste. Il portait pour tout vêtement un cache-sexe de coton qui dissimulait mal une énorme hernie. Malobali fit respectueusement :

« Papa[1], comment me connais-tu? »

L'autre rit à gorge déployée, découvrant une luette violacée :

« Toute la ville ne parle que de toi. Et tu me demandes comment je te connais? Tu sais ce qui est arrivé à ton camarade? »

Malobali eut un soupir :

« Je l'ai vu passer... »

Le vieillard rit de plus belle :

« Le pis, c'est que ce n'est pas lui que le kontihéné envoyait chercher, la fillette n'ayant parlé que de toi.

– Que de moi?

– Eh oui. Quelle impression tu as dû lui faire et quelle tête elle fera en voyant arriver Kodjoe, mais il s'est dénoncé lui-même... »

Malobali rit à son tour. Pourtant, en se rappelant

1. On appelle « papa », par respect, un homme beaucoup plus âgé que soi. Et « maman », une femme.

Ayaovi, son corps gracile, son odeur de feuilles vertes, il eut quelque regret. Puis il se ressaisit :

« Papa, qu'est-ce que je dois faire à présent? Tu pourrais avoir engendré mon père. Conseille-moi. »

Le vieillard s'accroupit, tira une noix de kola de son cache-sexe et l'ouvrit. Puis, regardant la chair veinée de rouge, il fit :

« Fuir! C'est tout ce que tu peux faire. La mer est couverte de bateaux... »

La mer est couverte de bateaux? Mais dans quelles directions allaient-ils? Vers des terres de servitude et de deuil : la Jamaïque, la Guadeloupe... Et puis, né à la lisière du désert, la mer avait toujours inspiré à Malobali une répulsion doublée de terreur. Ce sol trompeur qui cédait sous les pieds et vous précipitait vers de secrets abîmes. Relevant la tête pour presser le vieillard de questions, il s'aperçut que celui-ci avait disparu. Alors, il comprit que c'était un ancêtre venu lui indiquer la voie à suivre et une grande paix l'envahit.

Evitant la ville, il se dirigea vers la plage. C'était toujours le même va-et-vient fiévreux en direction des bateaux des Européens ancrés au large. Malobali, qui pourtant n'avait pas l'âme sensible, s'attendrit en pensant à tous ceux qui, enchaînés, désespérés, avaient piétiné cette côte. Il savait que l'Asantéhéné s'opposait aux Anglais qui avaient déclaré la Traite illégale, et cette décision qui pourtant aurait dû les rendre sympathiques lui semblait suspecte. Que cachait-elle?

Un instant, Malobali se demanda s'il n'allait pas reprendre le chemin de Ségou. Ségou! Comme sa ville natale lui manquait! Quand nagerait-il dans les eaux du Joliba? Mais le souvenir de Tiékoro, le souvenir de sa voix, orgueilleuse dans son humilité même, revint l'inonder de nausée :

« Il est nécessaire que je vous parle encore de la charité, car je suis peiné de voir qu'aucun de vous n'a suffisamment cette vraie bonté du cœur. Et cependant quelle grâce! »

Ah! non, il ne pourrait le supporter! Marchant résolument vers l'extrémité de la plage, il vit un jeune garçon à la mine avenante qui surveillait le déchargement d'une pirogue et l'aborda :

« Dis-moi, pour qui travailles-tu? »

Le garçon sourit fort gracieusement :

« Je surveille la livraison des marchandises de M. Howard-Mills.

– Un Anglais?...

– Non, non, un mulâtre! »

Malobali s'exclama :

« Un mulâtre! Désormais, ces bêtes-là prennent pied partout... »

Le jeune homme eut un geste résigné :

« Que veux-tu? Les Blancs les favorisent puisque ce sont leurs enfants. M. Howard-Mills est très riche. Tu n'es pas de cette côte, toi? »

Malobali lui prit le bras :

« Ne t'occupe pas d'où je viens. Aide-moi plutôt à sortir d'ici... »

Autour d'eux, des files de porteurs convoyaient vers Cape Coast les ballots des marchandises les plus diverses. Le jeune homme mit une pirogue à flot, fit signe à Malobali d'y prendre place, puis se mit à pagayer vigoureusement vers le large, vers les navires, pareils aux tabourets symboliques de nouveaux dieux. La mer s'étendait, tapis royal sous leurs pieds. En tournant la tête, on apercevait le dessin sombre des arbres de la côte et la masse du fort. Les blancs étaient venus, ils avaient mendié un peu de terre pour bâtir ces forts et depuis, à cause d'eux, plus rien n'était pareil. Ils avaient apporté des produits inconnus pour lesquels on s'était battu, peuple contre peuple, frère contre frère. A présent, leur ambition n'avait plus de bornes. Jusqu'où irait-elle?

On arrivait au flanc d'un navire, un trois-mâts de belle apparence. Au moment de s'engager sur l'échelle qui menait à bord, Malobali eut un mouvement de recul. Savait-il seulement vers quoi il se dirigeait? Puis il se ressaisit. N'était-ce pas l'ancêtre lui-même qui l'avait conseillé?

Quand le résident de l'Asantéhéné Owusu Adom apprit la disparition de Malobali, il vit dans cela la main des Anglais. Eux seuls avaient pu lui donner refuge, protéger sa fuite en lui donnant accès à l'un de leurs navires sur la mer.

Owusu Adom était d'autant plus furieux que depuis qu'il habitait Cape Coast, il n'avait jamais été reçu à l'intérieur du fort. Ni par l'ancien ni par le nouveau gouverneur anglais. Cette insulte ne s'adressait pas seulement à lui. Mais, à travers lui, à la royale personne, à l'Asantéhéné lui-même. Aussi, décida-t-il de quitter Cape Coast et de retourner sans tarder à Kumasi.

Dès le matin, il prit la route. En tête du cortège venaient des esclaves armés de sabres avec pour mission de couper lianes, racines et branches encombrantes. Ensuite, venaient deux hommes portant chacun par une extrémité l'épée d'or symbolique de sa charge, les prêtres, les conseillers et le personnel à tous usages. Owusu Adom lui-même était porté par un groupe d'hommes choisis pour leur endurance à la marche dans un solide hamac autour duquel se tenaient les musiciens qui soufflaient dans des trompes, ou dans des cors, frappaient sur des tam-tams et agitaient des clochettes de telle sorte que les oiseaux fuyaient leurs nids et que, dans l'herbe, les serpents apeurés s'enfuyaient, cherchant leurs cachettes.

Peu à peu, ce cortège se grossit de commerçants, venant de conclure des affaires sur la côte. Les conversations allaient bon train. Les Anglais et les Hollandais n'achetaient plus d'esclaves. Du moins ouvertement, car il y avait toujours au large quelque négrier sournois. Mais, Dieu merci, il y avait les Français. Mauvais payeurs et chicaniers ceux-là, mais plus avides que tous les autres! Leurs navires se pressaient à Elmina et Winneba. Que deviendrait-on si on supprimait le commerce des esclaves? Ce n'était ni le commerce de l'huile de palme ni celui du bois des forêts qui pouvaient le remplacer. Tout le monde y gagnait, à l'esclavage, et pas seulement les souverains. Les petits chefs pouvaient vendre tous ceux qui étaient condamnés par les tribunaux. Quant aux gens ordinaires, ils pouvaient vendre leurs débiteurs!

On parlait aussi de Kodjoe et de Malobali. Ce n'était pas le viol d'une fillette qui choquait. Mais la manière dont l'affaire avait été conduite. A-t-on jamais vu deux lascars se partager une fille de cette façon? Il en faudrait des moutons pour apaiser la Terre! D'une certaine manière, il était heureux que l'un des deux compères se soit enfui. Sinon, quel dilemme pour les juges! A qui marier la fille? Les uns soutenaient que ce devait être au premier qui l'avait pénétrée. Les autres soutenaient que c'était au second, le premier n'ayant fait que lui frayer la voie.

Tout le monde se tut, cependant, et le silence se fit car on entrait dans la forêt. Les acajous, les irokos, les mahoganis dont la voûte se confondait avec celle du ciel formaient un cadre oppressant. La forêt est l'habitacle des dieux et des ancêtres. C'est là qu'ils se manifestent le plus fréquemment.

N'était-ce pas à l'orée d'une forêt que les dieux, à l'appel du grand prêtre Okomfo Anokyé, avaient fait descendre le tabouret d'or sur les genoux d'Osei Tutu, le désignant à la vénération de tous? N'était-ce pas dans une forêt que les grands prêtres se réunissaient pour toute consultation importante? La forêt est comme le ventre d'une femme d'où sort la vie, d'où sort l'espoir.

Quand il fit trop sombre pour avancer, des esclaves coupèrent des branches basses et bâtirent rapidement des cases. D'autres allumèrent des feux et les musiciens donnèrent un véritable concert jusqu'au moment où un linguiste se lança au milieu du cercle improvisé pour raconter l'histoire qui plaisait le plus à l'oreille de tout Ashanti, celle de la fondation du royaume et des aventures d'Osei Tutu.

« C'est du ciel qu'est descendu le peuple ashanti, du ventre de la lune, la lune-femme qui veut que le pouvoir se transmette par les femmes. Aussi le roi Obiri Yéboa était-il soucieux, sa sœur la princesse Manou, mariée depuis cinq ans, n'ayant jamais enfanté. Qui donc allait lui succéder sur le trône? Un jour, la reine mère convoqua Manou devant elle : « Je ne crois pas que tu sois stérile. C'est du moins ce qu'affirme le grand prêtre. Aussi, tu vas le suivre et faire tout ce qu'il t'ordonnera... »

« Manou obéit et, neuf mois plus tard – battez, tambours sacrés de la naissance! sonnez, trompettes d'ivoire! – un fils lui naquit. Les grands prêtres penchés sur le bébé surent vite de quel ancêtre il était la réincarnation et lui donnèrent le nom d'Osei suivi de Tutu, car Tutu était le dieu de l'abondance qui venait de combler Manou...

« Et Osei Tutu grandit, grandit... »

Quelque part au-dessus de la voûte des arbres, la lune se leva. Elle transperça l'épaisseur du feuillage de ses rayons comme si elle aussi tenait à entendre l'histoire familière. N'était-elle pas concernée? En effet Osei Tutu était son fils, même si dans le cours des temps, le soleil avait usurpé sa place dans le monde et commencé de régner en souverain, revendiquant la paternité de toutes les créatures :

« Quand Osei Tutu eut dix ans, le roi son père l'envoya chez son oncle au royaume de Denkyira. L'échange de jeunes princes est un gage de paix. Comment un roi n'hésiterait-il pas à déclarer une guerre quand il sait que l'ennemi a en otage son héritier? »

Les hommes assemblés, la lune, Owusu Adom, tous écoutaient le récit du linguiste. Et la confiance renaissait. Le peuple ashanti était immortel. Jamais les Anglais, ce peuple de l'eau, à peau froide et pâle, couleur de maléfices, ne sauraient les détruire. Pendant ce temps les prêtres à l'affût des bruits de la forêt interprétaient les signes de l'invisible. Ils sentaient que de grands événements se préparaient, qu'au lieu même où ils se trouvaient s'écrirait une histoire redoutable et singulière qui effacerait celle d'Osei Tutu.

TABLE

DU MÊME AUTEUR

Chez le même éditeur :

UNE SAISON À RIHATA, roman (1981).

Chez d'autres éditeurs :

HEREMAKHONON, roman.

LA POÉSIE ANTILLAISE,
(Collection « Classiques du monde », Nathan, 1977).

LE ROMAN ANTILLAIS,
(Collection « Classiques du monde », Nathan, 1978).

LE PROFIL D'UNE ŒUVRE
Cahier d'un retour au pays natal, (Hatier, 1978).

LA PAROLE DES FEMMES, (L'Harmattan, 1979).

IMPRIMÉ EN FRANCE PAR BRODARD ET TAUPIN
Usine de La Flèche (Sarthe).
LIBRAIRIE GÉNÉRALE FRANÇAISE - 6, rue Pierre-Sarrazin - 75006 Paris.
ISBN : 2 - 253 - 03711 - 7

30/6082/9